A Princesa apaixonada
+
A Princesa à espera

Obras da autora publicadas pela Editora Record:

Avalon High
Avalon High – A coroação: a profecia de Merlin
Cabeça de vento
Sendo Nikki
Como ser popular
Ela foi até o fim
A garota americana
Quase pronta
O garoto da casa ao lado
Garoto encontra garota
Todo garoto tem
Ídolo teen
Pegando fogo!
A rainha da fofoca
A rainha da fofoca em Nova York
A rainha da fofoca: fisgada
Sorte ou azar?
Liberte meu coração
Insaciável
Mordida
Sem julgamentos

Série O Diário da Princesa
O diário da princesa
A princesa sob os holofotes
A princesa apaixonada
A princesa à espera
A princesa de rosa-shocking
A princesa em treinamento
A princesa na balada
A princesa no limite
Princesa Mia
Princesa para sempre
Lições de princesa
O presente da princesa
O casamento da princesa

Série Heather Wells
Tamanho 42 não é gorda
Tamanho 44 também não é gorda
Tamanho não importa
Tamanho 42 e pronta para arrasar
A noiva é tamanho 42

Série A Mediadora
A terra das sombras
O arcano nove
Reunião
A hora mais sombria
Assombrado
Crepúsculo
Lembrança

Série As leis de Allie Finkle para meninas
Dia da mudança
A garota nova
Melhores amigas para sempre?
Medo de palco
Garotas, glitter e a grande fraude
De volta ao presente

Série Desaparecidos
Quando cai o raio
Codinome Cassandra
Esconderijo perfeito
Santuário

Série Abandono
Abandono
Inferno
Despertar

Série Diário de uma Princesa Improvável
Diário de uma princesa improvável
Desastre no casamento real

meg cabot

A Princesa apaixonada + A Princesa à espera

Tradução
Maria Cláudia de Oliveira

2ª edição

Galera

RIO DE JANEIRO

2025

REVISÃO
Eduardo Carneiro

CAPA
Isadora Zeferino

TÍTULO ORIGINAL
Princess in love
Princess in waiting

CIP-BRASIL. CATALOGAÇÃO NA PUBLICAÇÃO
SINDICATO NACIONAL DOS EDITORES DE LIVROS, RJ

C116p Cabot, Meg, 1967-
      Princesa apaixonada ; Princesa à espera / Meg Cabot ; tradução Maria Cláudia de Oliveira. – 2. ed. – Rio de Janeiro : Galera Record, 2025.
      (O diário da princesa ; 3 , 4)

      Tradução de: Princess in love ; Princess in waiting
      ISBN 978-65-5981-141-0

      1. Ficção. 2. Literatura infantojuvenil americana. I. Maria Cláudia de Oliveira.
III. Título: A princesa apaixonada. IV. Título. V. Série.

22-76666   CDD: 808.899282
                      CDU: 82-93(73)

Meri Gleice Rodrigues de Souza – Bibliotecária – CRB-7/6439

Copyright © 2022 Meg Cabot, LLC.

Todos os direitos reservados.
Proibida a reprodução, no todo ou em parte, através de quaisquer meios.
Os direitos morais do autor foram assegurados.

Texto revisado segundo o novo Acordo Ortográfico da Língua Portuguesa.

Direitos exclusivos de publicação em língua portuguesa somente para o Brasil adquiridos pela
EDITORA RECORD LTDA.
Rua Argentina, 171 - Rio de Janeiro, RJ - 20921-380 - Tel.: (21) 2585-2000,
que se reserva a propriedade literária desta tradução.

Impresso no Brasil

ISBN 978-65-5981-141-0

Seja um leitor preferencial Record.
Cadastre-se e receba informações sobre nossos
lançamentos e nossas promoções.

Atendimento e venda direta ao leitor:
sac@record.com.br

EDITORA AFILIADA

A Princesa apaixonada

Para Benjamin, com amor

Agradecimentos

Muito obrigada a Beth Ader, Jennifer Brown, Barbara Cabot, Sarah Davies, Laura Langlie, Abby McAden e David Walton.

— Um dos "fingimentos" de Sara é que ela é uma princesa — disse Jessie. — Ela brinca disso o tempo todo, até na escola. Ela quer que Ermengarde também seja uma, mas Ermengarde diz que é muito gorda.
— Ela é muito gorda — disse Lavinia.
— E Sara é muito magra.
— Sara diz que não, isso não tem nada a ver com a sua aparência ou com as suas posses. Só tem a ver com o que você pensa e com o que você faz — explicou Jessie.

A Princesinha
Frances Hodgson Burnett

Aula de Inglês

Dever de casa (para 8 de dezembro): Na Escola Albert Einstein, temos uma população de estudantes muito diversificada. Mais de 170 diferentes nações, religiões e grupos étnicos estão representados em nosso corpo estudantil. Abaixo, descreva a maneira com que sua família celebra o feriado exclusivamente americano, o Dia de Ação de Graças. Por favor, utilize margens apropriadas.

MEU DIA DE AÇÃO DE GRAÇAS
Por Mia Thermopolis

6h45 — Sou acordada com o som da minha mãe vomitando. Ela está agora bem no meio do seu terceiro mês de gravidez. O obstetra dela diz que todo esse vômito deve parar no próximo trimestre. Mal consigo esperar. Venho marcando os dias que faltam no calendário do 'N Sync. (Na verdade eu não gosto do 'N Sync. Pelo menos não tanto assim. Minha melhor amiga, Lilly, me deu esse calendário de brincadeira. Mas um dos caras é realmente muito gato.)

7h45 — O Sr. Gianini, meu novo padrasto, bate na minha porta. Só que agora eu devo chamá-lo de Frank. Mas isso é muito difícil de lembrar, já que na escola, onde ele é meu professor de álgebra no primeiro tempo, eu devo chamá-lo de Sr. Gianini. Então eu simplesmente não o chamo de nada (na frente dele).

Hora de se levantar, diz o Sr. Gianini. Vamos passar o Dia de Ação de Graças na casa dos pais dele em Long Island. Temos de ir agora, se quisermos evitar o trânsito.

8h45 — Não há trânsito tão cedo assim no Dia de Ação de Graças. Chegamos à casa dos pais do Sr. G em Sagaponic três horas adiantados.

A Sra. Gianini (mãe do Sr. Gianini, não minha mãe. Minha mãe ainda é Helen Thermopolis porque ela é uma pintora moderna suficientemente conhecida por este nome e também porque ela não acredita no culto do patriarcado) ainda está de bobes no cabelo. Ela parece muito surpresa. Deve ser não só porque chegamos tão cedo, mas também porque, mal minha mãe entrou na casa, foi forçada a correr até o banheiro com a mão na boca por causa do cheiro do peru assando. Estou esperando que isso signifique que meu futuro meio-irmão — ou irmã — seja vegetariano, já que o cheiro de carne cozida costumava fazer minha mãe ficar com fome, e não enjoada.

Minha mãe já havia me informado no carro, a caminho da saída de Manhattan, que os pais do Sr. Gianini são muito antiquados e costumam fazer uma refeição típica do Dia de Ação de Graças. Ela acha que eles não vão gostar de ouvir meu tradicional discurso de Ação de Graças sobre como os Peregrinos são culpados de terem cometido genocídio dando a seus novos amigos, os nativo americanos, cobertores infestados com o vírus da varíola, e que é repreensível que nós celebremos nacionalmente todo ano essa violação e destruição de uma civilização inteira.

Em vez disso, minha mãe falou, eu devia conversar sobre temas mais neutros, como o tempo.

Eu perguntei se poderia falar sobre a quantidade incrível de pessoas que frequentam a ópera Reykjavík, na Islândia (mais de 98% da população do país já viu *Tosca* pelo menos uma vez).

Minha mãe suspirou e disse, "Se você precisa mesmo", o que tomei como um sinal de que ela está começando a ficar cansada de ouvir falar na Islândia.

Bem, sinto muito, mas acho a Islândia extremamente fascinante e não vou descansar até ter visitado o hotel de gelo.

9h45 a 11h45 — Assisto à parada da Macy's do Dia de Ação de Graças com o Sr. Gianini pai, no que ele chama de sala de recreação.

Não existem salas de recreação em Manhattan.

Só corredores.

Lembrando da advertência da mamãe, evito repetir outra de minhas tradicionais loucuras sobre feriados, de que o Dia de Ação de Graças da Macy's é um exemplo brutal do crescimento da fúria assassina do capitalismo americano.

Em algum instante durante a transmissão, consegui ver Lilly de pé na multidão do lado de fora do Office Max, na Broadway com a 37, a câmera de vídeo grudada a seu rosto levemente amassado (como o de um *pug*), enquanto passa um dirigível carregando Miss América e William Shatner, celebridade de *Star Trek*. Aí eu sei que Lilly vai denunciar a Macy's no próximo episódio de seu programa de televisão *Lilly manda a real* (toda sexta à noite, às nove, no canal a cabo 67 de Manhattan).

12h — A irmã do Sr. Gianini filho chega com o marido, os dois filhos e as tortas de abóbora. Os filhos, que têm a minha idade, são gêmeos, um garoto, Nathan, e uma garota, Claire. Eu sei de cara que Claire e eu não vamos nos dar bem porque quando somos apresentadas ela me olha de cima a baixo da maneira com que as animadoras de torcida fazem no corredor da escola e fala, numa voz muito esnobe, "*Você* é que é a tal princesa?".

Embora eu esteja perfeitamente consciente de que, com quase 1,80m de altura, sem seios aparentes, os pés do tamanho de esquis e os cabelos como uma moita em minha cabeça, como o algodão do cotonete, a maior esquisita da turma dos calouros da Escola Albert Einstein para Garotos (tornada mista *circa* 1975), não preciso ser lembrada disso por garotas que nem mesmo se importam em descobrir que por trás dessa fachada mutante bate o coração de uma pessoa que está só se esforçando, exatamente como todas as outras pessoas no mundo, para alcançar a autorrealização.

Não que eu sequer me preocupe com o que Claire, a sobrinha do Sr. Gianini, pensa de mim. Quer dizer, ela está usando uma minissaia de pele de pônei. E não é uma imitação de pele de pônei. Ela deve saber que um cavalo precisou morrer só para que ela pudesse ter aquela saia, mas obviamente ela não está nem aí.

E Claire pegou o telefone celular e saiu para o deque, onde o sinal de recepção é melhor (mesmo que esteja fazendo um grau negativo lá fora, ela aparentemente não se importa. Ela tem aquela saia de pele de pônei para aquecê-la, afinal de contas). Ela continua me encarando através das portas de vidro de correr e rindo enquanto fala ao telefone.

Nathan — que está vestindo um jeans *baggy* e tem um *pager*, além de um monte de joias de ouro — pergunta a seu avô se pode mudar de canal. Então, em vez das opções tradicionais para se assistir no Dia de Ação de Graças, como futebol ou a maratona de filmes feitos-para-a-TV no canal Lifetime, somos forçados agora a assistir à MTV2. Nathan conhece todas as músicas e canta junto com eles. Muitas delas têm palavrões que foram bipados, mas Nathan canta assim mesmo.

13h — A comida é servida. Começamos a comer.

13h15 — Terminamos de comer.

13h20 — Ajudo a Sra. Gianini a limpar tudo. Ela diz para eu não ser ridícula e que eu deveria ir "fofocar um pouco" com Claire.

É assustador, se você pensar no assunto, como as pessoas mais velhas podem ser inocentes às vezes.

Em vez de ir fofocar um pouco com Claire, eu fico onde estou e digo à Sra. Gianini como estou gostando de ter o filho dela morando conosco. O Sr. G é muito bom em ajudar na casa, e já até ficou com minha antiga tarefa de limpar os banheiros. Sem mencionar a TV de 36 polegadas, a máquina de fliperama e a mesa de totó que ele levou quando se mudou para lá.

A Sra. Gianini fica imensamente gratificada por ouvir isso, pode se dizer assim. Pessoas velhas gostam de ouvir coisas legais sobre seus filhos, mesmo se o filho, no caso o Sr. Gianini, tiver 39 anos e meio.

15h — Temos de partir se vamos encarar o trânsito de volta para casa. Eu digo adeus. Claire não responde, mas Nathan sim. Ele me dá um toque para cair na real. A Sra. Gianini nos dá um monte de sobras de peru. Eu agradeço a ela, mesmo que não coma peru, já que sou vegetariana.

18h30 — Finalmente conseguimos voltar para a cidade, depois de passar três horas e meia num trânsito de para-choques a para-choques pela Long Island Expressway. Embora não haja nada muito expresso nela, se quer saber.

Eu mal tenho tempo de trocar de roupa e colocar meu vestido Armani azul-bebê, longo e justo, com sapatilhas combinando, antes que a limusine buzine lá embaixo e Lars, meu guarda-costas, chegue para me escoltar até minha segunda refeição de Ação de Graças.

19h30 — Chegada ao Plaza Hotel. Sou saudada pelo porteiro, que me anuncia às massas reunidas no Palm Court:

"Apresentando Sua Alteza Real Princesa Amelia Mignonette Grimaldi Thermopolis Renaldo."

Deus não permitiu que ele dissesse apenas Mia.

Meu pai, o príncipe de Genovia, e sua mãe, a princesa viúva, haviam alugado o Palm Court para a noite a fim de oferecer um banquete de Dia de Ação de Graças para todos os seus amigos. Apesar de minhas objeções tenazes, papai e Grandmère se recusaram a sair de Nova York até que eu tivesse aprendido tudo o que há para saber sobre ser uma princesa... ou até a minha apresentação formal ao povo genoviano na véspera de Natal, o que viesse primeiro. Eu garanti a eles que não é como se eu fosse aparecer no castelo jogando azeitonas nas damas de honra e me coçando embaixo dos braços. Quer dizer, tenho catorze anos: faço alguma ideia de como agir, para ser bastante clara.

Mas Grandmère, pelo menos, não parece acreditar nisso, então ela ainda está me submetendo a aulas diárias de como ser uma princesa. Lilly recentemente entrou em contato com as Nações Unidas para ver se essas lições constituem uma violação dos direitos humanos. Ela acredita ser ilegal forçar uma menor a se sentar durante horas praticando empurrar seu prato de sopa para longe — "Sempre, sempre *longe* de você, Amelia!" — a fim de fazer o maior esforço para conseguir algumas gotas de sopa de lagosta. As Nações Unidas não tiveram a menor simpatia pela minha situação.

Foi ideia de Grandmère fazer o que ela chama de jantar de Ação de Graças "à antiga", apresentando mexilhões num molho de vinho branco, pombos recheados com *foie gras*, caudas de lagosta e caviar iraniano, o que você jamais poderia conseguir antigamente, por causa do embargo. Ela convidou duzentos de seus amigos mais íntimos, mais o imperador do Japão e a mulher dele, já que eles estavam na cidade para uma conferência de comércio mundial.

É por isso que estou tendo que usar sapatilhas. Grandmère diz que é falta de educação ser mais alta do que um imperador.

20h-23h — Converso polidamente com a imperatriz enquanto comemos. Como eu, ela era apenas uma pessoa normal até o dia em que se casou com o imperador e passou a fazer parte da realeza. Eu, óbvio, nasci na realeza. Eu só não sabia disso até setembro, quando meu pai descobriu que não podia mais ter filhos, devido ao fato de a quimioterapia para câncer nos testículos tê-lo deixado estéril. Então ele teve de admitir que era na verdade um príncipe e tudo o mais, e que embora eu seja "ilegítima", já que meu pai e minha mãe nunca se casaram, ainda sou a única herdeira do trono de Genovia.

E ainda que Genovia seja um país muito pequeno (população 50.000), empoleirado numa encosta do Mediterrâneo entre a Itália e a França, ainda assim é uma grande responsabilidade ser princesa dele.

Parece que não é grande o suficiente para alguém aumentar minha mesada para mais de dez dólares por semana. Mas é grande o suficiente para que eu tenha que ter um guarda-costas me seguindo por todos os lugares, no caso de algum terroristazinho europeu, usando calças de couro pretas e rabo de cavalo, enfiar na cabeça a ideia de me sequestrar.

A imperatriz sabe tudo a esse respeito — quer dizer, a droga que é ser apenas uma pessoa normal num dia e no outro ter seu rosto na capa da revista *People*. Ela até me deu uns conselhos. Disse que eu devo sempre me certificar de que meu quimono está bem amarrado antes de levantar o braço para saudar a população.

Eu agradeci a ela, mesmo não tendo um quimono.

23h30 — Estou tão cansada por ter me levantado tão cedo para ir a Long Island que bocejei duas vezes na cara da imperatriz. Tentei evitar esses bocejos do jeito que Grandmère me ensinou, trincando os dentes e me recusando a abrir a boca. Mas isso só faz meus olhos se encherem d'água e o resto de meu rosto se esticar como se eu estivesse me arrastando através de um buraco negro. Grandmère me olha feio por cima da salada de peras e nozes, mas não adianta. Mesmo seu olhar malévolo não consegue me tirar do meu estado de extrema sonolência.

Finalmente, meu pai nota e me concede um alívio real na sobremesa. Lars me leva de carro para casa. Grandmère está claramente aborrecida porque estou indo embora antes de servirem os queijos. Mas é isso ou desmaiar no *fromage bleu*. Eu sei que no fim das contas Grandmère vai dar o troco, indubitavelmente, tipo me forçando a aprender os nomes de cada membro da família real sueca, ou algo igualmente atroz.

Grandmère sempre faz o que quer.

Meia-noite — Depois de um longo e cansativo dia dando graças aos fundadores de nossa nação — aqueles genocidas hipócritas conhecidos como Peregrinos —, finalmente vou para a cama.

E isso conclui o Dia de Ação de Graças de Mia Thermopolis.

Sábado, 6 de dezembro

Acabada.

Isso é o que a minha vida está. A-C-A-B-A-D-A.

Sei que já disse isso antes, mas desta vez estou falando muito sério.

E por quê? Por que DESTA VEZ? Surpreendentemente, não é porque:

Há três meses, descobri que sou a herdeira do trono de um pequeno país europeu, e que no fim deste mês vou ter que ir ao supracitado pequeno país europeu e ser formalmente apresentada pela primeira vez ao povo sobre o qual um dia eu reinarei, e que indubitavelmente me odiará porque, dado o fato de que meus sapatos favoritos são minhas botas de combate e meu programa de TV favorito é *S.O.S. Malibu*, eu não faço muito o tipo princesa real.

Ou porque:

Minha mãe, que está esperando dar à luz um filho do meu professor de álgebra dentro de aproximadamente sete meses, não faz muito tempo fugiu com o supracitado professor de álgebra.

Ou nem mesmo porque:

Na escola eles estão nos entupindo com tanto dever de casa — e, depois da escola, Grandmère está me torturando tão interminavelmente com toda essa coisa de ser princesa que eu tenho que ter aprendido até o Natal — que eu nem mesmo fui capaz de manter este diário atualizado, sem falar em todas as outras coisas.

Ah, não. Não é por causa de nada disso. Por que minha vida está acabada?

Porque arranjei um namorado.

Aos catorze anos de idade, acho que já era hora. Quer dizer, todas as minhas amigas têm namorado. Todas elas, até Lilly, que culpa o gênero masculino por muitos, se não todos, os males da sociedade.

E tudo bem, o namorado de Lilly é Boris Pelkowsky, que deve, com a idade de quinze anos, ser um dos maiores virtuoses de violino da nação, mas isso não quer dizer que ele não enfie o suéter dentro das calças ou que não tenha restos de comida grudados no aparelho com muita frequência. Não é exatamente o que eu chamaria de uma peça ideal para se namorar, mas parece que Lilly gosta dele, e isso é o que importa.

Eu acho.

Tenho que admitir, se Lilly — possivelmente a pessoa mais exigente deste planeta (e eu devo saber, já que sou sua melhor amiga desde o jardim de infância) — arranja um namorado e eu ainda não tenho um, começo a pensar que tem alguma coisa muito errada comigo. Além do gigantismo e daquilo que os pais de Lilly, os Drs. Moscovitz, que são psiquiatras, chamam de minha inabilidade para verbalizar minha raiva interior.

E então, um dia, de repente, eu arranjo um. Um namorado, quer dizer.

Bem, certo, não de repente. Kenny começou a me mandar todas aquelas cartas anônimas de amor. Eu não sabia que era ele. Eu meio que pensei (tudo bem, quis) que fosse outro que estivesse mandando as cartas. Mas, no fim das contas, acabou sendo Kenny. E aí eu já tinha entrado muito fundo, de verdade, para cair fora. Então, *voilà*! Eu arranjei um namorado.

Problema resolvido, certo?

Não. Não mesmo.

E não é que eu não goste de Kenny. Eu gosto. Gosto mesmo. Nós temos muitas coisas em comum. Por exemplo, nós dois apreciamos o valor não apenas da forma humana, mas de *todas* as formas de vida, e nos recusamos a dissecar fetos de porco e sapos nas aulas de biologia. Em vez disso, estamos escrevendo redações sobre os ciclos da vida de vários vermes e larvas de comida.

E nós dois gostamos de ficção científica. Kenny sabe muito mais de ficção do que eu, mas ficou muito impressionado até agora com a extensão da minha familiaridade com os trabalhos de Robert A. Heinein e Isaac Asimov, ambos autores que fomos forçados a ler na escola (embora ele não pareça se lembrar disso).

Eu não contei a Kenny que na verdade acho a maior parte da ficção científica um saco, já que parece conter muito poucas mulheres.

Há muitos personagens de garotas na animação japonesa, de que Kenny também gosta bastante. Ele decidiu devotar sua vida à promoção disso (quando não está ocupado tentando descobrir a cura do câncer). Eu notei que muitas das garotas na animação japonesa parecem ter colocado o sutiã no lugar errado.

Além do mais, eu realmente acho que deve ser sinistro um piloto de guerra ter um monte de cabelos longos flutuando em torno do *cockpit* enquanto está atirando contra as forças do mal.

Mas, como disse, não mencionei nada disso ao Kenny. E geralmente nós ficamos bem juntos, nos divertimos juntos. E de certa forma é muito bacana ter um namorado. Tipo assim, não preciso me preocupar agora com a possibilidade de não ser convidada para o Baile Inominável de Inverno da Escola Albert Einstein (chamado assim porque seu antigo nome, Baile de Natal da Escola Albert Einstein, ofendia muitos de nossos estudantes não-celebradores-do-Natal).

E por que não tenho que me preocupar com a possibilidade de não ser convidada para o maior baile do ano letivo, com exceção do baile de formatura?

Porque vou com Kenny.

Bom, tudo bem, ele ainda não me convidou exatamente, mas ele vai convidar. Porque é meu namorado.

Isso não é demais? Às vezes acho que devo ser a garota mais sortuda do mundo. Quer dizer, falando sério. Pense nisso: eu posso não ser bonita, mas não sou grosseiramente desfigurada; moro em Nova York, o lugar mais maneiro do planeta; sou uma princesa; tenho um namorado. O que mais poderia uma garota querer?

Ai, Deus.

A QUEM EU ESTOU ENGANANDO?????

Esse meu namorado? Aqui está o grande lance:

EU NEM GOSTO DELE.

Bom, tudo bem, não é que eu não goste dele. Mas essa coisa de namorado, sei lá. Kenny é um cara bem legal e tudo — não me interprete mal. Quer dizer, ele é engraçado e não é chato, com certeza. E ele é bem gato, sabe, um tipo alto e magro.

Só que quando eu vejo Kenny andando pelo corredor, meu coração não começa a bater mais rápido, da maneira que o coração das garotas começa a bater mais rápido naqueles romances de adolescentes que minha amiga Tina Hakim Baba está sempre lendo.

E quando Kenny pega minha mão, no cinema, ou onde for, não é como se minha mão ficasse toda latejando na dele, do jeito que as mãos das garotas ficam naqueles livros.

E quando ele me beija? Aqueles fogos de artifício de que as pessoas sempre falam? Esqueça. Nada de fogos de artifício. Zero. Nada.

É engraçado, porque antes de eu ter um namorado, eu costumava passar muito tempo tentando descobrir como arranjar um e, quando consegui arranjar, em como fazer com que ele me beijasse.

Mas agora que eu realmente tenho um namorado, o que eu faço quase o tempo todo é tentar encontrar maneiras de escapar do beijo dele.

Um jeito que descobri que funciona quase sempre é a virada de cabeça. Se eu noto que os lábios dele estão vindo na minha direção, eu simplesmente viro a cabeça no último minuto, aí tudo o que ele consegue alcançar é o meu rosto, e talvez um pouco de cabelo.

Acho que o pior é que, quando Kenny olha profundamente dentro de meus olhos — coisa que ele faz muito — e me pergunta sobre o que estou pensando, normalmente estou pensando nessa certa pessoa.

E essa pessoa não é Kenny. Não é Kenny mesmo. É o irmão mais velho de Lilly, Michael Moscovitz, a quem eu amo desde, ah, não sei, MINHA VIDA INTEIRA.

Mas espera aí que ainda não acabou. Vai ficar pior.

Porque agora parece que todo mundo considera a mim e Kenny como o Um Só. Sabe? Agora nós somos Kenny-e-Mia. Agora, em vez de sermos Lilly e eu saindo juntas no sábado à noite, somos Lilly-e-Boris e Kenny-e-Mia. Às vezes minha amiga Tina Hakim Baba e o namorado dela, Dave Farouq El-Abar, e minha outra amiga Shameeka Taylor e o namorado dela, Daryl Gardner, juntam-se a nós, virando Lilly-e-Boris e Kenny-e-Mia e Tina-e-Dave e Shameeka-e-Daryl.

Então, se Kenny e eu terminarmos, com quem vou sair no sábado à noite? Quer dizer, falando sério. Lilly-e-Boris e Tina-e-Dave e Shameeka-e-Daryl não vão simplesmente levar a Mia junto. Vou ficar tipo segurando vela.

Sem contar que, se Kenny e eu terminarmos, com quem eu vou ao Baile Inominável de Inverno? Quer dizer, se é que ele vai mesmo me convidar.

Ai, Deus, eu tenho que ir agora. Lilly-e-Boris e Tina-e-Dave e Kenny-e-Mia devem ir esquiar no gelo no Rockefeller Center.

Tudo o que posso dizer é: tome cuidado com os seus desejos. Eles podem se tornar realidade.

Sábado, 6 de dezembro, 23h

Achei que minha vida estava acabada porque agora eu tenho um namorado e não gosto dele de verdade e tenho que terminar com ele sem ferir seus sentimentos, o que é, eu acho, provavelmente impossível.

Deus, eu não sabia *como* a minha vida poderia estar realmente acabada.

Não até hoje à noite, pelo menos.

Hoje à noite, Lilly-e-Boris e Tina-e-Dave e Mia-e-Kenny se juntaram a um novo casal, Michael-e-Judith.

É isso aí. Michael, o irmão de Lilly, apareceu no rinque de patinação no gelo e levou com ele a presidente do Clube de Computação — do qual ele é tesoureiro —, Judith Gershner.

Judith Gershner, como Michael irmão de Lilly, é veterana na Escola Albert Einstein.

Judith Gershner, como Michael, está no rol de honra.

Judith Gershner, como Michael, provavelmente vai entrar em qualquer universidade na qual ela se inscreva, porque Judith Gershner, como Michael, é brilhante.

De fato, Judith Gershner, como Michael, ganhou um prêmio no ano passado na Feira Anual Biomédica e Tecnológica da Escola Albert Einstein por seu projeto de ciência, no qual ela clonou de verdade uma mosca-das-frutas.

Ela clonou uma mosca-das-frutas. Em casa. No *quarto* dela.

Judith Gershner sabe como clonar moscas-das-frutas no quarto. E eu? Não consigo nem multiplicar frações.

Hummm. Ai, meu Deus, eu não sei. Se você fosse Michael Moscovitz — sabe, um aluno totalmente nota 10 que já passou para Columbia por antecipação —, com quem você ia preferir sair? Uma garota que consegue clonar moscas-das-frutas no quarto ou uma garota caloura que está levando D em álgebra, apesar do fato de *sua mãe ser casada com o professor de álgebra*?

Não que seja impossível Michael me convidar pra sair. Quer dizer, tenho que admitir, houve umas duas vezes em que eu pensei que ele ia. Mas isso foi claramente apenas um desejo de minha parte. Quer dizer, por que um cara como Michael, que vai realmente bem na escola e, é muito provável, vai se distinguir em qualquer carreira que resolva seguir, chamaria para sair uma garota como eu, que estaria reprovada agora no primeiro ano se não fosse por todas aquelas aulas de reposição com o Sr. Gianini e, ironicamente, com o próprio Michael?

Mas Michael e Judith Gershner, por outro lado, são perfeitos um para o outro. Judith até se parece com ele, um pouco. Quer dizer, os dois têm os mesmos cabelos pretos ondulados e a pele branca de ficarem trancados em casa o tempo todo, pesquisando coisas sobre genomas na internet.

Mas se Michael e Judith Gershner combinam tanto, como é que, quando eu os vi pela primeira vez andando na nossa direção enquanto estávamos amarrando nossos patins alugados, eu tive essa sensação tão ruim por dentro?

Quer dizer, não tenho absolutamente nenhum direito de sentir inveja do fato de que Michael Moscovitz convidou Judith Gershner para ir patinar com ele. Absolutamente nenhum direito, mesmo.

A não ser pelo fato de que, quando eu os vi juntos pela primeira vez, fiquei chocada. Quer dizer, Michael mal sai do quarto por estar sempre diante do computador fazendo a manutenção do seu e-zine, o *Crackhead*. O último lugar onde eu esperaria vê-lo era no rinque de patinação no gelo do Rockefeller Center durante o auge da histeria de iluminação-de-árvore-de-Natal. Michael geralmente evita lugares que ele considera armadilhas turísticas, o que inclui qualquer lugar ao norte da Bleecker Street.

Mas ali estava ele, e ali estava Judith Gershner, com seu macacão, seus Rockports e sua capa de esqui, tagarelando com ele sobre alguma coisa — provavelmente alguma coisa muito inteligente, tipo DNA.

Eu cutuquei Lilly de lado — ela estava amarrando os patins — e disse, numa voz que, espero, não tenha mostrado o que eu estava sentindo por dentro: "Olha aí o seu irmão."

E Lilly nem ficou surpresa ao vê-lo! Ela olhou para cima, viu Michael e respondeu: "Ah, é. Ele disse que talvez fosse aparecer."

Aparecer com uma *garota*? Será que ele mencionou *isso*? E teria sido muito difícil para você, Lilly, ter me contado isso antecipadamente, para que eu pudesse ter tempo de fazer uma pequena preparação mental?

Só que Lilly não sabe o que sinto pelo irmão dela, então acho que nunca ocorreria a ela gentilmente me dar um toque.

Aqui está a maneira sutil com a qual lidei com a situação. Foi totalmente tranquilo (NÃO).

Enquanto Michael e Judith estavam procurando um lugar para colocar seus patins:

Eu: (casualmente, para Lilly) Não sabia que seu irmão e Judith Gershner estavam namorando.

Lilly: (chateada por alguma razão) Por favor. Eles não estão namorando. Ela só estava lá em casa, trabalhando com Michael em algum projeto para aquele estúpido Clube de Computação. Eles ouviram dizer que íamos todos patinar, e Judith disse que queria vir também.

Eu: Bem, para mim isso parece mostrar que eles estão saindo juntos.

Lilly: E daí? Boris, será que você precisa *respirar* em cima de mim o tempo todo?

Eu: (para Michael e Judith enquanto eles andavam até nós) Oi, e aí, galera? Michael, eu não sabia que você sabia patinar.

Michael: (dando de ombros) Eu já participei de um time de hóquei.

Lilly: (resfolegando) É, o Pee Wee Hockey. Foi antes de ele decidir que esportes em equipe eram uma perda de tempo porque o sucesso do time era ditado pelo desempenho de todos os jogadores como um todo, ao contrário de esportes determinados por performances individuais, como tênis e golfe.

Michael: Lilly, você nunca cala a boca?

Judith: Eu adoro patinar no gelo! Embora não seja muito boa nisso.

E certamente não é. Judith é uma patinadora tão ruim que teve de segurar as duas mãos de Michael enquanto ele patinava de costas na frente dela, só para evitar que caísse de cara no chão. Não sei o que me espantou mais: que Michael consiga patinar de costas, ou que ele não parecesse se importar por ter que rebocar Judith em volta do rinque. Quer dizer, posso não ser capaz de clonar uma mosca-das-frutas, mas pelo menos consigo ficar de pé sem ajuda num par de patins de gelo.

Kenny, entretanto, parecia realmente pensar que o método de patinação de Michael e Judith era melhor do que esquiar da maneira tradicional — sabe, sozinho —, então ele ficava vindo e tentando fazer com que eu o deixasse me rebocar pelo mesmo caminho por que Michael estava rebocando Judith.

E mesmo que eu ficasse tipo "Pô, Kenny, eu sei patinar", ele disse que a questão não era essa. Finalmente, depois de ele ter me atazanado por mais ou menos meia hora, eu desisti e deixei-o segurar minhas mãos enquanto ele patinava na minha frente, de costas.

O problema é que Kenny não é muito bom em patinar de costas. Eu consigo patinar para a frente, mas não sou boa o suficiente nisso a ponto de, se alguém ficar se balançando na minha frente, conseguir evitar uma batida, se ele cair.

E foi exatamente o que aconteceu. Kenny caiu e eu não consegui parar, então eu bati nele, meu queixo bateu no joelho dele, eu mordi a língua e minha boca se encheu de sangue que eu não quis engolir, então cuspi. Só que infelizmente aquilo tudo caiu em cima do jeans de Kenny e no gelo, o que claramente impressionou todos os turistas que estavam parados em torno das grades do rinque, tirando fotos de seus amados em frente à enorme árvore de Natal do Rockefeller Center — todos eles se viraram e começaram a tirar fotos da garota cuspindo sangue no gelo, um momento verdadeiramente nova-iorquino.

E aí Lars chegou *arrasando* — ele é campeão de patinação no gelo, graças a sua educação nórdica; um contraste e tanto com seu treinamento de guarda-costas no coração do deserto de Gobi —, me pegou, olhou para a minha língua, me deu seu lenço, me disse para manter pressão no machucado e então falou: "Já basta de patinação por esta noite."

E foi isso. Agora eu estou com esse buraco sangrento na ponta da língua, e dói falar, e eu fiquei totalmente humilhada na frente de centenas de turistas que tinham vindo olhar aquela árvore idiota naquele Rockefeller Center idiota, isso sem falar dos meus amigos e, pior que tudo, na frente de Judith Gershner, que também foi aceita por antecipação na Columbia (ótimo, a mesma universidade para onde Michael vai no outono), onde ela fará medicina, e me avisou que eu devia ir ao hospital, já que parecia provável que eu poderia precisar de pontos. Na *língua*. Tive sorte, disse ela, porque não arranquei a ponta.

Sorte!

Então tá, eu vou te dizer como eu sou sortuda: sou tão sortuda que enquanto eu fico deitada aqui na cama escrevendo isso, sem ninguém além do meu gato de 11kg, Fat Louie, para me fazer companhia (e Fat Louie só gosta de mim porque eu dou comida para ele), o garoto por quem sou apaixonada desde sempre está lá na cidade bem agora com uma garota que sabe clonar moscas-das-frutas e sabe dizer se feridas precisam de pontos ou não.

Uma coisa boa sobre essa língua, entretanto: se Kenny estava pensando em tentar um beijo de língua, nós não podemos mesmo, até cicatrizar. E, de acordo com o Dr. Fung — que minha mãe chamou assim que Lars me trouxe para casa —, isso pode levar qualquer coisa entre três e dez dias.

Beleza!

DEZ COISAS QUE ODEIO NA ÉPOCA DE FESTAS EM NOVA YORK

1. Turistas que vêm em seus veículos utilitários gigantes e tentam atropelar você sobre a faixa de pedestres, pensando que estão dirigindo como nova-iorquinos agressivos. Na verdade, estão dirigindo como idiotas. Além disso, já há poluição suficiente nesta cidade. Por que eles não podem simplesmente usar o transporte público, como pessoas normais?

2. A árvore idiota do Rockefeller Center. Eles pediram a mim que fosse eu a pessoa a apertar o botão para acendê-la este ano, já que sou considerada "Realeza de Nova York" pela imprensa, mas quando eu disse a eles que cortar árvores contribui para a destruição da camada de ozônio, eles cancelaram o convite e pediram ao prefeito que fizesse isso no meu lugar.

3. Canções de Natal idiotas berrando para fora de todas as lojas.

4. Patinações no gelo idiotas com garotos idiotas que pensam que podem patinar de costas quando não podem.

5. Pressão para comprar presentes "significativos" idiotas para todo mundo que você conhece.

6. Provas finais.

7. A droga do mau tempo de Nova York. Nada de neve, só chuva molhada e fria, todo santo dia. O que foi que aconteceu com o Natal com neve? Vou dizer a você: aquecimento global. Sabe por quê? Porque todo mundo fica dirigindo utilitários e cortando árvores!

8. Especiais de Natal idiotas e manipuladores na TV.

9. Comerciais de Natal idiotas e manipuladores na TV.

10. Tradição do beijo debaixo do visco. Essa coisa devia ser banida. Nas mãos de garotos adolescentes, se torna uma desculpa socialmente aprovada para pedir beijos. Isso é assédio sexual, se quer saber minha opinião.

Além do mais, quem faz isso são só os garotos errados.

Domingo, 7 de dezembro

Acabei de voltar do jantar com Grandmère. Todos os meus esforços para me livrar de ir lá — até a observação de que estou realmente sofrendo com uma língua perfurada — foram em vão.

E esse jantar foi ainda pior do que o normal. Isso porque Grandmère queria repassar meu itinerário de viagem para Genovia, que, por sinal, é este:

Domingo, 21 de dezembro

15h: Chegada em Genovia

15h30 — 17h: Encontrar e saudar os funcionários do palácio

17h — 19h: *Tour* pelo palácio

19h — 20h: Trocar de roupa para o jantar

20h — 23h: Jantar com os dignitários genovianos

Segunda-feira, 22 de dezembro

8h — 9h30: Café da manhã com oficiais genovianos

10h — 11h30: *Tour* pelas escolas públicas genovianas

12h — 13h: Encontro com estudantes genovianos

13h30 — 15h: Almoço com membros da Associação de Professores Genovianos

15h30 — 16h: *Tour* pelo Porto de Genovia e cruzeiro naval genoviano (no *Prince Phillipe*)

17h — 18h: Tour pelo Hospital Geral genoviano

18h — 19h: Visitar pacientes do hospital

19h — 20h: Trocar de roupa para o jantar

20h — 23h: Jantar com a princesa viúva, o príncipe e conselheiros militares genovianos

Terça-feira, 23 de dezembro

8h — 9h: Café da manhã com membros da Associação Genoviana de Plantadores de Oliveiras

10h — 11h: Cerimônia de iluminação da Árvore de Natal, no pátio do Palácio de Genovia

11h30 — 13h: Encontro com a Sociedade Histórica Genoviana

13h — 15h: Almoço com a Comissão Genoviana de Turismo

15h30 — 17h30: *Tour* pelo Museu Nacional Genoviano de Arte

18h — 19h: Visita ao Memorial Genoviano dos Veteranos de Guerra, colocar flores no túmulo do Soldado Desconhecido

19h30 — 20h30: Trocar de roupa para o jantar

20h30 — 23h30: Jantar com a Família Real de Mônaco

E por aí vai.

Tudo isso culmina com minha aparição no pronunciamento anual do meu pai, transmitido em cadeia nacional ao povo de Genovia na véspera de Natal, durante o qual ele vai me apresentar às massas. Então espera-se que eu faça um discurso sobre como estou animada com o fato de ser a herdeira do papai e como prometo tentar fazer o melhor trabalho possível, como ele fez, liderando Genovia na virada do século XXI.

Nervosa? Eu? Com o fato de ir à TV e prometer a cinquenta mil pessoas que não vou abandonar o país deles?

Nãão. Não eu.

Eu só tenho vontade de vomitar toda vez que penso nisso, só isso.

Não importa. Não que eu tenha pensado que minha viagem para Genovia ia ser como ir à Disneylândia, mas mesmo assim. Qualquer um acharia que eles iam programar *alguns* momentos de diversão. Não estou nem mesmo pedindo pra ir ao Mr. Toad's Wild Ride. Só, tipo assim, um mergulho ou cavalgada.

Mas aparentemente não há tempo para diversão em Genovia.

Como se planejar meu itinerário já não fosse ruim o suficiente, eu também tive de encontrar meu primo Sebastiano. Sebastiano Grimaldi é o filho da filha da irmã do avô do meu pai. O que eu acho que na verdade o torna meu primo umas duas vezes afastado. Mas não afastado o suficiente, já que, se não fosse por mim, seria ele a herdar o trono de Genovia.

Sério. Se meu pai tivesse morrido sem jamais ter tido um filho, Sebastiano seria o próximo príncipe de Genovia.

Talvez seja por isso que meu pai, cada vez que olha para Sebastiano, tem essa tremedeira enorme.

Ou talvez seja só porque meu pai sente por Sebastiano o que sinto por meu primo Hank: gosto dele em teoria, mas na prática ele meio que me enche.

Sebastiano não enche Grandmère, no entanto. Dá até para dizer que Grandmère simplesmente o adora. O que é realmente estranho, porque sempre achei que Grandmère fosse incapaz de amar qualquer pessoa. Bem, com exceção de Rommel, seu poodle toy.

Mas qualquer pessoa pode ver que ela adora Sebastiano. Quando ela o apresentou a mim, e ele fez uma saudação com aquele grande floreio e beijou o ar sobre minha mão, Grandmère estava praticamente rindo debaixo de seu turbante de seda rosa. De verdade.

Eu nunca vi Grandmère rir abertamente antes. Sorrir levemente, muitas vezes. Mas rir, nunca.

Talvez seja por isso que meu pai começou a mastigar o gelo do uísque com soda de um jeito muito irritante. O sorriso de Grandmère desapareceu imediatamente quando ela ouviu aquela mastigação toda.

— Se você quer mastigar gelo, Phillipe — disse Grandmère, friamente —, você pode ir jantar no McDonald's com o resto do proletariado.

Meu pai parou de mastigar o gelo.

Acontece que Grandmère trouxe Sebastiano de Genovia para que ele pudesse desenhar meu vestido para a apresentação em rede nacional aos meus conterrâneos. Sebastiano é um estilista muito promissor — pelo menos é o que diz Grandmère. Ela diz que é importante que Genovia apoie seus artistas e artesãos, ou eles vão todos acabar escapando para Nova York, ou, ainda pior, Los Angeles.

O que é muito ruim para Sebastiano, já que ele parece o tipo que poderia realmente gostar de viver em LA. Ele é trintão, com cabelos longos escuros amarrados num rabo de cavalo, e é todo grande e extravagante. Como por exemplo, hoje à noite, em vez de uma gravata, Sebastiano estava usando um laço de seda branca. E também um casaco de veludo azul e calças de couro.

Estou totalmente disposta a perdoar Sebastiano pelas calças de couro se ele desenhar para mim um vestido que seja bem legal. Um vestido que fizesse Michael Moscovitz esquecer Judith Gershner e suas moscas-das-frutas e encher a cabeça dele com nada além de pensamentos sobre mim, Mia Thermopolis.

Só que as chances de Michael me ver com esse vestido são muito pequenas, lógico, já que minha apresentação ao povo genoviano vai ser transmitida apenas pela televisão genoviana e não pela CNN, ou qualquer coisa assim.

Além do mais, Sebastiano parecia pronto para encarar o desafio. Depois do jantar, ele até tirou uma caneta e começou a rabiscar — bem na toalha de mesa branca! — um desenho que ele achou que podia acentuar o que chamou de minha cintura fina e minhas longas pernas.

Só que, ao contrário do meu pai, que nasceu e foi criado em Genovia mas fala inglês fluente, Sebastiano não tem um real preparo para a compreensão da língua. Ele fica esquecendo as últimas sílabas das palavras. Então *cintura* vira "cintu". Exatamente como *café* vira "caf" e, quando ele descreve alguma coisa como mágico, sai como "magic".

Todos os meus esforços para não rir dele não fizeram nenhum bem, entretanto, já que Grandmère me pegou e, levantando uma de suas sobrancelhas pintadas, começou: "Amelia, seja educada, não ache graça do sotaque de outras pessoas. O seu está bem longe de ser perfeito."

O que certamente é verdade, considerando o fato de que, com minha língua inchada, eu não consigo pronunciar qualquer palavra que comece com *s*.

Não apenas Grandmère realmente não ligou para o fato de Sebastiano dizer "caf" à mesa de jantar, como também não ligou para o fato de ele desenhar na toalha de mesa. Ela baixou os olhos para o rascunho e disse: "Brilhante. Simplesmente brilhante. Como sempre."

Sebastiano pareceu muito satisfeito. "Você acha mesmo?", perguntou ele.

Só que eu não achei que seu rascunho era tão brilhante. Ele parecia simplesmente um vestido normal para mim. Certamente nada que fizesse alguém esquecer o fato de que eu estou tão pronta para clonar uma mosca-das-frutas quanto para usar produtos de cabelo testados em animais.

"Humm", disse eu. "Não poderia ser um pouco mais... sei lá... sexy?"

Grandmère e Sebastiano trocaram olhares. "Sexy?", ecoou Grandmère, com um sorriso maldoso. "Como? Fazendo-o mais decotado? Mas você ainda não tem nada aí para mostrar!"

Agora, falando sério. Eu esperaria ouvir esse tipo de coisa das animadoras de torcida na escola, que haviam feito do ato de humilhar outras pessoas — especialmente eu — um novo tipo de esporte olímpico. Mas que tipo de pessoa diz coisas como essa para sua única neta? Eu quis dizer, tipo, uma fenda lateral, ou talvez umas franjas. Não estava pedindo nada tipo Jennifer Lopez.

Mas acredite que Grandmère achou que era alguma coisa assim. Por que eu tenho que ser amaldiçoada com uma avó que raspa as sobrancelhas e parece gostar de tirar sarro das minhas características? Por que eu não posso ter uma avó normal, que me asse biscoitos e não consiga parar de alardear para as amigas no clube de *bridge* quanto eu sou maravilhosa?

Foi enquanto Grandmère e Sebastiano estavam cacarejando sobre essa grande piada à minha custa que meu pai abruptamente se levantou e saiu da mesa, dizendo que tinha de dar um telefonema. Suponho que seja cada um por si quando se trata de Grandmère, mas qualquer um esperaria que meu próprio pai me defendesse pelo menos de vez em quando.

Sei lá, talvez eu estivesse me sentindo estranha com aquele buraco enorme na língua (que nem mesmo tem um piercing hipoalergênico para que eu possa fingir ter feito aquilo só para ser rebelde). Eu me sentei ali escutando a conversa de Grandmère e Sebastiano sobre como era patético o fato de que eu nunca seria capaz de usar um tomara que caia, a menos que algum milagre da natureza ocorresse durante a noite e me inchasse de um tamanho 32A para um 34C, e eu não pude deixar de pensar que provavelmente, dada a minha sorte, vai acabar se revelando que Sebastiano não está na cidade só para desenhar um vestido para minha apresentação real, mas para me matar a fim de que possa assumir ele mesmo o trono de Genovia.

Ou, como Sebastiano diria, "*ass*" o trono.

Falando sério. Esse tipo de coisa acontece em S.O.S. *Malibu* toda hora. Você não ia acreditar no número de membros da família real que Mitch já teve que salvar de ser assassinado.

Tipo assim, supondo que eu coloque o vestido que Sebastiano desenhou para eu usar quando for apresentada ao povo de Genovia, e ele termine me espremendo até a morte, exatamente como aquele espartilho que a Branca de Neve coloca na versão original da história, a dos irmãos Grimm. Sabe, a parte que eles deixaram de fora do filme da Disney porque era muito nojenta.

Enfim, se o vestido me espremer até a morte e, quando eu estiver deitada em meu caixão, parecendo totalmente pálida e com ar de rainha, Michael comparecer ao meu funeral e, ao dar uma olhada em mim, ele se der conta de que sempre me amou?

Então ele *terá* de terminar com Judith Gershner.

Aí. Isso podia acontecer.

Tudo bem, provavelmente não, mas pensar sobre isso era melhor do que escutar Grandmère e Sebastiano falarem sobre mim como se eu nem estivesse ali. Falando sério. Fui despertada da minha pequena e prazerosa fantasia sobre Michael se consumindo por mim o resto da vida pela frase do Sebastiano: "Ela tem uma boa estrutura óssea." Quando me dei conta de que era eu a *ela* a que ele estava se referindo, tomei como um elogio a frase sobre minha estrutura óssea.

Um segundo depois já não era mais um elogio, quando ele continuou: "Eu coloco maquiagem nela para ela parecer uma mod."

Sugerindo que eu não pareço uma modelo sem maquiagem (embora eu não pareça mesmo).

Grandmère certamente não ia partir em minha defesa, entretanto. Ela estava alimentando Rommel, em seu colo, com restos de sua vitela ao Marsala. O cachorro estava tremendo como sempre, já que todo o pelo dele havia caído devido a alergias caninas.

"Eu não acho que o pai dela deixaria", disse ela a Sebastiano. "Phillipe é exageradamente antiquado."

O sujo falando do mal-lavado! Quer dizer, Grandmère ainda acha que gatos ficam por aí tentando sufocar seus donos enquanto eles estão dormindo. Sério. Ela vive tentando me convencer a dar Fat Louie para alguém.

Então, enquanto Grandmère estava falando sobre como o filho dela é antiquado, eu me levantei e me juntei a ele no terraço.

Ele estava checando as mensagens no celular. Estarão esperando por ele para jogar raquetebol amanhã com o primeiro-ministro da França, que está na cidade para a mesma conferência que o imperador do Japão.

"Mia", disse ele, quando me viu. "O que você está fazendo aqui fora? Está congelando. Volte lá para dentro."

"Eu vou num minuto", respondi. Fiquei ali perto dele e olhei a vista da cidade. Ela realmente inspira medo, a vista de Manhattan da cobertura do Plaza. Quer dizer, você olha para todas aquelas luzes em todas aquelas janelas e pensa que para cada luz provavelmente há pelo menos uma pessoa, ou talvez mais, talvez tipo umas dez pessoas, e isso é, bem, muito impressionante.

Eu morei em Manhattan a vida inteira. Mas ela ainda me impressiona.

Enfim, enquanto eu estava de pé ali olhando para todas aquelas luzes, subitamente me dei conta de que uma delas certamente pertencia a Judith Gershner. Judith estava provavelmente sentada em seu quarto nesse exato instante clonando algo novo. Um pombo, ou o que seja. Eu tive ainda outro *flashback* dela e Michael olhando para mim no chão depois que eu tinha acabado de rasgar a língua ao meio. Hummm, deixe-me ver: garota que pode clonar coisas, ou garota que morde a própria língua? Não sei, quem *você* escolheria?

Meu pai deve ter notado que algo estava errado, já que ele veio dizer: "Olha, eu sei que Sebastiano é meio exagerado, mas simplesmente o suporte nas próximas duas semanas. Por mim."

"Eu não estava pensando em Sebastiano", falei, tristemente.

Meu pai fez aquele barulho de ronco, mas não fez nenhum movimento para voltar para dentro, mesmo que estivesse fazendo uns quatro graus lá fora, e meu pai, bem, ele é completamente careca. Eu podia ver que as pontas das orelhas dele estavam ficando vermelhas de frio, mas ainda assim ele não se moveu. Ele nem mesmo estava vestindo um casaco, só outro daqueles seus ternos Armani cinza-chumbo.

Eu achei que isso era um convite suficiente para prosseguir. Sabe, geralmente meu pai não é a primeira pessoa a quem eu vá procurar se tiver um problema. Não que não sejamos próximos. É só que, sabe, ele é homem.

No entanto, ele tem muita experiência na área de romances, então achei que poderia ser a pessoa capaz de oferecer alguma luz a este dilema particular.

"Pai", comecei. "O que você faz se você gosta de alguém, mas ele, assim, não sabe?"

Meu pai respondeu: "Se até agora o Kenny não sabe que você gosta dele, então eu temo que ele nunca vá entender a mensagem. Você não saiu com ele todos os fins de semana desde o Halloween?"

Este é o problema de ter um guarda-costas que está na folha de pagamento do seu pai: todas as suas coisas pessoais são totalmente discutidas pelas suas costas.

"Não estou falando do Kenny, pai", falei. "É outra pessoa. Só que, como eu disse, ele não sabe que gosto dele."

"O que há de errado com o Kenny?". Papai quis saber. "Eu gosto do Kenny."

É óbvio que meu pai gosta do Kenny. Porque as chances de eu e Kenny passarmos das preliminares são tipo nulas. Que pai não quer que sua filha adolescente namore um cara como esse?

Mas se meu pai tinha alguma esperança séria de manter o trono genoviano nas mãos dos Renaldo, e não o deixar escorregar para as mãos de Sebastiano, seria melhor ele superar essa coisa do Kenny, porque eu tenho bastante certeza de que Kenny e eu não iremos procriar, de jeito nenhum. Não nesta vida, pelo menos.

"Pai", pedi, "esqueça Kenny, tá legal? Kenny e eu somos apenas amigos. Estou falando sobre outra pessoa".

Meu pai estava olhando por cima do parapeito do balcão como se quisesse cuspir. Não que ele fosse fazer isso. Não acho que fosse.

"Eu o conheço? Essa outra pessoa, quer dizer?"

Hesitei. Eu nunca havia realmente admitido para ninguém em voz alta que eu tinha uma queda pelo Michael. Verdade. Para ninguém. Quer dizer, para quem eu poderia contar? Lilly só ia rir da minha cara, ou pior, contar ao Michael. E mamãe, bem, ela já tem os próprios problemas.

"É o irmão da Lilly", respondi rapidamente, para acabar logo com aquilo.

Meu pai pareceu preocupado.

"Ele não está na faculdade?"

"Ainda não", disse eu. "Ele vai no outono." Quando ele ainda pareceu alarmado, eu o tranquilizei: "Não se preocupe, pai. Eu não tenho chances. Michael é muito inteligente. Ele nunca gostaria de alguém como eu."

Então meu pai ficou todo ofendido. Era como se ele não conseguisse descobrir como ficar, se preocupado com o fato de eu gostar de um veterano ou com raiva de que o veterano não gostasse de mim.

"Como assim, ele nunca gostaria de alguém como você?", perguntou meu pai. "O que há de errado com você?"

"Pô, pai", argumentei, falando bem alto, "eu praticamente fui reprovada em álgebra, lembra? Michael vai para uma faculdade da Ivy League no outono, por merecimento. O que ele ia querer com uma garota como eu?"

Agora meu pai estava *realmente* irritado.

"Você pode ter puxado sua mãe no que diz respeito a sua relação com os números, mas você me puxou em todos os outros aspectos."

Isso foi surpreendente de ouvir. Eu levantei o queixo e tentei acreditar naquilo.

"Sei", disse eu.

"E você e eu, Mia, não somos pouco inteligentes", continuou meu pai. "Se você quer esse cara, o Michael, você deve fazer com que ele saiba disso."

"Você acha que eu devia simplesmente chegar nele e dizer tipo 'aí, eu gosto de você'?"

Meu pai sacudiu a cabeça com desgosto.

"Não, não, não", explicou, "você, obviamente, deve ser mais sutil que isso. Faça-o saber *mostrando* como você se sente".

"Ah", respondi. Eu posso ter puxado meu pai em todos os outros aspectos exceto na matemática, mas eu não tinha ideia sobre o que ele estava falando.

"É melhor entrarmos", finalizou ele. "Ou sua avó vai suspeitar de que estamos conspirando contra ela."

Mas qual é a novidade? Grandmère está sempre suspeitando de que alguém está conspirando alguma coisa contra ela. Ela acha que os funcionários da lavanderia do Plaza estão conspirando contra ela. Ela culpa o sabão que eles usam nas roupas de cama pela queda de pelo do Rommel.

Lembrando de conspirações, perguntei a meu pai: "Você acha que Sebastiano está conspirando para me matar e ele mesmo poder subir ao trono?"

Meu pai fez um ruído estranho, mas conseguiu não cair na gargalhada. Acho que isso não teria parecido muito principesco.

"Não, Mia", respondeu. "Não acho."

Mas meu pai realmente não tem muita imaginação. Eu decidi ficar em alerta com Sebastiano, por via das dúvidas.

Minha mãe acabou de enfiar a cabeça pela porta do meu quarto para dizer que Kenny está ao telefone.

Suponho que ele queira me convidar para ir ao Baile Inominável de Inverno. Realmente, já estava na hora.

Domingo, 7 de dezembro, 23h

Tudo bem, estou chocada. Kenny NÃO me convidou para o Baile Inominável de Inverno. Ao contrário, eis como foi nossa conversa:

Eu: Alô?

Kenny: Oi, Mia. É o Kenny.

Eu: Ah, oi, Kenny. Qual é o problema?

Kenny parecia diferente, por isso a minha pergunta.

Kenny: Eu só queria saber se você está bem. Quer dizer, se sua língua está bem.

Eu: Está um pouco melhor, eu acho.

Kenny: Porque eu fiquei preocupado de verdade. Sabe. Eu realmente, realmente não tive a intenção de...

Eu: Kenny, eu sei. Foi só um acidente.

Foi aí que comecei a perceber que eu tinha feito a pergunta errada ao meu pai. Eu devia ter perguntado a ele qual é a melhor maneira de terminar com alguém, não qual é a melhor maneira de fazer alguém saber que você gosta dele.

Enfim, para voltar ao que Kenny disse:

Kenny: Bem, eu só quis telefonar e desejar boa-noite para você. E dizer que espero que você se sinta melhor. E também para você saber... bem, Mia, que eu te amo.

Eu: ...

Eu não disse nada na hora, porque perdi completamente a CABEÇA!!!! E não era assim como se tivesse acontecido de repente, porque a gente está namorando, afinal de contas.

Mas mesmo assim, que tipo de cara liga para uma garota e diz no telefone "Eu te amo"??? Tirando os maníacos psicóticos esquisitos? E Kenny não é um maníaco psicótico esquisito. Ele só é Kenny. Então o que ele está fazendo me ligando e dizendo pelo telefone que me ama????

E então eu, brilhante, eis o que faço. Porque ele ainda estava ao telefone esperando uma resposta e tudo. Então eu digo:

Eu: Ah, tá legal.

Ah, tá legal.

Um garoto diz que me ama e isso é o que eu respondo: "Ah, tá legal." Ah, beleza, minha futura carreira no corpo diplomático está garantida.

Então, pobre Kenny, ele está esperando alguma outra resposta que não seja "Ah, tá legal", como qualquer pessoa esperaria.

Mas eu sou totalmente incapaz de responder outra coisa. Em vez disso, eu digo:

Eu: Bem, a gente se vê amanhã.

E DESLIGO!!!!!

Ai, meu Deus, eu sou a garota mais malvada e mal-agradecida do mundo. Depois que Sebastiano me matar, vou queimar no inferno.

Sério.

COISAS PARA FAZER ANTES DE
PARTIR PARA GENOVIA

1. Lista detalhada para mamãe e o Sr. G: Como cuidar do Fat Louie enquanto eu estiver fora.
2. Estocar comida e areia de gato
3. Presentes de Natal/Hanucá! Para:
    - Mamãe — bomba elétrica para o seio? Conferir.
    - Sr. G — baquetas de bateria
    - Papai — livro sobre vegetarianismo. Ele deve comer melhor se quiser manter seu câncer em remissão.
    - Lilly — o que ela sempre quer, fitas virgens para seu programa de TV
    - Lars — Ver se a Prada faz um coldre de ombro para a Glock dele
    - Kenny — luvas? Alguma coisa não romântica
    - Fat Louie — bola de erva-de-gato
    - Grandmère — O que você dá a uma mulher que tem tudo, incluindo um pingente de safira de 89 quilates dado a ela pelo Sultão de Brunei? Sabão de cordinha?
4. Terminar com Kenny... Só que como eu poderia? Ele me AMA.

Mas não o suficiente para me convidar para o Baile Inominável de Inverno, eu reparei.

Segunda, 8 de dezembro, Sala de Estudos

Lilly não acredita em mim quando digo que Kenny ligou e disse que me ama. Contei tudo a ela no carro, a caminho da escola hoje de manhã (graças a Deus Michael tinha uma consulta de dentista e não estava lá. Eu preferia morrer a discutir minha vida amorosa na frente dele. Já é ruim o suficiente ter que discuti-la na frente do meu guarda-costas. Se eu tivesse de discuti-la na frente dessa pessoa que eu venho adorando durante metade da minha vida, acho que ficaria completamente no limite do distúrbio de personalidade).

Foi quando Lilly falou: "Eu me recuso categoricamente a acreditar que Kenny faria algo assim."

"Lilly", insisti, mantendo minha voz baixa para que o motorista não ouvisse. "Estou falando muito sério. Ele me disse que me ama. *Eu te amo*. Isso foi o que ele disse. Foi completamente casual e estranho."

"Ele provavelmente não disse isso. Ele provavelmente disse outra coisa, e você entendeu mal."

"Ah, é, o quê? Eu te *ano*?"

"Bem, lógico que não", disse Lilly. "Isso nem mesmo faz sentido."

"Bem, então o quê? O que Kenny poderia ter dito parecido com *eu te amo*, mas que não fosse *eu te amo*?"

Então Lilly ficou irada. "Sabe, você tem estado estranha com Kenny esses dias. Desde que vocês dois começaram a namorar, praticamente. Eu não sei o que está rolando com você. Tudo o que eu sempre ouvia antes era 'Por que eu não tenho namorado? Como pode todo mundo que eu conheço ter namorado menos eu? Quando vou arranjar um namorado?' E agora você tem um namorado e não está gostando nem um pouco dele."

Mesmo que ela estivesse dizendo a verdade, eu fingi que estava ofendida, porque venho me esforçando para não demonstrar o fato de que não estou apaixonada por Kenny.

"Isso é muita mentira", falei. "Eu gosto muito do Kenny."

"Ah, é? Acho que a verdade sobre esse assunto é que você, Mia, simplesmente não está pronta para ter um namorado."

Cara, eu realmente vi tudo vermelho depois *desta* observação.

"*Eu?* Não estou pronta para ter um namorado? Você está brincando! Eu esperei a minha vida inteira para ter um namorado!"

"Bem, se isso é verdade" — Lilly estava parecendo muito superior — "por que você não deixa ele te beijar na boca?".

"Onde você ouviu *isso*?", perguntei.

"Kenny contou a Boris, que, obviamente, me contou."

"Ah, ótimo", disse eu, tentando me manter calma. "Então agora nossos namorados estão falando sobre nós pelas costas. E você é conivente com isso?"

"De jeito nenhum", respondeu Lilly. "Mas eu realmente acho intrigante, de um ponto de vista psicológico."

Este é o problema de ser a melhor amiga de alguém cujos pais são psiquiatras. Tudo que você faz é interessante para eles de um ponto de vista psicológico.

"O lugar onde eu deixo qualquer pessoa me beijar", explodi, "é problema *meu*! Não seu nem do Boris."

"Bem", disse Lilly. "Só estou falando, se Kenny realmente disse o que você diz que ele disse — sabe, a palavra com A —, então deve ser porque não pode expressar a profundidade de seus sentimentos de outra maneira. Sabe. Outra maneira que não *verbalmente*. Já que você *não deixa* fisicamente."

Então suponho que tecnicamente eu deva ficar agradecida pelo fato de Kenny ter escolhido simplesmente *dizer* as palavras *eu te amo*, em vez de representá-las fisicamente, o que, Deus sabe, poderia ter realmente envolvido sua língua.

Ai, Deus, eu nem quero mais pensar nisso.

Segunda, 8 de dezembro, Sala de Estudos

Acabaram de informar os horários das provas finais. Aqui está o meu:

HORÁRIO DAS PROVAS FINAIS

15 de dezembro
Dia de leitura

16 de dezembro
Primeiro e segundo tempos

Para mim, isso significa que as finais de álgebra e inglês serão no mesmo dia. Mas tudo bem. Estou indo muito bem em inglês. Bem, tirando aquela coisa de diagrama sentencial. Como se eu fosse precisar fazer *aquilo* em meu futuro papel como princesa da menor nação da Europa.

Infelizmente álgebra, me disseram, eu precisarei saber. DROGA!

17 de dezembro
Terceiro e quarto tempos

Civilizações mundiais: fácil. Quer dizer, Grandmère me contou histórias suficientes sobre a Europa pós-Segunda Guerra Mundial para eu conseguir passar em qualquer teste. Provavelmente sei mais sobre isso do que o professor. E EF? Como você pode dar uma prova final em EF? Nós já tivemos aquele Teste de Educação Física Presidencial (eu fiz tudo direito, menos o alongamento sentada).

18 de dezembro
Quinto, sexto e sétimo tempos

Superdotados & Talentosos? Não há exames aqui. Eles não dão provas finais em turmas que são basicamente grupos de estudos. Isso vai ser mole. Tenho francês no sexto tempo. Vou bem na oral, não tão maravilhosamente na escrita. Ainda bem que Tina está na mesma turma. Talvez possamos estudar juntas.

Mas eu tenho biologia no sétimo tempo. Isso não vai ser tão fácil. A única razão pela qual não estou reprovando em biologia é por causa do Kenny. Ele me passa cola na maior parte das respostas.

E se eu terminar com ele, será o fim dessa história.

19 de dezembro
Baile e Carnaval Inominável de Inverno

O Carnaval de Inverno deve ser bacana. Todos os diferentes clubes e grupos da escola vão ter barracas, com tradicionais comidas de inverno, como sidra quente. Isso será seguido à noite pelo baile ao qual espera-se que eu vá com Kenny. Se ele me convidar, quer dizer.

A menos, lógico, que eu faça a coisa certa e termine com ele.

E nesse caso eu não poderei ir de jeito nenhum, porque você não pode ir sem namorado.

Queria que Sebastiano se apressasse e me apagasse de uma vez.

Segunda, 8 de dezembro, Álgebra

POR QUÊ???? POR QUE eu nem consigo lembrar do meu caderno de álgebra?????

PRIMEIRO — Avaliar expoentes.

SEGUNDO — Multiplicar e dividir em ordem, da esquerda para a direita.

TERCEIRO — Executar soma e subtração em ordem, da esquerda para a direita.

EXEMPLO: $2 \times 3 - 15 \div 5 = 6 - 3 = 3$

Ai, Deus. Lana Weinberger acabou de me passar um bilhete.

O que é agora? Isso não pode ser bom. Lana vai implicar comigo para sempre. Não me pergunte por quê. Quer dizer, eu posso até entender o ressentimento dela por mim quando Josh Richter me chamou para o Baile da Diversidade Cultural em vez dela. Mas ele só me chamou por causa dessa coisa de princesa — e eles voltaram a namorar logo depois. Além do mais, Lana me odiava muito antes disso.

Então eu abro o bilhete. Aqui está o que ele diz:

Ouvi falar sobre o que aconteceu com você no rinque de patinação este fim de semana. Acho que o namorado vai ter que esperar um pouco mais se ele quiser praticar qualquer ação lingual, hein?

Ai, meu Deus. Será que *todo mundo* na escola inteira sabe que Kenny e eu ainda não beijamos de língua?

É tudo culpa do Kenny, óbvio.

E depois, o que virá? A capa do *Post*?

É sério, se nossos pais soubessem o que de fato se passa no cotidiano da típica escola americana, eles optariam totalmente pela educação caseira.

Segunda, 8 de dezembro, Civilizações Mundiais

É óbvio o que tenho de fazer.

Eu sempre soube disso, lógico, e se não fosse, sabe, pelo baile, eu já teria feito há mais tempo.

Mas está evidente agora que eu não posso me permitir esperar até depois do baile. Eu devia ter feito isso na noite passada quando ele ligou, mas não se pode fazer uma coisa dessas por telefone. Bem, quer dizer, uma garota como Lana Weinberger provavelmente poderia, mas não eu.

Não, não acho que posso adiar por mais um dia: tenho que terminar com Kenny. Simplesmente não consigo mais continuar a viver esta mentira.

Ainda bem que eu realmente tenho o apoio de pelo menos uma pessoa neste plano: Tina Hakim Baba.

Eu não queria contar a ela. Não planejei contar isso a ninguém. Mas tudo meio que escapuliu hoje no banheiro entre o segundo e o terceiro tempos, enquanto Tina estava fazendo sua maquiagem nos olhos. Ela tem um trato com o guarda-costas dela, Wahim. Tina não conta aos pais dela que Wahim paquera Mademoiselle Klein, nossa professora de francês, se Wahim não contar ao Sr. e à Sra. Hakim Baba sobre o vício de Tina: maquiagem Maybelline.

Enfim, de repente eu simplesmente não consegui segurar mais, e terminei contando a Tina o que Kenny me disse ontem à noite pelo telefone... E muito mais do que isso, na verdade.

Mas primeiro a parte sobre o telefonema do Kenny:

Ao contrário de Lilly, *Tina* acreditou em mim.

Mas Tina também teve uma reação totalmente errada. Ela pensou que era ótimo.

"Ai, meu Deus, Mia, você é tão sortuda", ela ficou dizendo. "Queria que Dave me dissesse que me ama! Quer dizer, eu sei que ele está totalmente comprometido com nosso relacionamento, mas a ideia dele de romance é me pagar batatas fritas tamanho grande no Mickey D's."

Esse não era bem o tipo de apoio que eu estava procurando.

"Mas, Tina", comecei. Eu sentia que Tina, com sua extensa leitura de romances, entenderia. "O negócio é que não é ele que eu amo."

Tina arregalou os olhos pintados para mim. "Não?"

"Não", confirmei, totalmente infeliz. "Quer dizer, eu gosto muito dele, como amigo. Mas não estou apaixonada nem nada. Não por ele."

"Ai, Deus", disse Tina, estendendo a mão e agarrando meu pulso. "Tem mais alguém, não tem?"

Nós só tínhamos alguns minutos antes que o sinal tocasse. Nós duas tínhamos que entrar em sala.

E mesmo assim, por alguma razão, escolhi este momento para fazer minha grande confissão. Não sei por quê. Talvez, como eu já havia deixado escapar para o meu pai, não parecia tão difícil contar a outra pessoa, especialmente Tina. Também não consigo parar de pensar no que meu pai falou. Sabe, sobre mostrar o que sinto ao cara de quem eu gosto. Tina, eu senti, era a única pessoa que eu conhecia que saberia como me ajudar a fazer isso.

Então eu continuei: "Tem."

Tina quase derrubou sua bolsa de cosméticos de tão animada que ficou.

"Eu sabia!", berrou. "Eu sabia que tinha uma razão para você não deixar ele te beijar!"

Meu queixo caiu. "*Você* também sabe disso?"

"Bem." Tina deu de ombros. "Kenny contou a Dave, que me contou."

Putz! Por que aquela Oprah vive reclamando de como os homens não estão em contato com suas emoções e não compartilham o suficiente? Me parece que Kenny vem compartilhando bastante nos últimos tempos para desmerecer a reticência masculina por muitos séculos.

"Então quem é ele?", perguntou Tina, toda ansiosa enquanto fechava seu delineador e o lápis labial. "O cara de quem você gosta?"

Eu emendei: "Não importa. Além do mais, essa coisa toda é completamente inútil. Ele tem namorada. Eu acho."

Tina virou rapidamente a cabeça para me encarar, fazendo suas tranças finas e pretas baterem em seu próprio rosto, o que é infantil, mas de uma maneira legal.

"É o Michael, não é?", perguntou ela, agarrando meu braço novamente. Ela estava segurando tão apertado que machucou.

Meu instinto, óbvio, foi negar tudo. De fato, eu até abri a boca, pronta para fazer a palavra *não* sair dela.

Mas aí eu fiquei tipo, por quê? Por que eu deveria negar isso para a Tina? Tina não contaria a ninguém. E Tina pode ser capaz de me ajudar.

Então em vez de dizer não, eu respirei fundo e disse: "Se você contar a alguém eu mato você, entendeu? MATO VOCÊ."

Tina fez uma coisa estranha então. Ela deixou meu braço cair e começou a pular para cima e para baixo, em círculos.

"Eu sabia, eu sabia, eu sabia", repetia enquanto pulava. Então ela parou de pular e agarrou meu braço novamente. "Ah, Mia, eu sempre achei que vocês dois formariam o casal mais bonitinho. Quer dizer, eu gosto do Kenny e tudo, mas ele é, sabe... " Ela franziu o nariz. "Não é Michael."

Se eu tivesse achado estranho contar ao meu pai na noite passada a verdade sobre meus sentimentos por Michael, aquilo não era nada — NADA — comparado a como me senti contando a uma pessoa da minha idade. O fato de Tina não ter caído na gargalhada ou falado "Aí, hein?" de uma maneira sarcástica significava mais para mim do que eu jamais teria esperado.

E o fato de que ela parecia entender — até aplaudir — meus sentimentos por Michael, me fez ter vontade de jogar os braços em torno dela e dar-lhe um grande e enorme abraço.

Só que não havia tempo para aquilo, já que o sinal estava prestes a tocar.

Em vez disso, eu falei emocionada: "Verdade? Você realmente não acha que é burrice?"

"Pô", respondeu ela. "Michael é *demais*. E *ele* é veterano."

Então ela pareceu perturbada. "Mas e Kenny? E Judith?"

"Eu sei", disse eu, meus ombros caindo de uma maneira que teria feito Grandmère me dar um tapa atrás da cabeça se tivesse visto aquilo. "Tina, eu não sei o que fazer."

As sobrancelhas escuras de Tina se cerraram em concentração.

"Acho que li um livro onde isso aconteceu", lembrou ela. "*Ouça o meu coração*, era o título, eu acho. Se eu pudesse pelo menos lembrar como eles resolveram tudo..."

Mas antes que ela pudesse lembrar, o sinal tocou. Estávamos as duas totalmente atrasadas para a aula.

Mas, se você quer saber, valeu a pena. Porque agora, pelo menos, não tenho que me preocupar sozinha. Tenho outra pessoa para se preocupar junto comigo.

Segunda, 8 de dezembro, S&T

O almoço foi um desastre.

Considerando que todo mundo na escola inteira parece saber, nos mínimos detalhes, exatamente o que eu andava fazendo — ou não fazendo — com minha língua ultimamente, acho que não devia ter ficado surpresa. Mas foi ainda pior do que eu podia ter imaginado.

Isso porque eu esbarrei em Michael no bufê de saladas. Eu estava criando minha pirâmide usual de grão-de-bico-e-feijão-bicolor quando o vi indo na direção dos grelhados (apesar de todos os meus esforços, os dois Moscovitz continuavam teimosamente carnívoros).

Sério, tudo o que fiz foi falar "Legal" quando ele perguntou como eu estava indo. Sabe, levando em conta como ele tinha me visto da última vez, que era jorrando sangue pela boca (que bela imagem deve ter sido. Estou tão feliz de ter sido capaz de manter uma aparência de dignidade e beleza em todas as horas na frente do homem que amo).

Enfim, aí eu perguntei a ele, só para ser educada, sabe, como foi a consulta no dentista. O que aconteceu depois não foi minha culpa.

É que Michael começou a me contar sobre como ele teve parte da cavidade bucal preenchida, e que seus lábios ainda estavam dormentes por causa da novocaína. Já que eu tinha experimentado uma certa quantidade de sensação de dormência, quando tive minha língua arrancada, eu podia me identificar com isso, então eu só meio que, sabe, *olhei* para os lábios de Michael enquanto ele estava falando, o que eu jamais tinha feito antes realmente. Quer dizer, eu havia olhado para outras partes do corpo de Michael (particularmente quando ele entra na cozinha de manhã sem camisa, como ele faz toda vez que eu durmo na casa da Lilly). Mas eu nunca havia olhado de verdade para os lábios dele. Sabe. Bem de perto.

Michael realmente tem lábios muito bonitos. Não são lábios finos, como os meus. Não que você deva dizer isso sobre os lábios de um garoto, mas parece que os lábios de Michael, se você os beijasse, seriam muito suaves.

Foi enquanto eu estava notando isso a respeito dos lábios de Michael que a coisa horrível aconteceu. Eu estava olhando para eles, sabe, e imaginando se eles seriam suaves de se beijar, e enquanto olhava, eu meio que realmente imaginei a gente se beijando, sabe, na minha cabeça. E bem nessa hora eu tive aquela sensação quente — aquela que falam em todos os romances de Tina —, e BEM ENTÃO foi quando Kenny passou para pegar seu almoço de sempre: Coca-Cola e sanduíche com sorvete.

Eu sei que Kenny não pode ler minha mente — se ele pudesse, já teria terminado comigo agora totalmente — mas talvez ele tenha tido alguma pista sobre o que eu estava pensando, e foi por isso que ele não disse *Oi* de volta quando Michael e eu dissemos "Oi" para ele.

Bem, isso e todo o resto quando eu disse "Ah, tá legal", depois que ele disse que me amava.

Kenny deve ter percebido que alguma coisa estava acontecendo, se é que meu rosto estava qualquer coisa próximo do vermelho berrante, como eu sentia que estava. Talvez seja *por isso* que ele não disse *Oi* de volta. Porque eu estava parecendo tão culpada. Eu certamente me *sentia* culpada. Quer dizer, ali estava eu, olhando para os lábios de outro cara e imaginando como seria beijá-los, e meu namorado passa bem na hora.

Eu vou mesmo para o inferno das garotas más quando morrer.

Sabe o que eu queria? Queria que todo mundo *pudesse* ler meus pensamentos. Porque então Kenny jamais teria me pedido para namorar. Ele saberia que eu não penso nele desse jeito. E Lilly não ia gozar da minha cara por não deixar Kenny me beijar. Ela saberia que a razão pela qual não deixo é que estou apaixonada por outra pessoa.

A parte ruim é que ela saberia quem é essa outra pessoa.

E que alguém provavelmente não vai mais falar comigo, porque não é nada maneiro para um veterano sair com uma caloura. Especialmente uma que não pode ir a lugar nenhum sem guarda-costas.

Além do mais, tenho quase certeza de que ele está namorando Judith Gershner, porque depois que ele saiu da fila, ele foi se sentar ao lado dela.

Então as coisas estão assim.

Queria estar indo para Genovia amanhã em vez de só daqui a duas semanas.

Segunda, 8 de dezembro, Francês

Apesar desse incidente desastroso no almoço, passei momentos muito bons em Superdotados & Talentosos. Na verdade, foi quase como nos velhos tempos. Quer dizer, antes que todos nós começássemos a namorar outras pessoas e todo mundo ficasse tão obcecado com os trabalhos internos da minha boca, e tudo isso.

A Sra. Hill passou toda a aula na sala de professores do outro lado do corredor, berrando com o American Express ao telefone, nos deixando livres para fazer o que geralmente fazemos durante a aula dela... o que quisermos. Por exemplo, aqueles de nós que, como o namorado de Lilly, Boris, queremos trabalhar em nossos projetos individuais (Boris está aprendendo a tocar uma nova sonata no violino dele), que é para o que supostamente serve a aula Superdotados & Talentosos, fazia isso.

Aqueles de nós, entretanto, como Lilly e eu, que não queremos trabalhar em nossos projetos individuais (o meu é estudar álgebra; o de Lilly é trabalhar no seu programa de TV a cabo), não faziam.

Isso foi especialmente satisfatório porque Lilly havia esquecido completamente de toda aquela coisa do beijo entre Kenny e eu. A razão para isso é que agora ela está irada com a Sra. Spears, sua professora de inglês, que arrasou sua proposta de redação final.

Foi realmente injusto da parte da Sra. Spears descartar aquilo, porque era realmente muito bem pensado e bastante criativo. Eu fiz uma cópia dela:

COMO SOBREVIVER AO ENSINO MÉDIO
Por Lilly Moscovitz

Tendo passado os dois últimos meses trancadas nesta instituição de educação secundária popularmente conhecida como ensino médio, sinto que sou uma autoridade qualificada no assunto. De reuniões de estímulo a comunicados matutinos, tenho observado a vida no ensino médio e todas as suas complexidades. Em algum momento nos próximos quatro anos eu terei conquistado minha liberdade deste apodrecido buraco infernal, e então vou publicar meu *Guia de sobrevivência no ensino médio*, cuidadosamente compilado.

Poucos de meus colegas e amigos souberam que, enquanto eles passavam por suas rotinas diárias, eu estava registrando suas atividades para estudo das gerações futuras. Com meu manual, cada estudante de passagem pelo primeiro ano na escola secundária poderá render um pouco mais. Estudantes do futuro vão aprender que a maneira de resolver suas diferenças com seus colegas não é através da violência, mas através da venda de uma peça de teatro realmente destrutiva — representando personagens baseados naqueles muito particulares que os atormentaram todos estes anos — para um produtor de Hollywood poder realizar um grande filme. O que é o caminho para a verdadeira glória, e não um coquetel-molotov.

Para o prazer de sua leitura, aqui estão alguns exemplos dos tópicos que vou explorar em *Como sobreviver ao ensino médio*, por Lilly Moscovitz:

1. Romance da Escola Secundária, ou Como Não Posso Abrir Meu Armário Porque Dois Adolescentes Hipersexualizados estão Recostados Nele, Fazendo Sacanagem

2. Comida no refeitório: Podem Corndogs Ser Legalmente Listados como Produtos de Carne?
3. Como se Comunicar com os Sub-humanos que Povoam os Corredores
4. Orientadores Educacionais: Quem Eles Pensam que Estão Enganando?
5. Prosperando na Falsificação: A Arte do Passe Livre

Que tal? Agora veja o que a Sra. Spears teve a dizer sobre isso:

> *Lilly — Sentida como estou de saber que sua experiência no que concerne à EAE não tem sido positiva, temo que vou ter de torná-la pior pedindo a você que escolha outro tópico para sua redação final. Entretanto, nota 10 pela criatividade, como sempre.*
>
> *— Sra. Spears*

Dá pra acreditar nisso? Falar sobre injustiça! Lilly foi censurada! Por direito, sua proposta merecia ter trazido a administração da escola a seus joelhos. Lilly diz que ela está apavorada com o fato de que, considerando quanto custa nossa mensalidade, esse é o tipo de apoio que podemos esperar de nossos professores. Então eu lembrei a ela que isso não é verdade com o Sr. Gianini, que realmente ultrapassa o limite de suas responsabilidades ficando depois da aula todos os dias dando aulas de reforço para pessoas como eu, que não estão indo muito bem em álgebra.

Lilly diz que o Sr. Gianini provavelmente só começou a fazer essa coisa de ficar-depois-da-aula para agradar à minha mãe, e agora ele não pode parar, porque senão ela vai perceber que tudo não passou de um pretexto e vai se divorciar dele.

Não acredito nisso, entretanto. Acho que o Sr. G teria ficado depois da aula para me ajudar mesmo que não estivesse saindo com minha mãe. Ele é esse tipo de cara.

Enfim, o resultado disso tudo é que agora Lilly lançou outra de suas famosas campanhas. Isso é realmente uma coisa boa, já que vai manter sua mente longe de mim e de onde estou colocando (ou não) meus lábios. Aqui está como começou:

Lilly: O problema real dessa escola não são os professores. É a apatia do corpo estudantil. Por exemplo, vamos dizer que queremos fazer uma greve.

Eu: Uma greve?

Lilly: Você sabe. Todos nos levantamos e saímos da escola ao mesmo tempo.

Eu: Só porque a Sra. Spears devolveu sua proposta de redação final?

Lilly: Não, Mia. Porque ela está tentando usurpar nossa individualidade nos forçando a nos curvar ao feudalismo corporativo. De novo.

Eu: Ah. E como ela está fazendo isso?

Lilly: Nos censurando quando estamos em nossos momentos mais férteis e criativos.

Boris: (surgindo do almoxarifado, onde Lilly o fez entrar quando ele começou a praticar sua última sonata). Fértil? Alguém falou *fértil*?

Lilly: Volte para o armário, Boris. Michael, você pode mandar um e-mail coletivo hoje à noite para todo o corpo estudantil, declarando uma greve amanhã às onze?

Michael: (trabalhando na barraca que ele e Judith Gershner e o resto do Clube de Computação vão montar no Carnaval de Inverno). Posso, mas não vou.

Lilly: POR QUE NÃO?

Michael: Porque era sua vez de lavar a louça ontem, mas você não estava em casa, então eu tive de lavar.

Lilly: Mas eu DISSE à mamãe que eu tinha de ir até o estúdio para finalizar a edição do programa desta semana!

O programa de TV da Lilly, *Lilly manda a real*, agora é um dos programas de maior audiência de Manhattan. Tudo bem, é canal aberto, então não é como se ela estivesse ganhando nenhum dinheiro com ele, mas um monte das maiores emissoras pegou essa entrevista que ela fez comigo uma noite quando eu estava meio adormecida e passou. Eu achei que foi estúpida, mas acho que muitas outras pessoas acharam que foi boa, porque agora Lilly recebe toneladas de cartas de espectadores, enquanto antes o único correio que ela recebia era do seu stalker, Norman.

Michael: Olha, se você está tendo problemas com administração de tempo, não desconte em mim. Só não espere que eu docilmente obedeça a suas ordens, especialmente quando você já me deve uma.

Eu: Lilly, sem ofensa, mas não acho que esta semana seja um bom momento para uma greve, de qualquer forma. Quer dizer, afinal de contas estamos quase nas provas finais.

Lilly: E DAÍ?

Eu: Daí que alguns de nós realmente precisamos ir às aulas.

Eu não posso me arriscar a perder nenhuma aula de reposição. Minhas notas já estão bem ruins.

Michael: Verdade? Achei que você estava indo melhor em álgebra.

Eu: Se você chamar um 5,5 de melhor.

Michael: Ah, fala sério. Você tinha que estar melhor que isso. Sua mãe é casada com o professor de álgebra!

Eu: E daí? Isso não quer dizer nada. Você sabe que o Sr. G não tem favoritos.

Michael: Eu poderia achar que ele é um pouco negligente com a filha adotiva, só isso.

Lilly: VOCÊS DOIS PODERIAM PRESTAR ATENÇÃO À SITUAÇÃO EM PAUTA, QUE É A NECESSIDADE VITAL DE REFORMAS SÉRIAS NESTA ESCOLA?

Felizmente naquele momento o sinal tocou, então nada de greve amanhã até onde eu saiba. O que é uma coisa boa, porque eu realmente preciso do tempo extra de estudo.

Sabe, é engraçado a Sra. Spears não gostar da proposta de redação final da Lilly, porque ela ficou muito entusiasmada com a minha proposta: *Manifesto Contra as Árvores de Natal: Por Que Temos de Eliminar o Ritual Pagão de Derrubar Pinheiros Todos os Meses de Dezembro Se Quisermos Reconstituir a Camada de Ozônio.*

E meu QI não está nem perto de ser tão alto quanto o da Lilly.

Segunda, 8 de dezembro, Biologia

Kenny acaba de me passar o seguinte bilhete:

Mia — Espero que o que eu disse a você na noite passada não tenha deixado você desconfortável. Eu só queria que você soubesse o que sinto. Sinceramente,

Kenny

Ai, Deus. *Agora* o que eu devo fazer? Ele está sentado aqui perto de mim, esperando uma resposta. Na verdade, é isso o que ele está pensando que estou escrevendo bem agora. Uma resposta.

O que eu digo?

Talvez esta seja minha oportunidade perfeita para terminar com ele. *Desculpe, Kenny, mas não sinto a mesma coisa — vamos ser apenas amigos.* É isso o que eu devia dizer?

Só que eu não quero ferir os sentimentos dele, sabe? E ele é meu parceiro em biologia. Quer dizer, qualquer coisa que aconteça, vou ter de me sentar ao lado dele durante as próximas duas semanas. E eu preferiria muito mais ter um parceiro em biologia que goste de mim do que um que me odeie.

E o baile? Quer dizer, se eu terminar com ele, com quem eu vou ao Baile Inominável de Inverno? Sei que é horrível pensar coisas como essa, mas este é o primeiro baile na história da minha vida para o qual eu já tenho companhia.

Bem, quer dizer, se é que ele vai me convidar.

E aquela prova final, hein? Nossa prova final de biologia, quer dizer. Sem chance de eu passar sem a cola de Kenny. SEM CHANCE.

Mas o que mais eu posso fazer? Quer dizer, considerando o que aconteceu hoje à mesa das saladas.

É isso. Adeus, companhia para o Baile Inominável de Inverno. Olá, televisão de sexta à noite.

Querido Kenny,
Não é que eu não pense em você como um amigo muito querido. É só que

Segunda, 8 de dezembro, 15h, Revisão de Álgebra com o Sr. Gianini

Tudo bem, o sinal tocou antes que eu tivesse tempo de terminar meu bilhete. Isso não significa que eu não vá dizer a Kenny exatamente o que sinto. Vou dizer totalmente. Hoje à noite, por sinal. Não ligo se o fato de fazer algo assim por telefone é cruel. Simplesmente não consigo mais aguentar.

* DEVER DE CASA

Álgebra: rever questões no fim dos capítulos 1-3

Inglês: redação final

Civilizações mundiais: rever questões no fim dos capítulos 1-4

S&T: nada

<u>Francês</u>: rever questões no fim dos capítulos 1-3
<u>Biologia</u>: rever questões no fim dos capítulos 1-5

Terça, 9 de dezembro, Sala de Estudos

Tudo bem. Então eu não terminei com ele.

Mas eu quis. Totalmente.

E também não foi porque eu não tive coragem para fazer isso por telefone.

Foi uma coisa que *Grandmère*, entre todas as pessoas, disse.

Não que eu me sinta bem com isso. Com relação a não terminar com ele, quer dizer. É só que, depois da revisão de álgebra, eu tive de ir ao estúdio onde Sebastiano vende suas últimas criações, para ele poder fazer seus servos tirarem minhas medidas para o vestido. Grandmère estava dizendo que de agora em diante eu devo apenas usar roupas de estilistas genovianos para mostrar meu patriotismo, ou o que seja. O que vai ser difícil porque, argh, só existe um estilista de roupas genoviano que eu conheça, e é Sebastiano. E vamos apenas dizer que ele não trabalha muito com *jeans*.

Mas enfim. Eu tinha realmente coisas mais importantes para me preocupar do que meu guarda-roupa de primavera.

O que eu imagino que Grandmère deve ter percebido, porque, no meio da descrição de Sebastiano sobre o adorno de contas que ele ia costurar no corpete do meu traje, Grandmère gritou: "Amelia, qual é o problema com você?"

Eu devo ter pulado cerca de meio metro no ar. "O quê?"

"Sebastiano perguntou se você prefere um decote em forma de coração ou quadrado."

Eu a encarei inexpressivamente. "Decote para quê?"

Grandmère me lançou um olhar severo. Ela faz isso muito frequentemente. Por isso é que meu pai, mesmo estando na suíte vizinha do hotel, nunca dá uma passada aqui durante minhas lições de princesa.

"Sebastiano", disse minha avó. "Você, por favor, deixe a princesa e a mim a sós por um instante."

E Sebastiano — que estava usando umas calças novas de couro, essas de uma cor tipo tangerina (o novo cinza, ele me disse; e branco, você vai ficar surpresa agora, é o novo preto) — fez uma saudação e deixou o quarto, seguido pelas esquivas damas que estavam tirando minhas medidas.

"Então", disse Grandmère, de modo imperioso. "Algo está claramente perturbando você, Amelia. O que é?"

"Nada", respondi, ficando totalmente vermelha. Eu sabia que estava ficando totalmente vermelha porque: a) eu podia sentir isso e b) eu podia ver meu reflexo nos três grandes espelhos na minha frente.

"Não é nada." Grandmère deu um longo trago no seu cigarro Gitanes, apesar de eu já ter pedido repetidamente a ela que não fumasse na minha presença, já que respirar fumaça alheia pode causar danos tão grandes quanto nos fumantes de verdade. "O que é? Problemas em casa? Sua mãe e o professor de matemática já estão brigando, eu suponho. Bem, eu nunca esperei que *aquele* casamento durasse. Sua mãe é muito arvoada."

Tenho que admitir, eu meio que rangi os dentes quando ela falou isso. Grandmère está sempre colocando minha mãe para baixo, mesmo que mamãe tenha me criado muito melhor sozinha e eu certamente não tenha ficado grávida ou atirado em ninguém ainda.

"Para sua informação", esclareci, "minha mãe e o Sr. Gianini estão gloriosamente felizes juntos. Eu não estava pensando neles de jeito nenhum".

"O que é, então?", perguntou Grandmère, numa voz entediada.

"Nada", praticamente gritei. "Eu só... bem, eu estava pensando sobre o fato de que eu tenho de terminar com meu namorado hoje à noite, é isso. Não que seja da sua conta."

Em vez de ficar ofendida com meu tom, que qualquer avó respeitável teria achado insolente, Grandmère apenas tomou um gole de seu drinque e subitamente pareceu muito interessada.

"Ah, é?", fez ela, num tom de voz totalmente diferente — o mesmo tom de voz que ela usa quando alguém lhe dá um conselho sobre o mercado de ações que ela acha que pode ser útil. "Que namorado é esse?"

Deus, o que foi que eu fiz para ser amaldiçoada com uma avó como essa? Sério. A avó de Lilly e Michael se lembra dos nomes de todos os amigos deles e faz rocamboles para eles o tempo todo, mesmo que seus pais, os Drs. Moscovitz, estejam sempre trazendo doces para casa, ou pelo menos mandando trazer.

Eu? Eu ganho a avó com o poodle despelado e os anéis de diamantes de nove quilates cuja maior alegria na vida é me torturar.

E por que isso, afinal de contas? Quer dizer, por que Grandmère adora tanto me torturar? Eu nunca fiz nada contra ela. Nada exceto ser sua única neta, na verdade. E eu não saio por aí anunciando o que sinto por ela. Sabe, eu nunca, na verdade, contei que acho que ela é uma velha malvada que contribui para a destruição do meio ambiente usando casacos de pele e fumando cigarros franceses sem filtro.

"Grandmère", falei, tentando ficar calma. "Eu só tenho um namorado. O nome dele é Kenny." Eu só contei a você umas cinquenta mil vezes, acrescentei, em pensamento.

"Achei que essa pessoa, Kenny, fosse seu parceiro em biologia", Grandmère disse, depois de tomar um gole de Sidecar, seu drinque favorito.

"Ele é", confirmei, um pouco surpresa por ela ter conseguido se lembrar de algo assim. "E também é meu namorado. Só que na noite passada ele ficou completamente esquizofrênico e disse que me ama."

Grandmère deu uns tapinhas na cabeça de Rommel, que estava sentado em seu colo com um ar infeliz (sua expressão habitual).

"E o que há de tão errado", indagou Grandmère, "com um garoto que diz que ama você?"

"Nada", respondi. "Só que eu não amo o Kenny, entende? Então não seria justo de minha parte, sabe, continuar com isso."

Grandmère levantou as sobrancelhas pintadas. "Não vejo por que não."

Como é que eu entrei nessa conversa?

"Porque sim, Grandmère. As pessoas simplesmente não saem por aí fazendo coisas assim. Não hoje em dia."

"É mesmo? Bem, o que observo nas pessoas é o contrário. Exceto, lógico, se uma delas está apaixonada por outra pessoa. Nesse caso, largar um pretendente indesejado pode ser considerado sábio, para que se possa estar disponível para o homem desejado." Ela me encarou. "Há alguém assim em sua vida, Amelia? Alguém — hã — especial?"

"Não." Menti automaticamente.

Grandmère bufou.

"Você está mentindo."

"Não, não estou." Menti novamente.

"Você certamente está. Eu não devia dizer isso a você, mas suponho que como este é um mau hábito para uma futura monarca, você deve ser avisada, para que no futuro possa se prevenir: quando você mente, Amelia, suas narinas se dilatam."

Levei, então, as mãos ao meu nariz. "Elas não dilatam!"

"Dilatam, sim", insistiu Grandmère, obviamente gostando muito de si mesma. "Se você não acredita em mim, olhe no espelho."

Eu me virei para encarar os grandes espelhos que estavam por perto. Tirando as mãos do rosto, examinei meu nariz. Minhas narinas não estavam dilatadas. Ela estava enganada.

"Vou perguntar novamente, Amelia", Grandmère disse de sua poltrona, numa voz malandra. "Você está apaixonada por outra pessoa nesse exato instante?"

"Não", menti, automaticamente...

E minhas narinas se dilataram imediatamente!

Ai, meu Deus! Todos esses anos eu venho mentindo, e acaba que sempre que faço isso minhas narinas me denunciam totalmente! É só a outra pessoa olhar para o meu nariz quando eu falo, e vai saber com certeza se estou falando a verdade ou não.

Como pode ninguém ter me contado isso antes? E Grandmère — Grandmère, entre todas as pessoas — foi quem descobriu! Não minha mãe, com quem eu vivi por catorze anos. Não minha melhor amiga, cujo QI é maior que o de Einstein.

Não. Grandmère.

Se isso vazar, minha vida está acabada.

"Tá bom!", exclamei dramaticamente, me afastando do espelho para encará-la. "Tudo bem, sim. Sim, estou apaixonada por outra pessoa. Está feliz agora?"

Grandmère levantou as sobrancelhas pintadas a lápis.

"Não precisa gritar, Amelia", disse ela, com o que eu podia ter tomado por uma brincadeira em qualquer outra pessoa que não fosse ela. "Quem pode ser esse alguém em especial?"

"Ah, não", disse eu, estendendo as duas mãos. Se não fosse totalmente grosseiro, eu teria feito uma pequena cruz com os dedos médios e segurando-a na frente dela — eis quanto ela me assusta. E se você pensar bem, com aquele delineado tatuado nos olhos, ela realmente parece um pouco com Nosferatu. "Você não vai arrancar essa informação de mim."

Grandmère apagou o cigarro no cinzeiro de cristal que Sebastiano havia providenciado e foi em frente.

"Muito bem. Eu presumo, então, que o cavalheiro em questão não retribui o seu ardor."

Não havia sentido em mentir para ela. Não agora. Não com minhas narinas.

Meus ombros caíram. "Não. Ele gosta de outra garota. Uma garota muito inteligente que sabe clonar moscas-das-frutas."

Grandmère resfolegou. "Um talento útil. Bem, isso não importa agora. Mas suponho, Amelia, que você esteja familiarizada com a expressão que diz que mais vale um pássaro na mão do que dois voando?"

Acho que ela deve ter sido capaz de concluir pela minha expressão perplexa que isso era algo que eu nunca havia escutado antes, já que continuou.

"Não jogue fora esse Kenny até que você tenha conseguido arranjar alguém melhor."

Eu a encarei, horrorizada. Verdade, minha avó disse — e fez — algumas coisas realmente inapropriadas em sua época, mas esta ganhou o prêmio.

"Arranjar alguém melhor?" Eu não conseguia acreditar que ela realmente queria dizer o que eu achava que queria. "Você quer dizer que eu não devo terminar com Kenny até ficar com outra pessoa?"

Grandmère acendeu outro cigarro.

"Obviamente."

"Mas, Grandmère…" Eu juro por Deus, às vezes não consigo entender se ela é humana ou algum tipo de força vital alienígena mandada para cá por algum outro planeta para nos espionar. "Não se pode fazer isso. Não se pode simplesmente prender um cara assim, sabendo que você não sente a mesma coisa que ele sente por você."

Grandmère exalou uma longa pluma de fumaça azul.

"Por que não?"

"Porque é completamente antiético!" Sacudi a cabeça. "Não. Vou terminar com Kenny. Agora mesmo. Hoje à noite, por sinal."

Grandmère deu uns tapinhas embaixo do queixo de Rommel. Ele parecia mais infeliz do que nunca, como se, em vez de dar uns tapinhas nele, ela estivesse arrancando a pele de seu corpo. Ele realmente é a espécie de cachorro mais horripilante que eu já vi na vida.

"Isso", disse Grandmère, "é certamente sua prerrogativa. Mas me permita lembrar a você que, se você terminar o relacionamento com esse jovem, sua nota em biologia vai ser afetada".

Fiquei chocada. Mas muito porque isso era uma coisa que eu mesma já tinha pensado. Era incrível que Grandmère e eu estivéssemos realmente partilhando algo.

O que foi realmente a única razão para eu ter exclamado "Grandmère!".

"Bem", continuou Grandmère, batendo a cinza do cigarro no cinzeiro. "Não é verdade? Você só está tirando o quê, um 6, nessa matéria? E isso é apenas porque esse jovem permite que você copie as respostas dele no dever de casa."

"Grandmère!", gritei novamente. Porque ela obviamente estava certa.

Ela olhou para o teto. "Deixe-me ver", fez ela. "Com seu 5 em álgebra, se você tirar qualquer coisa menor que 6 em biologia, sua média de pontos vai cair um tantinho esse semestre."

"Grandmère." Eu não conseguia acreditar nisso. Ela sabia tudo sobre minhas notas! E ela estava certa. Ela estava muito certa. Mas mesmo assim. "Não vou deixar para terminar com Kenny depois da prova final. Isso seria totalmente errado."

"Faça o que achar melhor", disse Grandmère com um suspiro. "Mas certamente será complicado ter que se sentar ao lado dele pelas próximas — quanto falta ainda para o fim do semestre? —, ah, sim, duas semanas. Especialmente considerando o fato de que depois que você terminar tudo com ele, ele provavelmente não vai mais falar com você."

Deus, quanta verdade. E nada que eu mesma já não tivesse pensado antes. Se Kenny ficasse com raiva suficiente de mim por terminar com ele, a ponto de não querer mais falar comigo, o sétimo tempo seria muito desagradável.

"E esse baile?", Grandmère agitou o gelo do seu Sidecar. "Esse baile de Natal?"

"Não é um baile de Natal", consertei. "É um baile inominável..."

Grandmère acenou com a mão. O charmoso bracelete cheio de pontas que ela estava usando tilintou.

"Não importa", disse ela. "Se você parar de namorar esse jovem, com quem você vai ao baile?"

"Não vou com ninguém", fui categórica, apesar de, obviamente, meu coração apertar só de pensar. "Vou ficar em casa."

"Enquanto todo mundo se diverte? Realmente, Amelia, você não está sendo nada inteligente. E esse outro jovem rapaz?"

"Que outro jovem rapaz?"

"Esse pelo qual você declara estar tão apaixonada. Ele não vai estar nesse baile com a garota da mosca caseira?"

"Moscas-das-frutas", corrigi. "E eu não sei. Talvez."

O pensamento de que Michael pudesse chamar Judith Gershner para o Baile Inominável de Inverno nunca me havia ocorrido. Mas assim que Grandmère mencionou isso, tive aquela mesma sensação de enjoo que veio no rinque de patinação no gelo quando vi os dois juntos pela primeira vez: tipo quando Lilly e eu estávamos cruzando a Bleecker Street e aquele entregador de comida chinesa atingiu nós duas com a bicicleta dele, e eu fiquei totalmente sem ar.

Só que desta vez não era apenas meu peito que doía, mas minha língua. Ela já estava ficando bem melhor, mas agora tinha começado a pulsar novamente.

"Parece-me", disse Grandmère, "que uma maneira de conseguir a atenção desse jovem rapaz pode ser aparecer nesse baile de braços dados com esse outro jovem rapaz, parecendo perfeitamente divina numa original criação do estilista de Genovia Sebastiano Grimaldi".

Eu só conseguia encará-la. Porque ela estava certa. Ela estava muito certa. A não ser por...

"Grandmère", argumentei, "o cara de quem eu gosto? Até parece! Ele gosta de garotas que conseguem clonar *insetos*. Falou? Duvido muitíssimo de que ele vá ficar impressionado com um *vestido*".

Eu obviamente não mencionei que estava, bem na noite anterior, desejando exatamente aquilo. Mas quase como se ela pudesse ler minha mente, Grandmère só fez "Hummmm", daquele jeito de quem sabe tudo.

"Faça o que achar melhor", concluiu ela. "Além do mais, me parece um pouco cruel você terminar com esse jovem rapaz nesta época do ano."

"Por quê?", perguntei, confusa. Será que Grandmère tinha sem querer passado os olhos por algum programa de TV tipo *It's a Wonderful Life*, ou algo assim? Ela nunca mostrou um átomo de espírito de festas antes. "Porque é *Natal*?"

"Não", respondeu Grandmère, parecendo muito desgostosa comigo, talvez pela sugestão de que ela nunca ficaria mobilizada pelo aniversário de nascimento do Salvador de alguém. "Por causa das suas provas. Se você realmente quer ser gentil com ele, eu acho que você deveria pelo menos esperar para depois das provas finais antes de partir o coração do pobre rapaz."

Eu estava inteiramente pronta para discutir qualquer desculpa para não terminar com Kenny que Grandmère trouxesse em seguida — mas esta eu não estava esperando. Fiquei ali com a boca aberta. Sei que ela estava aberta porque eu podia vê-la refletida nos três grandes espelhos.

"Não consigo entender", prosseguiu Grandmère, "por que você simplesmente não deixa ele acreditar que você retribui seu ardor até o final das provas. Por que aumentar o estresse do pobre garoto? Mas você deve, obviamente, fazer o que acha melhor. Acho que esse — *er* — Kenny é o tipo de garoto que se recupera facilmente da rejeição. Ele provavelmente vai conseguir se sair muito bem nas provas, apesar do coração partido."

Ai, Deus! Se ela tivesse enfiado um garfo no meu estômago e revirado meus intestinos em volta dos dentes do garfo como se fossem espaguete, ela não poderia ter me feito sentir pior...

E, preciso admitir, também um pouco aliviada. Porque é óbvio que não posso terminar com Kenny agora. Não importa minha nota em biologia e o baile: você não pode terminar com alguém às vésperas das provas finais. É tipo a coisa mais cruel que você pode fazer.

Bem, tirando o tipo de coisa que Lana e suas amigas fazem. Sabe, coisas de vestiário de garotas, como ir até alguém que está se trocando e perguntar a ela por que usa sutiã quando ela obviamente não precisa de um, ou rir dela só porque não gosta de ser beijada pelo namorado. Esse tipo de coisa.

Então cá estou eu. Eu *quero* terminar com Kenny, mas não posso.

Eu *quero* dizer a Michael o que sinto por ele, mas também não posso fazer isso.

Eu nem mesmo consigo parar de roer as unhas. Vou ofender uma nação europeia inteira com minhas cutículas sangrentas.

Sou patética. Não é à toa que no carro, hoje de manhã — depois que fechei a porta sem querer no pé de Lars —, Lilly disse que eu devia realmente pensar em fazer uma terapia, porque se há alguém que precisa descobrir a harmonia interna entre seu consciente e seu subconsciente, sou eu.

COISAS PRA FAZER ANTES DE IR PARA GENOVIA

1. Comprar comida de gato e areia para Fat Louie
2. Parar de roer as unhas
3. Alcançar a autorrealização
4. Descobrir a harmonia interna entre o consciente e o subconsciente
5. Terminar com Kenny — mas só depois das provas finais/Baile Inominável de Inverno.

Terça, 9 de dezembro, Inglês

O que foi AQUILO *no corredor? Kenny Showalter acabou de dizer o que eu acho que ouvi?*

Sim. Ai, meu Deus, Shameeka, o que eu vou fazer? Estou tremendo tanto que mal consigo escrever.

Como assim, o que você vai fazer? O garoto está amarradão em você, Mia. Vai fundo.

Não devia ser permitido às pessoas saírem por aí dizendo coisas assim. Especialmente tão alto. Todo mundo deve ter ouvido. Você acha que todo mundo ouviu?

Todo mundo ouviu, óbvio. Você devia ter visto a cara da Lilly. Achei que ela ia ter um daqueles colapsos sinápticos de que ela sempre fala.

Você acha que TODO MUNDO ouviu o que ele disse? Quer dizer, tipo o pessoal saindo do laboratório de química? Você acha que eles ouviram?

Como eles poderiam não ouvir? Ele gritou aquilo bem alto.

Elas estavam rindo? As pessoas saindo da aula de química? Elas não estavam rindo, estavam?

Muitos estavam rindo.

Ai, Deus, para que eu fui nascer?!!!

Tirando Michael. Ele não estava rindo.

Ele NÃO ESTAVA? JURA? Você não está brincando comigo?

Não. Por que eu faria isso? E você liga para o que Michael Moscovitz pensa, por falar nisso?

Não. Não ligo. O que faz você pensar que eu ligo?

Hum, por acaso você não para de falar nisso.

As pessoas não deviam sair por aí rindo da desgraça alheia. É isso.

Não vejo qual é a grande desgraça. Então o cara te ama? Muitas garotas iam realmente gostar se o namorado delas gritasse isso para elas entre o primeiro e o segundo tempo.

É, mas EU NÃO!!!!

* Usar *verbos transitivos* para criar sentenças breves e vigorosas.

Transitivo: Ele logo lamentou suas palavras.

Intransitivo: Não se passou muito tempo antes que ele se arrependesse muito de ter dito o que disse.

Terça, 9 de dezembro, Biologia

Superdotados & Talentosos não foi muito engraçada hoje. Não que biologia seja muito melhor, ainda mais porque estou aqui presa do lado do Kenny, que parece ter se acalmado um pouco desde hoje cedo.

Além do mais, eu acho que as pessoas que não estão realmente envolvidas em certas aulas não têm por que aparecer nelas.

Por exemplo, só porque Judith Gershner tem sala de estudos no quinto tempo não é razão para permitirem que ela fique passeando na sala de S&T

por cinquenta minutos durante aquele tempo. Ela nunca devia ter sido autorizada a sair da sala de estudos em primeiro lugar. Não acho nem mesmo que ela tenha um passe livre.

Não que eu fosse entregá-la, nem nada. Mas esse tipo de quebra de regulamento flagrante realmente não devia ser encorajado. Se Lilly vai mesmo seguir em frente com essa coisa de greve, para o que ela ainda está tentando ganhar apoio, ela devia mesmo acrescentar à sua lista de reclamações o fato de que os professores nesta escola têm favoritos. Quer dizer, só porque uma garota sabe como clonar as coisas não significa que ela deva ser autorizada a percorrer a escola livremente a qualquer hora que quiser.

Mas ali estava ela quando eu entrei, e não há dúvida sobre isso: Judith Gershner está muito a fim do Michael. Eu realmente não sei o que ele sente por ela, mas ela estava usando meia-calça nude em vez das calças pretas de malha que ela sempre usa, então você *sabe* que tem alguma coisa rolando. Nenhuma garota usa meia-calça nude sem uma boa razão.

E certo, então talvez eles estejam trabalhando juntos na barraca para o Carnaval de Inverno, mas isso não é razão para Judith passar o braço por trás da cadeira de Michael daquele jeito. Depois, ele costumava me ajudar com meu dever de álgebra durante S&T, mas agora ele não pode, porque Judith está monopolizando todo o tempo dele. Achei que ele poderia se ressentir dessa intrusão.

Depois, Judith realmente não tem que se meter em minhas conversas particulares. Ela mal me conhece.

Mas isso não a impediu de me dizer, quando escutou as desculpas formais de Lilly por não ter acreditado em mim sobre o telefonema esquisito de Kenny — sem dúvida sobre a veracidade sobre a qual ele resolveu gritar hoje, com sua demonstração de paixão desenfreada no corredor do terceiro andar —, que ela tem pena dele? Ah, não.

"Coitado", disse Judith. "Eu ouvi o que ele disse a você no corredor. Eu estava no laboratório. Como é que foi mesmo? 'Não me importo se você não sente o mesmo, Mia, eu sempre vou te amar', ou algo assim?"

Eu não disse nada. Isso porque eu estava ocupada imaginando como Judith ficaria com um lápis fincado no meio da testa.

"É realmente uma graça", disse Judith. "Qualquer uma acharia. Quer dizer, acho que ele está realmente sofrendo por sua causa."

Este é o problema, sabe. Todo mundo acha fofo o que Kenny fez e tal. Ninguém parece entender que não foi fofo. Não foi fofo, mesmo. Foi completamente humilhante. Não acho que eu tenha ficado mais sem graça em toda a minha vida.

E acredite, eu já passei da minha cota justa de incidentes embaraçosos, especialmente desde que começou toda essa história de princesa.

Mas aparentemente eu sou a única pessoa em toda esta escola que acha que o que Kenny fez foi, no mínimo, muito errado.

"Ele obviamente está muito envolvido com suas próprias emoções." Até Lilly estava ficando do lado de Kenny naquela coisa toda. "Ao contrário de *algumas* pessoas."

Tenho que dizer, esse comentário me faz ficar tão irada, porque a verdade é que, desde que comecei a escrever diários, eu tenho estado muito envolvida com minhas emoções. Em geral, sei quase exatamente como me sinto.

O problema é que simplesmente não posso contar a ninguém.

Não sei quem ficou mais surpreso quando Michael subitamente veio em minha defesa contra a irmã — Lilly, Judith Gershner ou eu.

"Só porque Mia não sai por aí gritando o que ela sente no corredor do terceiro andar", disse Michael, "não quer dizer que ela não esteja envolvida com suas emoções".

Como ele faz isso? Como é que ele é capaz de magicamente colocar em palavras exatamente o que sinto, mas pareço ter tanto problema em dizer? É por isso, sabe, que eu o amo. Quer dizer, como poderia não o amar?

"Isso aí", disse eu, triunfante.

"Bem, você podia ter respondido alguma coisa a ele." Lilly sempre fica decepcionada quando Michael vem me salvar — especialmente quando ele faz isso enquanto ela está me atacando sobre a falta de honestidade em minha vida emocional. "Em vez de simplesmente deixá-lo ficar plantado lá."

"E o que", perguntei — o que não foi muito inteligente, agora me dou conta —, "eu devia ter dito a ele?".

"Que tal", respondeu Lilly, "que você o ama também?"

POR QUÊ? Isso é tudo o que quero saber. POR QUE eu fui amaldiçoada com uma melhor amiga que não entende que há algumas coisas que você simplesmente não fala na frente de TODO MUNDO QUE FREQUENTA A AULA DE S&T, INCLUINDO O IRMÃO DELA????

O problema é que Lilly nunca ficou envergonhada com nada na vida. Ela simplesmente não sabe o significado da palavra *vergonha*.

"Olha", falei, sentindo que minhas bochechas estavam começando a queimar. Eu não podia mentir, certo. Como eu poderia mentir, considerando o que eu agora sei sobre minhas narinas? E tudo bem, Lilly ainda não havia descoberto, mas era apenas uma questão de tempo. Quer dizer, se Grandmère sabia... "Eu valorizo verdadeiramente a companhia de Kenny", expliquei, com cuidado. "Mas amor... Quer dizer, *amor*... Isso é uma coisa muito grande. Eu não, quer dizer, eu não estou... "

Eu babei pateticamente, altamente consciente de que todo mundo na sala, em especial Michael, estava escutando.

"Entendo", interrompeu Lilly, estreitando os olhos. "Medo de compromisso."

"Eu não tenho medo de compromisso", insisti. "Eu só... "

Mas os olhos escuros de Lilly já estavam brilhando com ávida expectativa. Ela estava pronta para me psicanalisar, um de seus *hobbies* favoritos, infelizmente.

"Vamos examinar a situação, certo?", começou ela. "Quer dizer, aqui tem esse cara andando pelos corredores, berrando o quanto ele te ama, e você simplesmente olha para ele como uma ratazana pega nos trilhos do trem. O que você supõe que isso significa?"

"Você já considerou alguma vez", perguntei, "que talvez a razão pela qual eu não tenha dito que o amo é porque eu... "

Eu quase disse aquilo. Verdade. Mesmo. Eu quase disse que não amo Kenny.

Mas eu não podia. Porque se eu tivesse dito isso, de alguma maneira isso teria chegado até Kenny, e isso teria sido ainda pior do que terminar com ele. Eu não podia fazer isso.

Então tudo o que eu disse foi: "Lilly, você sabe perfeitamente bem que eu não tenho medo de compromisso. Quer dizer, há muitos garotos que eu... "

"Ah, é?" Lilly parecia estar ainda mais satisfeita consigo mesma do que o normal. Era quase como se ela estivesse representando para uma audiência. O que, obviamente, ela estava. A audiência de seu irmão e do namorado dela. "Diga um."

"Um o quê?"

"Diga um garoto com quem você pode se ver comprometida por toda a eternidade."

"O que você quer, uma lista?", perguntei a ela.

"Uma lista seria ótimo", disse Lilly.

Então eu redigi a seguinte lista:

GAROTOS COM QUEM MIA THERMOPOLIS PODE SE VER COMPROMETIDA POR TODA A ETERNIDADE

1. Wolverine, dos *X-men*
2. Orlando Bloom como Legolas
3. James Franco como Tristão em *Tristão e Isolda*
4. Tarzan, do desenho da Disney
5. A Fera, de *A Bela e a Fera*
6. Aquele soldado muito gato de *Mulan*
7. O cara que Brendan Fraser fez em *A Múmia*
8. Christian Bale como Batman
9. Jake Gyllenhaal, em *Donnie Darko*
10. Justin Baxendale

Mas essa lista acabou não servindo, porque Lilly pegou-a e analisou-a totalmente, e acaba que metade dos caras na lista são na verdade personagens de desenho animado; um é um vampiro; e um é um mutante que pode fazer garras saltarem das articulações de seus dedos.

De fato, a não ser por Justin Baxendale — o veterano bonitão que havia acabado de ser transferido do Colégio Trinity e por quem um monte de garotas da Escola Albert Einstein já se apaixonou —, todos os caras que listei são mera ficção. Parece que a minha impossibilidade de incluir um cara com quem eu tivesse chance de ficar, ou que pelo menos vivesse na terceira dimensão, era um indicativo de alguma coisa.

Mas não, obviamente, indicativo do fato de que o cara de quem eu gosto estava na verdade na sala naquela hora, sentado perto de sua nova namorada, então eu não podia colocá-lo na lista.

Ah, não. Ninguém pensou *nisso*.

Não, a falta de homens reais atingíveis em minha lista era aparentemente indicativa das minhas expectativas não realistas no que diz respeito aos homens, e prova maior da minha inabilidade para me comprometer.

Lilly diz que, se eu não baixar minhas expectativas de alguma maneira, estou destinada a ter uma vida amorosa insatisfatória.

Como se, da maneira que as coisas estavam indo, eu esperasse alguma coisa diferente disso.

Kenny acabou de me passar este bilhete:

> *Mia — Desculpe pelo que aconteceu hoje no corredor. Entendo agora que deixei você envergonhada. Às vezes esqueço que mesmo que você seja uma princesa, você ainda é muito introvertida. Prometo jamais fazer algo assim novamente. Posso compensar levando você para almoçar no Big Wong na quinta-feira? — Kenny*

Eu disse que sim, óbvio. Não só porque eu realmente gosto das almôndegas vegetarianas no vapor do Big Wong, ou porque eu não quero que as pessoas pensem que eu tenho medo de me comprometer. Eu nem mesmo disse sim porque suspeito de que, durante as almôndegas com chá quente, Kenny finalmente vai me chamar para ir ao Baile Inominável de Inverno.

Eu disse que sim porque, apesar de tudo, eu realmente gosto de Kenny e não quero ferir seus sentimentos.

E eu me sentiria da mesma forma se não fosse uma princesa e sempre tivesse que fazer a coisa certa.

* DEVER DE CASA

Álgebra: rever questões no fim dos capítulos 4-7

Inglês: redação final

Civilizações Mundiais: rever questões no fim dos capítulos 5-9

S&T: nenhum

Francês: rever questões no fim dos capítulos 4-6

Biologia: rever questões no fim dos capítulos 6-8

Terça, 9 de dezembro, 16h, na limusine a caminho do Plaza

A seguinte conversa aconteceu entre mim e o Sr. Gianini hoje depois da revisão de álgebra:

Sr. G: Mia, está tudo bem?

Eu: (surpresa) Sim. Por que não estaria?

Sr. G: Bem, eu pensei que você tinha conseguido entender as explicações, mas no questionário de hoje você errou os cinco problemas.

Eu: Acho que eu estava com muita coisa na cabeça.

Sr. G: Sua viagem a Genovia?

Eu: É, isso e... outras coisas.

Sr. G: Bem, se você quiser falar sobre as, hum, outras coisas, você sabe que pode contar sempre comigo. E com a sua mãe. Eu sei que nós parecemos estar muito preocupados com o bebê que está chegando e tudo, mas você é sempre a número um de nossa lista de prioridades. Você sabe disso, não sabe?

Eu: (mortificada) Sim. Mas está tudo bem. De verdade.

Graças a Deus ele não sabe sobre minhas narinas.
    E, de verdade, o que mais eu *podia* ter dito? "Sr. G, meu namorado é um caso perdido, mas eu não posso terminar com ele por conta das provas finais, e estou apaixonada pelo irmão da minha melhor amiga"?
    Duvido muito que ele fosse capaz de oferecer qualquer conselho significativo sobre qualquer um dos assuntos acima.

Terça, 9 de dezembro, 19h30

Não acredito nisso. Estou em casa antes que *S.O.S. Malibu Hawaii* comece, pela primeira vez em, tipo assim, meses. Deve ter alguma coisa errada com Grandmère. Embora ela parecesse muito normal em nossa lição de hoje. Quer dizer, para ela. Exceto que ela me interrompeu no meio de minha récita da promessa de aliança genoviana (que eu tenho de memorizar, lógico, para quando eu estiver visitando escolas em Genovia. Não quero parecer uma idiota na frente de um monte de crianças de cinco anos por não saber isso) para me perguntar o que eu decidi fazer com Kenny.

É meio engraçado ela ter interesse em minha vida pessoal, já que nunca teve antes. Bem, não muito, na verdade.

E ela ficou falando como fora engenhoso da parte de Kenny me mandar aquelas cartas anônimas de amor em outubro passado, aquelas que eu pensei (bem, certo, *esperei*, não pensei de verdade) que era Michael quem estava escrevendo.

Eu fiquei toda "O que foi tão engenhoso *nisso*?", ao que Grandmère apenas replicou: "Bem, você é a namorada dele agora, não é?"

O que eu nunca realmente havia pensado, mas acho que ela está certa.

Enfim, minha mãe ficou tão surpresa de me ver em casa tão cedo que ela até me deixou encarregada de escolher a entrega da comida (pizza margherita para mim. Eu a deixei comer rigatoni à bolonhesa, mesmo sabendo que a salsicha do molho está provavelmente impregnada de nitratos que poderiam causar danos a um feto em desenvolvimento. Mas era tipo uma ocasião especial, eu estava em casa para jantar, para variar. Até o Sr. Gianini exagerou um pouco e comeu algo com cogumelos porcini dentro).

Estou alucinada por estar em casa cedo, porque você não acreditaria na quantidade de coisas que tenho para estudar, e além do mais eu devia provavelmente começar minha redação final, aí preciso descobrir o que vou dar para as pessoas de Natal e Hanucá, isso sem falar no discurso de agradecimento que tenho de fazer e ensaiar para minha apresentação ao povo de Genovia pela TV (de Genovia, na verdade), o povo sobre o qual um dia eu vou reinar.

Eu devia realmente me dedicar com afinco e começar a trabalhar!

Terça, 9 de dezembro, 19h30

Tudo bem, eu dei uma parada nos estudos e acabei me dando conta de algo. Você pode aprender *muito* assistindo a S.O.S. Malibu. Sério.

Eu compilei esta lista:

COISAS QUE EU APRENDI
ASSISTINDO A *S.O.S. MALIBU*

1. Mesmo estando paralisada da cintura para baixo, ao ver um garoto sendo atacado por um assassino você será capaz de se levantar e salvá-lo.
2. Se você tem amnésia, é provavelmente porque dois homens amam você ao mesmo tempo. Apenas diga aos dois que você só quer ser amiga deles, e sua amnésia vai embora.
3. É sempre fácil conseguir uma vaga para estacionar perto da praia.
4. Salva-vidas do sexo masculino sempre colocam uma camiseta quando saem da praia. Salva-vidas do sexo feminino não precisam se importar com isso.
5. Se você encontrar uma garota bonita, mas problemática, ela provavelmente é uma contrabandista de diamantes ou tem distúrbio de personalidade: não aceite seu convite para jantar.
6. Dick van Patten, embora seja um cidadão idoso, pode ser surpreendentemente difícil de ser vencido numa luta de boxe.
7. Se as pessoas estão morrendo misteriosamente na água, é provavelmente porque uma gigantesca enguia-elétrica escapou de um aquário nas proximidades.
8. Uma garota que está pensando em abandonar seu bebê deveria deixá-lo na praia. São muitas as chances de que um salva-vidas legal leve o bebê para casa e resolva adotá-lo e criá-lo como se fosse dele.
9. É bem fácil nadar mais rápido que um tubarão.
10. Focas selvagens são animais de estimação adoráveis e facilmente treinadas.

Terça, 9 de dezembro, 20h30

Acabo de receber um e-mail da Lilly. Não sou a única que recebeu, na verdade. De alguma maneira ela descobriu como mandar um e-mail coletivo para cada aluno da escola.

Bem, eu não devia estar surpresa, acho. Ela *é* um gênio. Mas ela deve ter desenvolvido atrofia do cérebro por estudar muito, porque olhe o que ela escreveu:

ATENÇÃO ALUNOS DA
ESCOLA ALBERT EINSTEIN

Estressados com muitas provas, redações finais e projetos finais? Não aceite simples e passivamente a opressiva carga de trabalho dada a nós pela administração tirânica! Uma silenciosa greve foi marcada para amanhã. Às 10h, exatamente, junte-se aos seus camaradas estudantes para mostrar aos nossos professores como nos sentimos a respeito de calendários de provas inflexíveis, censura repressora e apenas um dia de leitura para nos prepararmos para nossas finais. Deixem seus lápis, deixem seus livros e reúnam-se na rua 75 Leste entre a Madison e a Park (use as portas dos principais escritórios da administração, se possível) para uma assembleia contra a diretora Gupta e os administradores. Faça com que sua voz seja ouvida!

Com certeza absoluta não posso fazer greve amanhã às 10 horas. Isso é bem no meio da aula de álgebra. Os sentimentos do Sr. Gianini ficarão muito feridos se nós todos simplesmente nos levantarmos e sairmos.

Mas se eu disser que não vou participar, Lilly vai ficar furiosa.

Mas se eu participar, meu pai vai me matar. Sem mencionar minha mãe. Quer dizer, podemos ser todos suspensos, ou algo assim. Ou atropelados por um caminhão de entrega. Há muitos deles na 75 a essa hora do dia.

Por quê? Por que eu devo ser dominada por uma melhor amiga que é tão nitidamente sociopata?

Terça, 9 de dezembro, 20h45

Acabo de receber a seguinte mensagem do Michael:

CracKing: Você já recebeu esse e-mail coletivo totalmente alucinado da minha irmã?

Respondi imediatamente.

FtLouie: Recebi.

CracKing: Você não vai colaborar com essa greve idiota dela, vai?

FtLouie: Ah, é. Ela não vai ficar muito furiosa se eu não colaborar, nem nada.

CracKing: Sabe, Mia, Você não tem de fazer tudo o que ela diz. Quer dizer, você já a enfrentou antes. Por que não agora?

Humm, porque eu já tenho coisa suficiente para me preocupar neste exato instante — por exemplo, provas finais; minha iminente viagem a Genovia; ah, sim, o fato de que eu te amo —, sem acrescentar uma briga com minha melhor amiga à lista.

Mas eu não disse isso, óbvio.

FtLouie: Acho que o caminho de menor resistência ainda é o mais seguro quando se trata da sua irmã.

CracKing: Bem, eu não vou entrar. Na greve, quer dizer.

FtLouie: É diferente para você. Você é irmão dela. Ela tem de continuar falando com você. Vocês moram juntos.

CracKing: Não por muito tempo. Graças a Deus.

Ah, é. Ele vai embora para a faculdade em breve.
Bem, não para tão longe. Mas cerca de uns cem quarteirões ou isso.

FtLouie: É verdade. Você foi aceito na Columbia. Por antecipação, também. Eu nem te dei os parabéns. Então, parabéns.

CracKing: Valeu.

FtLouie: Você deve estar feliz porque já vai conhecendo pelo menos outra pessoa lá. Judith Gershner, quer dizer.

CracKing: É. Escuta, você ainda vai estar na cidade no Carnaval de Inverno, certo? Quer dizer, você não vai para Genovia antes do dia 19, vai?

Tudo o que eu pude pensar foi: *Por que ele está me perguntando isso? Quer dizer, ele não pode me convidar para o baile. Ele deve saber que vou com Kenny. Quer dizer, se Kenny me convidar, é isso. Além do mais, Michael não está disponível. Ele não vai com Judith? Certo? ELE NÃO VAI?*

FtLouie: Vou para Genovia no dia 20.

CracKing: Ah, legal. Porque você devia dar uma passada na barraca do Clube de Computação no Carnaval e ver o programa em que eu estou trabalhando. Acho que você vai gostar.

Eu devia ter adivinhado. Michael não vai me convidar para nenhum baile. Não nesta vida, pelo menos. Eu devia saber que era apenas o seu estúpido programa de computador que ele queria que eu visse. E daí? Suponho que uns brutamontes do Exército vão pular em cima de mim e eu vou ter de matá-los, ou o que seja. Ideia da Judith, tenho certeza.

Eu quis escrever para ele: *Você não faz a menor ideia do que eu estou passando? Que a única pessoa com quem eu posso me ver comprometida para toda a eternidade é VOCÊ? Você NÃO SABE disso ainda????*

Mas em vez disso eu escrevi:

FtLouie: Legal. Vou, sim. Bom, tenho de ir. Tchau.

Às vezes eu me odeio completamente.

Quarta, 10 de dezembro, 3h

Você nunca vai acreditar nisso. Não consigo dormir pensando em uma coisa que Grandmère me falou.

Sério. Eu estava profundamente adormecida — bem, tão adormecida quanto você pode estar com um gato de onze quilos ronronando em seu abdômen — quando de repente eu acordei com esta frase totalmente aleatória girando na minha cabeça:

"Bom, você é a namorada dele agora, não é?"

Isso foi o que Grandmère disse quando eu perguntei a ela o que era tão engenhoso no fato de Kenny ter me mandado aquelas cartas de amor anônimas.

E você sabe o que mais?

ELA TEM RAZÃO.

Parece totalmente bizarro admitir que Grandmère pode ter razão em alguma coisa, mas acho que é verdade. As cartas de amor anônimas de Kenny *realmente* funcionaram. Quer dizer, eu *sou* namorada dele agora.

Então o que me impede de escrever algumas cartas de amor anônimas para o garoto de quem *eu* gosto? Quer dizer, de verdade? Além do fato de que eu já tenho um namorado e o cara de quem eu gosto já tem uma namorada?

Acho que este é um plano que pode ter algum sucesso. Tudo bem, ele precisa ser mais trabalhado, mas, pô, medidas desesperadas pedem por momentos desesperados. Ou algo assim. Estou com muito sono para pensar melhor.

Quarta, 10 de dezembro, Sala de Estudos

Tudo bem, fiquei acordada a noite inteira pensando sobre isso e estou muito certa de que consegui calcular tudo. Mesmo estando sentada aqui, meu plano está sendo colocado em ação, graças a Tina Hakim Baba e uma parada na Deli Ho's antes do início das aulas.

Na verdade, o Ho's não tinha realmente o que eu queria. Eu queria um cartão que fosse branco por dentro, com uma foto na frente que fosse sofisticada, mas não muito sexy. Mas os únicos cartões em branco que eles tinham no Ho's (que não estavam cheios de fotos de gatinhos) eram uns com fotos de frutas sendo mergulhadas em calda de chocolate.

Eu tentei escolher uma fruta não fálica, mas até o morango que peguei é meio assim mais sexy do que eu teria gostado. Não sei o que é sexy numa fruta com calda de chocolate transbordando dela, mas Tina ficou tipo "uau", quando viu aquilo.

Além do mais, ela corajosamente concordou em copiar meu poema dentro do cartão, para que Michael não reconhecesse minha letra. Ela até gostou do meu poema, que eu escrevi às cinco da manhã:

> *Rosas são vermelhas*
> *Violetas são azuis*
> *Você pode não saber*
> *Mas alguém ama você.*

Não é o meu melhor trabalho, devo admitir, mas foi realmente difícil pensar em alguma coisa melhor depois de apenas três horas de sono.

Eu hesitei um pouco sobre o uso da palavra com A. Achei que talvez eu devesse substituir *ama* por *gosta*. Não quero que ele ache que há uma maníaca assustadora atrás dele e tal.

Mas Tina disse que *ama* estava absolutamente correto. Porque, como ela argumentou, "é a verdade, não é?".

E já que é anônima, acho que não importa que eu esteja abrindo totalmente minha alma.

Enfim, Tina vai passar pelo armário do Michael bem antes da aula de EF e vai enfiar o cartão lá dentro.

Não posso acreditar que cheguei a um nível tão baixo. Mas como papai me disse uma vez, *corações tímidos nunca conseguem as damas belas*.

Quarta, 10 de dezembro, Sala de Estudos

Lars acaba de comentar que eu não estou exatamente arriscando nada, já que não assinei o cartão e até fui ao extremo de fazer outra pessoa escrever o poema para mim (Lars sabe tudo a respeito disso, porque tive de explicar a ele por que tínhamos que ir ao Ho's às 8h15). Ele ajudou a escolher o cartão, mas eu ficarei feliz se aquela for sua única colaboração para este projeto em particular. Pelo fato de ele ser homem, não consigo achar que sua opinião seja válida.

Além do mais, ele já se casou umas quatro vezes, então eu duvido muitíssimo que ele saiba qualquer coisa a respeito de romances.

Além do mais, ele já devia saber agora que não é permitido conversar na sala de estudos.

Quarta, 10 de dezembro, 9h30, Álgebra

Acabo de ver Lilly no corredor. Ela sussurrou: "Não se esqueça! Dez horas! Não me decepcione!"

Bem, a verdade é que eu esqueci. A greve! A estúpida greve!

E pobre Sr. Gianini, que está lá em pé passando o capítulo cinco, sem suspeitar de nada. Não é culpa dele que a Sra. Spears não tenha gostado do tema da redação final da Lilly. Lilly não pode simplesmente, arbitrariamente, punir todos os professores da escola por alguma coisa que uma professora fez.

Já são nove e trinta e cinco. O que vou fazer?

Quarta, 10 de dezembro, 9h45, Álgebra

Lana acaba de se virar para trás e sussurrar: "Você vai fazer greve junto com sua amiga gorda?"

Eu tenho objeções reais a isso. Apenas numa cultura tão imbecil como a nossa, em que garotas como Christina Aguilera são cultuadas como modelos de beleza, quando elas estão na verdade sofrendo de algum tipo de escorbuto, o peso de alguém seria relevante ou motivo para chacota.

* Odeio isso.

Quarta, 10 de dezembro, 9h50, Álgebra

Dez minutos até a greve. Não aguento. Vou sair.

Quarta, 10 de dezembro, 9h55

Tudo bem. Estou no corredor, perto do alarme de incêndio, próxima do bebedouro do segundo andar (eu disse a ele que tinha de ir ao banheiro).

Lars está comigo, como sempre. Gostaria que ele parasse de rir. Ele não parece se dar conta da seriedade da situação. Além do mais, Justin Baxendale também acabou de passar com um passe livre, e ele nos lançou aquele olhar bem esquisito.

E é mesmo, eu provavelmente estou parecendo meio estranha, passeando pelo corredor com meu guarda-costas, que está neste exato instante tendo um ataque repentino de riso, mas mesmo assim eu não preciso ser olhada estranhamente por Justin Baxendale.

Os cílios dele são bem longos e escuros, e eles fazem seus olhos parecerem meio que esfumaçados...

AI, MEU DEUS! NÃO ACREDITO QUE ESTOU ESCREVENDO SOBRE OS CÍLIOS DE JUSTIN BAXENDALE NUMA HORA DESSAS!

Quer dizer, estou numa verdadeira encruzilhada aqui: se eu não fizer greve com a Lilly, vou perder minha melhor amiga.

Mas se eu fizer greve com todo mundo, estarei desrespeitando totalmente meu padrasto.

Então eu realmente só tenho uma escolha.

Lars acaba de se oferecer para fazer por mim. Mas não posso deixar. Não posso deixá-lo assumir a responsabilidade por mim se nós formos pegos. Eu sou a princesa. Eu tenho de fazer por mim mesma.

Eu só disse a ele que se preparasse para correr. Esta é uma hora em que ser tão alta cai muito bem. Eu consigo dar passos bastante longos.

Bem, aqui vamos nós.

Quarta, 10 de dezembro, 10h, Rua 75 Leste, debaixo de uma espécie de andaime

Não entendo por que ela está tão furiosa. Quer dizer, é verdade, todo mundo evacuar o prédio devido a um alarme de incêndio tocando não é a mesma coisa que todo mundo sair em protesto contra as técnicas de ensino repressivas de alguns professores.

Mas ainda assim estamos todos no meio da rua, na chuva, e ninguém está de casaco porque eles não nos deixariam parar em nossos armários por medo de que todos fôssemos consumidos por um grande incêndio, então provavelmente vamos ficar com hipotermia por causa do frio e morrer.

Era isso o que ela queria, certo?

Mas não. Ela nem mesmo fica feliz com isso.

"Alguém sacaneou a gente!", ela ficou gritando. "Alguém contou. Por que outro motivo eles iriam marcar um treinamento de incêndio exatamente para a mesma hora que a minha greve? Estou te dizendo, nada vai fazer esses burocratas pararem de tentar nos impedir de discursar contra eles. Nada! Eles vão até mesmo nos fazer ficar aqui nesta garoa gelada, esperando enfraquecer nosso sistema imunológico para que nós não tenhamos mais forças para lutar contra eles. Bem, desta vez me recuso a pegar um resfriado! Me recuso a sucumbir aos seus abusos inaceitáveis!"

Sugeri a Lilly que ela escreva sua redação final sobre as sufragistas, porque elas, como nós, tinham de suportar inúmeras indignidades em sua batalha por direitos iguais.

Lilly, entretanto, me disse para não ser superficial.

Meu Deus, não é mole ser a melhor amiga de uma gênia.

Quarta, 10 de dezembro, S&T

Não consigo saber se Michael pegou o cartão ou não!!!!

Pior, a idiota da Judith Gershner está aqui DE NOVO. Por que ela não consegue ficar na própria sala? Por que ela está sempre rodeando a nossa? Nós estávamos todos nos entendendo perfeitamente bem até que *ela* chegou.

Minha vida é patética.

Pensei em cruzar o corredor para a sala dos professores e fazer à Sra. Hill uma pergunta sobre alguma coisa — como, por exemplo, por que ela fez os guardas removerem a porta do almoxarifado, daí não conseguimos mais trancar Boris lá dentro —, então ela poderia fazer uma inspeção e PERCEBER que há uma garota em nossa sala que *não* deveria estar lá.

Mas eu não poderia fazer isso por causa do Michael. Quer dizer, Michael obviamente *quer* Judith aqui, ou então ele diria a ela para ir embora. CERTO?????

Enfim, com Michael tão ocupado e tudo com a Srta. Gershner, acho que estou por minha conta e risco com toda essa história de revisão de álgebra.

Tudo bem. Estou completamente bem com isso. Posso estudar por conta própria muito bem. Observe:

A, B, C = disjunção partitiva de conjunto universal

Coleção de subgrupos de U não vazios que são disjunções partitivas e cuja união é igual ao grupo de U

Entendo isso. Entendo totalmente o que isso significa. Quem precisa da ajuda de Michael? Não eu. Estou totalmente numa boa com a coleção de subgrupos não vazios.

TOTALMENTE NUMA BOA COM ISSO.

> *Ah, Michael*
> *você fez de meu coração*
> *uma disjunção partitiva.*
>
> *Por que você não vê*
> *que nós estamos destinados a ser*
> *um conjunto universal?*
>
> *Em vez disso, você transformou minha alma*
> *numa coleção*
> *de subgrupos não vazios.*
>
> *Não posso acreditar*
> *que nosso amor estava destinado a ser*
> *uma disjunção partitiva.*

*Mas é melhor
uma união —
igual ao grupo de
Você e eu.*

Quarta, 10 de dezembro, Francês

Sabe o que mais acabei de perceber? Que se essa coisa funcionar — sabe, se eu conseguir manter Michael longe de Judith Gershner, terminar com Kenny e acabar, sabe, numa situação potencialmente romântica com o irmão da Lilly —, eu simplesmente não vou saber o que fazer.

Sério.

Beijar, por exemplo. Eu só beijei uma pessoa antes, e foi Kenny. Não acredito que Kenny e eu realmente tenhamos passado pela experiência completa de beijo, porque com certeza não foi tão legal como as pessoas sempre fazem parecer na TV.

Este é um pensamento muito perturbador, e me levou a uma conclusão igualmente perturbadora: sei muito pouco sobre beijar.

De fato, me parece que, se vou dar um beijo em alguém, eu devia obter alguns conselhos antes. De uma especialista em beijos, quer dizer.

Motivo pelo qual estou consultando Tina Hakim Baba. Ela pode não ter permissão para usar maquiagem na escola, mas ela vem beijando Dave Farouq El-Abar — que estuda no Colégio Trinity — há cerca de três meses, *e* está gostando disso, então eu a considero uma especialista no assunto.

Estou incluindo os resultados deste documento altamente científico para futura referência.

Tina,

preciso saber sobre beijos. Você pode, por favor, responder a cada uma das seguintes perguntas EM DETALHES????

E NÃO MOSTRE isso a ninguém!!!! NÃO perca este papel!!!! — Mia

1. Um garoto pode saber se a pessoa com quem ele está tem experiência? Como um beijador inexperiente beija (para que eu possa evitar fazer isso)?

   O cara pode perceber o seu nervosismo, ou que você não está à vontade, mas todo mundo fica nervoso quando está beijando alguém novo. É natural! Mas beijar é muito fácil de aprender — acredite em mim! Um beijador inexperiente pode querer parar logo por estar com medo ou algo assim. Mas isso é normal. ESPERA-SE *que seja estranho. É o que torna tudo tão divertido.*

2. É possível que alguém seja muito bom em beijar? Se sim, quais são as qualificações (para que eu possa saber o que praticar)?

   Existe. Um bom beijador é sempre carinhoso, gentil e paciente, e não é insistente.

3. Quanta pressão você exerce com os lábios? Quer dizer, você empurra ou, como num aperto de mãos, você deve apenas ser firme? Ou você deve apenas ficar lá e deixá-lo fazer o trabalho todo?

   Se você quer um beijo gentil (carinhoso), não aplique muita pressão (isso também se aplica se ele estiver usando aparelho — você não quer causar nenhum acidente). Se você der um beijo "forte" num cara (pressão demais), ele pode pensar que você está desesperada ou que você quer ir mais fundo do que você provavelmente quer.

   É óbvio que você não deve só ficar lá e deixá-lo fazer o trabalho todo: beije-o de volta! Mas sempre o beije do jeito que VOCÊ *quer ser beijada. É assim que os caras aprendem. Se nós não mostrarmos a eles como fazer tudo, nós nunca chegaremos a lugar nenhum!*

4. Como você sabe que é hora de parar?

   Pare quando ele parar, ou quando você sentir que já foi suficiente, ou que não quer ir mais fundo. Afaste a cabeça devagar (para não assustar o outro), ou, se for o momento certo, você pode trocar o beijo por um abraço, para depois dar um passo atrás.

5. É nojento mesmo quando a gente gosta da pessoa?

   Óbvio que não! Beijar nunca é nojento!

   Bem, tudo bem, talvez com Kenny possa ser. É sempre melhor com alguém de quem você realmente gosta.

   Quer dizer, mesmo com alguém de quem você realmente gosta, às vezes beijar pode ser nojento. Uma vez Dave me lambeu no queixo, e eu quase falei "Sai daqui". Mas acho que foi por acidente (a lambida).

6. Se ele está apaixonado por você, ele se importa se você beijar mal? (Defina mau beijador. Veja acima.)

   Se o cara gosta/ama você, ele não vai se importar se você é uma boa beijadora ou não. Na verdade, mesmo se você for uma má beijadora, ele vai provavelmente pensar que você é boa. E vice-versa. Ele deve gostar de você pelo que você é — não pelo jeito que você beija.

   DEFINIÇÃO DE MAU BEIJADOR: um mau beijador é alguém que deixa seu rosto todo babado, baba em você, enfia a língua quando você não está preparada, tem mau hálito, OU às vezes pode haver beijadores cuja língua seja muito seca e espinhosa como um cacto, mas eu nunca experimentei um desses, só ouvi falar.

7. Quando você sabe se é hora de abrir a boca (entrando assim no beijo de língua)?

   Você provavelmente vai sentir a língua dele tocar seus lábios. Se você quiser prosseguir com a ideia, abra os lábios um pouco. Se não, mantenha-os fechados.

   Aguarde au demain — capítulo II: como beijar de língua!!!!

* DEVER DE CASA

<u>Álgebra</u>: rever questões no fim dos capítulos 8-10

<u>Inglês</u>: Diário de inglês: Livros que eu li

<u>Civilizações Mundiais</u>: rever questões no fim dos capítulos 10-12

S&T: nenhum

Francês: rever questões no fim dos capítulos 7-9

Biologia: rever questões no fim dos capítulos 9-12

Quarta, 10 de dezembro, 21h, na limusine, voltando pra casa depois de encontrar Grandmère

Estou tão cansada que mal consigo escrever. Grandmère me fez experimentar cada um dos vestidos no *showroom* de Sebastiano. Você não acreditaria no número de vestidos que usei hoje. Vestidos curtos, vestidos longos, vestidos de saia reta, vestidos de saia rodada, vestidos brancos, vestidos rosa, vestidos azuis e até um vestido verde-lima (que Sebastiano declarou que deixava minhas bochechas mais "vermê").

O objetivo de todo esse negócio de experimentação-de-vestido era escolher um para usar na Noite de Natal, durante meu primeiro discurso oficialmente transmitido para o povo genoviano. Tenho que parecer majestosa, mas não majestosa demais. Bonita, mas não bonita demais. Sofisticada, mas não sofisticada demais.

Vou te contar, foi um pesadelo de mulheres magérrimas de branco (o novo preto), abotoando e zipando e me enfiando e me tirando de vestidos. Agora eu sei como todas aquelas supermodelos devem se sentir. Não me espanta que elas usem tantas drogas.

Na verdade, *foi* meio difícil escolher o vestido para meu primeiro grande evento televisionado, porque, surpreendentemente, Sebastiano mostrou ser um estilista muito bom. Houve vários vestidos que se fosse pega com eles eu realmente não *morreria* de vergonha.

Ops. Foi sem querer. Mas fico imaginando se Sebastiano realmente quer me matar. Ele parece gostar de ser um estilista, o que ele não poderia fazer se fosse príncipe de Genovia: ele estaria muito ocupado transformando projetos de lei em leis e coisas desse tipo.

Apesar disso, dá para ver que ele gostaria totalmente de usar uma coroa. Não que, como administrador de Genovia, ele jamais tivesse de fazer isso. Eu nunca vi meu pai usando uma coroa. Só ternos. E shorts, quando ele joga raquetebol com outros líderes mundiais.

Ih, será que eu vou ter que aprender a jogar raquetebol?

Mas se Sebastiano se tornasse príncipe de Genovia, ele usaria uma coroa o tempo todo. Ele me disse que nada traz mais brilho aos olhos de alguém do que diamantes em forma de peras. Ele prefere Tiffany's. Ou, como ele chama, Tiff's.

Já que acabamos ficando tão amiguinhos e tal, contei a Sebastiano sobre o Baile Inominável de Inverno, e que eu não tenho roupa para ir. Sebastiano pareceu desapontado quando entendeu que eu não estaria usando uma tiara no meu baile escolar, mas ele superou isso e começou a me fazer um monte de perguntas sobre o acontecimento: "Com quem você vai?", "Como ele é?", coisas assim.

Não sei o que aconteceu, mas quando dei por mim estava contando ao Sebastiano tudo sobre minha vida amorosa. Foi tão estranho. Eu não queria, mas tudo simplesmente começou a sair da minha boca. Graças a Deus Grandmère não estava lá... ele teria sido obrigado a sair para comprar mais cigarros e para gelar mais seu Sidecar.

Contei a Sebastiano tudo sobre Kenny e como ele me ama, mas eu não o amo, e como eu realmente gosto de outra pessoa, mas ele não sabe nem que estou viva.

Sebastiano é um ótimo ouvinte. Eu não sei quanto ele entendeu do que eu disse, se é que entendeu alguma coisa, mas ele não tirou os olhos de mim enquanto eu falava e, quando eu terminei, me olhou de cima a baixo no espelho e só disse uma coisa: "Esse garoto que você gosta. Como você sabe que ele não gosta de você também?"

"Porque", respondi "ele gosta dessa outra garota."

Sebastiano fez um movimento impaciente com as mãos. O gesto ficou mais dramático pelo fato de que ele estava usando mangas com aqueles enormes punhos com laços de renda.

"Não, não, não, não, não", falou. "Ele ajudar você com seu dever de alge. Ele gostar você, ou ele não fazer isso. Por que ele fazer isso, se ele não gostar você?"

Eu entendi "Ele ajudar você com seu dever de alge" como "Ele ajuda você com seu dever de álgebra". Pensei um instante sobre por que Michael sempre fora tão solícito com aquilo. Me ajudar em álgebra, quero dizer. Acho que só porque eu sou a melhor amiga da irmã dele, e ele não é o tipo de pessoa que pode ficar sentado por ali e ver a melhor amiga da irmã ser reprovada na escola sem, sabe, pelo menos tentar fazer alguma coisa a respeito.

Enquanto eu estava pensando sobre isso, não pude deixar de lembrar que os joelhos de Michael, embaixo de nossas mesas, às vezes se esfregavam nos meus enquanto ele me falava sobre números inteiros. Ou que às vezes ele se inclina tão perto para corrigir alguma coisa que eu escrevi errado que eu posso sentir o cheiro limpo e bom do sabonete dele. Ou que às vezes, quando eu faço minha imitação de Lana Weinberger ou qualquer coisa, ele joga a cabeça para trás e ri.

Os lábios de Michael parecem supergostosos quando ele está sorrindo.

"Diga a Sebastiano", pediu Sebastiano. "Diga a Sebastiano por que esse garoto ajudar você se ele não gostar de você."

Eu suspirei. "Porque eu sou a melhor amiga da irmã mais nova dele", expliquei, toda triste. Realmente, poderia *haver* alguma coisa mais humilhante? Quer dizer, obviamente Michael nunca ficou impressionado com meu intelecto aguçado ou minha aparência arrebatadoramente bela, dada minha baixa média na escola e, óbvio, meu gigantismo.

Sebastiano puxou minha manga e falou: "Você não preocupar. Eu fazer vestido para baile, esse garoto, ele não pensar em você como melhor amiga de irmã mais nova."

É. Com certeza. Que seja. Por que todos os meus parentes têm que ser tão estranhos?

Enfim, nós escolhemos o que vou usar na TV nacional de Genovia durante minha apresentação. É essa coisa de tafetá branco com uma enorme saia rodada e esse cinturão azul-claro (as cores reais são azul e branco). Mas Sebastiano fez uma de suas assistentes tirar fotos de mim em todos os vestidos, para que eu possa ver como eu fiquei neles e então decidir. Eu achei que isso era bastante profissional para um cara que chama café da manhã de "caf".

Mas isso tudo não é o assunto sobre o qual quero escrever. Estou tão cansada que mal sei o que estou fazendo. O que eu quero escrever é sobre o que aconteceu hoje depois da revisão de álgebra.

É que o Sr. Gianini, depois que todo mundo menos eu tinha saído, começou a falar: "Mia, ouvi um rumor de que se esperava que houvesse algum tipo de greve de estudantes hoje. Você ouviu falar nisso?"

Eu: (gelando na cadeira) Humm, não.

Sr. Gianini: Ah. Então você não sabe se alguém — talvez em protesto contra o protesto — apertou o alarme de incêndio do segundo andar? Aquele perto do bebedouro?

Eu: (desejando que Lars parasse de tossir sugestivamente) Humm, não.

Sr. Gianini: Foi o que pensei. Porque você sabe que a punição por disparar um dos alarmes de incêndio — quando não há sinal de fogo — é a expulsão.

Eu: Ah, sim, eu sei disso.

Sr. Gianini: Achei que você podia ter visto quem fez isso, já que acredito que dei a você um passe livre pouco antes que o alarme tocasse.

Eu: Ah, não. Não vi ninguém.

A não ser Justin Baxendale e seus cílios enfumaçados. Mas eu não disse isso.

Sr. Gianini: Achei que não. Bem. Se você souber quem foi, poderia dizer a essa pessoa, por mim, para jamais fazer isso novamente.

Eu: Humm. Tá bom.

Sr. Gianini: E agradeça a ela por mim, também. A última coisa que precisamos agora, com a tensão subindo tanto por causa das provas finais, é uma greve de estudantes. (O Sr. Gianini pegou a maleta e o casaco.) Vejo você em casa.

Então ele piscou para mim. PISCOU para mim, como se ele soubesse que tinha sido eu que fiz aquilo. Mas ele não podia saber. Quer dizer, ele não sabe sobre minhas narinas (que estavam totalmente dilatadas o tempo todo; eu podia *senti-las*!). Certo? CERTO????

Quinta, 11 de dezembro, Sala de Estudos

Lilly está me tirando do sério.
De verdade. Como se não fosse suficiente eu ter provas finais e minha apresentação em Genovia e minha vida amorosa e tudo para me preocupar. Eu tenho de escutar a reclamação de Lilly sobre como a administração da Escola Albert Einstein está determinada a persegui-la. Durante todo o caminho para a escola hoje de manhã foi aquela lenga-lenga sobre como é tudo um complô para silenciá-la porque ela uma vez reclamou da máquina de Coca-Cola do lado de fora do ginásio. Aparentemente a máquina de Coca-Cola é indicativa dos esforços da administração para nos transformar todos em bebedores de refrigerante sem cérebro e clones de moletom, na opinião de Lilly.

Se você quer saber minha opinião, tudo isso não tem nada a ver com a Coca-Cola, ou as tentativas da administração da escola para nos transformar em bandos de pessoas sem cérebro. Na verdade, é só por Lilly ainda estar furiosa por não ter podido usar um capítulo do livro dela sobre experiências na escola em sua redação final.

Eu lembrei a Lilly que, se ela não apresentar um novo tema, vai ganhar um 0 como nota de bimestre. Somado a seu 10 do último bimestre, dá um 5, o que vai baixar significativamente sua média de pontos e colocar em risco suas chances de entrar na Berkeley, que é sua primeira opção de faculdade. Ela pode ser forçada a cair para sua segunda opção, Brown, o que eu sei que seria um golpe e tanto.

Ela nem mesmo escutou o que eu estava falando. Ela diz que vai ter uma reunião de organização desse novo grupo (do qual ela é presidente), Estudantes Contra o Corporativismo da Escola Albert Einstein (ECCEAE), no sábado, e eu tenho de ir, porque eu sou a secretária do grupo. Não me pergunte como *isso* aconteceu. Lilly diz que eu escrevo tudo o que acontece mesmo, então isso não seria um problema para mim.

Queria que Michael estivesse lá para me proteger da própria irmã, mas, como tem feito todos os dias esta semana, ele pegou o metrô mais cedo para a escola a fim de poder trabalhar em seu projeto para o Carnaval de Inverno.

Não duvido que Judith Gershner também esteja aparecendo na escola mais cedo esta semana.

Falando nele, peguei outro cartão, desta vez da loja de presentes do Plaza, a caminho do *showroom* de Sebastiano na noite passada. É bem melhor do que aquele outro estúpido, com o morango. Este tem uma foto de uma dama levando um dedo aos lábios. Dentro, está escrito: *Shhhh...*

Embaixo, fiz Tina escrever:

> *As rosas são vermelhas*
> *Mas as cerejas são mais*
> *Ela pode clonar moscas*
> *Mas de você eu gosto mais.*

Eu queria dizer que gosto dele mais do que Judith Gershner gosta, mas não tenho muita certeza de que isso fica evidente no poema. Tina diz que fica, mas Tina acha que eu devia ter usado amo em vez de gosto, então quem sabe se a opinião dela tem qualquer valor? Este é um poema que obviamente pede um *gosto* e não um *amo*.

Eu deveria saber. Eu escrevo muitos.

Poemas, quero dizer.

Diário de Inglês

Este semestre nós lemos muitos romances, incluindo *O sol é para todos*, *Huckleberry Finn* e *A letra escarlate*. Em seu diário de inglês, por favor lembre seus sentimentos sobre os livros que lemos e livros em geral. Quais foram suas experiências mais significativas como leitora? Seus livros favoritos? Seus menos favoritos?

Por favor, utilize verbos transitivos.

LIVROS QUE EU LI, E O QUE SIGNIFICARAM PARA MIM

POR MIA THERMOPOLIS

Livros que foram bons:

1. *Tubarão* — Aposto que você não sabia que na versão em livro Richard Dreyfuss e a mulher de Roy Scheider fazem sexo. Mas eles fazem.
2. *O apanhador no campo de centeio* — Esse é totalmente bom. Tem montes de palavrões.
3. *O sol é para todos* — Esse é um livro excelente. Eles deviam fazer um filme com Mel Gibson como Atticus, e ele devia explodir o Sr. Ewell com um lança-chamas no final.
4. *Uma dobra do tempo* — Só que a gente nunca descobre a coisa mais importante: se Meg tem ou não seios. Estou achando que ela provavelmente tinha, considerando o fato de que já usava os óculos e o aparelho. Quer dizer, tudo isso e sem peito também? Deus não seria tão cruel.
5. *Emanuelle* — No oitavo ano, minha melhor amiga e eu descobrimos esse livro no alto de uma lata de lixo na rua 3 Leste. Nós nos revezamos para lê-lo em voz alta. Foi muito, muito bom. Pelo menos as partes de que me lembro. Minha mãe nos pegou lendo ele e pegou o livro antes que tivéssemos a chance de terminá-lo.

Livros que encheram o saco:*

6. *A letra escarlate* — Você sabe o que teria sido legal? Se houvesse uma quebra na continuidade espaço-tempo e um daqueles terroristazinhos europeus que Bruce Willis está sempre perseguindo nos filmes *Duro de matar* jogasse uma bomba nuclear na cidade onde Arthur Dimmesdale

---

* Sra. Spears, acredito que a palavra *encheram* é transitiva nesse caso.

e todos aqueles fracassados viviam e mandassem tudo pelos ares. Esta é meio que a única coisa que posso pensar que teria tornado esse livro interessante, mesmo que remotamente.
7. *Nossa cidade* — Tudo bem, essa é uma peça e não um livro, mas eles ainda nos fazem lê-lo, e tudo o que tenho a dizer sobre isso é que basicamente você descobre, quando morre, que ninguém ligava para você e que todos ficamos sozinhos para sempre, fim. Tudo bem! Valeu! Me sinto bem melhor agora!
8. *O moinho à beira-rio* — Não quero dar spoiler aqui, mas no meio do livro, quando as coisas estão indo bem e há todos aqueles romances hot (mas não tão hot quanto em *Emanuelle*, então não tenha muitas esperanças), alguém muito crucial para a história MORRE, o que, se você quer saber minha opinião, foi só uma estratégia para que o autor pudesse cumprir o prazo de entrega do livro.
9. *Anne de Green Gables* — Todo aquele blá-blá-blá sobre imaginação. Eu tentei imaginar algumas perseguições de carro ou explosões que de fato fariam esse livro ser bom, mas eu devo ser igual a todos os amigos sem graça e sem imaginação de Anne, porque não consegui.
10. *Os pioneiros* — Pequeno bocejo no grande ronco. Eu tenho 97 mil iguais a esse, porque as pessoas ficavam me dando livros desse tipo quando eu era pequena, e tudo o que tenho a dizer é que se Half Pint tivesse vivido em Manhattan, ela teria tido a você-sabe-o-quê dela chutada daqui até a avenida D.

Quinta, 11 de dezembro, quarto tempo

Nada de EF hoje!
Em vez disso, há uma assembleia.
E não é porque há um evento esportivo que eles querem que todos nós demonstremos o nosso apoio. Não! Esta não foi uma reunião de torcida. Não havia nenhuma líder de torcida à vista. Bom, tudo bem, havia líderes de torcida à vista, mas elas não estavam de uniforme nem nada assim. Elas estavam

sentadas nas arquibancadas com o restante de nós. Bem, não realmente com o restante de nós, já que elas estavam nos melhores assentos, aqueles do meio, todas se empurrando para ver quem ia se sentar perto de Justin Baxendale, que aparentemente havia ultrapassado Josh Richter como o cara mais gato da escola, mas enfim.

Não. Em vez disso, parece que houve uma grande infração disciplinar na Escola Albert Einstein. Um ato de vandalismo sem sentido que havia mexido com a fé da administração em nós. Que foi o motivo pelo qual eles convocaram uma assembleia, para que eles pudessem colocar melhor seus sentimentos de — como Lilly acaba de sussurrar em meu ouvido — desilusão e traição.

E qual foi esse ato que fez com que a diretora Gupta e os administradores ficassem tão prontos para a guerra?

Bem, alguém apertou o alarme de incêndio ontem, é isso.

Ops.

Preciso dizer que nunca fiz nada realmente mau antes — bem, eu joguei uma berinjela de uma janela do décimo sexto andar uns dois meses atrás, mas ninguém se machucou nem nada —, mas é verdade que há algo meio emocionante nisso. Quer dizer, eu nunca ia querer fazer nada *tão* ruim, tipo qualquer coisa em que alguém pudesse se machucar.

Mas eu também preciso dizer que é imensamente gratificante ter todas essas pessoas indo até o microfone e condenando meu comportamento.

Eu provavelmente não me sentiria tão bem quanto a isso se eu tivesse sido descoberta, no entanto.

Estou sendo impelida a seguir em frente e esperar a prestação de contas enquanto escrevo isso. Aparentemente, a culpa por minha ação vai me perseguir durante toda a adolescência, possivelmente até depois dos vinte anos e até além disso.

Tudo bem, posso só dizer a você quanto eu NÃO vou pensar sobre a escola quando eu tiver mais de vinte anos? Vou estar muito ocupada trabalhando com o Greenpeace para salvar as baleias para me preocupar com algum alarme de incêndio estúpido que eu apertei no primeiro ano.

A administração está oferecendo uma recompensa por informações que levem à identidade do perpetrador desse crime hediondo. Uma recompensa! Você sabe qual é a recompensa? Um ingresso de cinema para a sala do Sony Imax. Isso é tudo o que eu valho! Um ingresso de cinema!

A única pessoa que poderia possivelmente me entregar não está nem prestando atenção à assembleia. Estou vendo que Justin Baxendale pegou um Nintendo Switch e está jogando sem som, enquanto Lana e suas amiguinhas da torcida olham por sobre os seus largos ombros, provavelmente ofegando tanto que devem estar embaçando a tela.

Acho que Justin ainda não somou dois mais dois. Sabe, sobre me ver no corredor logo antes que o alarme de incêndio soasse. Com alguma sorte, ele nunca somará.

Só que o Sr. Gianini... Essa é outra história. Vejo que ele está lá, falando com a Sra. Hill. Ele obviamente não contou a ninguém que suspeita de mim.

Talvez ele não suspeite de mim. Talvez ele pense que Lilly tenha feito isso e eu saiba. Pode ser isso. Posso garantir que Lilly realmente desejaria que tivesse sido ela, porque fica resmungando sobre como, quando descobrir quem fez isso, ela vai matar essa pessoa etc.

Ela só está com inveja, óbvio. É porque agora parece algum tipo de manifestação política, em vez do que realmente foi: uma maneira de prevenir uma manifestação política.

A diretora Gupta está olhando para nós muito severamente. Ela diz que é sempre natural querer fazer um pouco de fumaça logo antes das provas finais, mas que ela espera que nós escolhamos maneiras positivas para fazer isso, como o recolhimento de moedas que o Clube de Ajuda Comunitária está organizando para beneficiar as vítimas da Tempestade Tropical Fred, que inundou bastante os arredores dos subúrbios de Nova Jersey em novembro passado.

Rá! Como se contribuir com um estúpido recolhimento de moedas pudesse proporcionar a alguém o mesmo tipo de emoção que cometer um ato completamente desproposital de desobediência civil.

LISTA DE LILLY MOSCOVITZ DOS DEZ MELHORES FILMES DE TODOS OS TEMPOS

1. *Digam o que quiserem:* Lloyd Dobler, iconoclasta do *kick boxing* representado por John Cusack (aliás, quando é que ele vai concorrer a presidente para a gente ter alguém legal no Salão Oval?), é quem corre atrás da mais

inteligente da turma (Ione Skye), que logo descobre o que todos nós sabemos: Lloyd é o namorado dos sonhos de todas as garotas. Ele nos entende. Ele deseja nos proteger de vidros quebrados no estacionamento do Seven Eleven. Precisamos dizer mais? (Esse filme também tem aquela música famosa: "Joe Lies".)

2. *Jovens sem rumo*: Rebelde no mau caminho (Aidan Quinn) corre atrás da líder de torcida certinha (Daryl Hannah). Um exemplo clássico de adolescentes lutando para se libertar da pressão da expectativa dos pais. (*Além do mais, dá para ver o você-sabe-o-quê do Aidan Quinn!*)

3. *Procura-se Susan desesperadamente*: Dona de casa suburbana entediada encontra o homem dos seus sonhos no East Village. Um manifesto dos anos 80 sobre o aumento de poder das mulheres. Também estrelando Madonna e aquela dama que fez Jackie, a irmã de Roseanne. (*Também estrelando Aidan Quinn como o bonitão do East Village, só que não dá para ver realmente o você-sabe-o-quê dele nesse filme. Mas dá para ver a bunda!*)

4. *O feitiço de Áquila*: Amantes azarados são pegos num feitiço do mal que apenas Matthew Broderick pode ajudá-los a quebrar. Rutger Hauer faz um poderoso Navarre, um cavaleiro que vive apenas para exigir vingança contra o homem que ofendeu sua bela Isabeau, representada por Michelle Pfeiffer. Uma elegante e emocionante história de amor. (*Mas o que aconteceu com o cabelo de Matthew Broderick?*)

5. *Dirty Dancing*: A mimada adolescente Baby aprende muito mais que o chá-chá-chá de Johnny, o instrutor de dança de cabelos compridos do *resort* de verão. Um clássico conto de jovens chegando à maturidade em Catskills, com importantes mensagens sobre o sistema de classes da América. (*Só que não dá para ver a bunda de ninguém.*)

6. *Flashdance*: Operária durante o dia e dançarina exótica à noite, a Alex de Jennifer Beals é uma feminista de fio dental, uma Elizabeth Cady Stanton da dança do ventre, que deseja fazer uma audição para o balé de Pittsburgh. (*Mas primeiro ela dorme com Michael Nouri, seu chefe totalmente gato, e joga uma pedrona na janela dele!*)

7. *Um casal quase perfeito*: O antigo jogador de hóquei D.B. Sweeney se une a Moira Kelly, uma importante patinadora rica e vaidosa, numa

disputa nada razoável pelo ouro olímpico. Interessante pela construção estratégica de tensão sexual através da dança no gelo. (*Encostar-afastar. Encostaaaaaaar-afastar.*)

8. *Alguém muito especial*: Vitória da moleca Mary Stuart Masterson sobre a vaidosa Lea Thompson pelo coração de Eric Stolz. Como sempre, *insight* perspicaz de John Hughes sobre a estrutura psicossocial dos adolescentes. (*O último filme no qual Eric Stolz estava gato de verdade.*)
9. *Caindo na real*: Quem a cineasta independente Winona Ryder vai escolher: o inteligente e preguiçoso Ethan Hawke ou o nitidamente ambicioso Ben Stiller? (*Não é óbvio?*)
10. *Footloose*: Forasteiro enfrenta as leis antidança de uma pequena cidade. Estrelando Kevin Bacon, que salva Lori Singer do seu abusivo namorado caipira. Mais notável pela cena do encontro da Associação de Pais e Professores: o personagem de Kevin Bacon mostra que já fez o dever de casa, ilustrado pela citação de muitas passagens bíblicas que dão apoio à dança. (*Nos filmes* Fera urbana *e* O homem sem sombra *dá para ver o você-sabe-o-quê de Kevin Bacon*).

Quinta, 11 de dezembro, S&T

Hoje foi meu almoço com Kenny no Big Wong.
Eu realmente não tenho nada a dizer a respeito, exceto que ele não me chamou para ir ao Baile Inominável de Inverno. Não apenas isso, mas parece que a paixão de Kenny por mim baixou significativamente desde que alcançou o seu apogeu na terça-feira.

Eu, óbvio, estava começando a suspeitar disso, já que ele parou de ligar para mim depois da escola e eu não recebi nenhuma mensagem dele desde antes da grande Queda no Gelo. Ele diz que é porque está muito ocupado estudando para as provas finais e tal, mas eu suspeito que seja algo mais.

Ele sabe. Ele sabe sobre Michael.

Quer dizer, fala sério. Como ele poderia não saber?

Bom, tudo bem, talvez ele não saiba sobre Michael *especificamente*, mas Kenny deve saber *genericamente* que não é ele que me deixa pegando fogo.

Se eu pegasse fogo, é isso.

Não, Kenny só está sendo legal.

O que eu aprecio, e tudo, mas só queria que ele viesse me dizer isso. Toda essa delicadeza e essa solicitude só estão fazendo eu me sentir pior. Quer dizer, como eu pude? De verdade? Como eu pude ter concordado em ser a namorada de Kenny, sabendo muito bem que eu gostava de outra pessoa? Por direito, Kenny devia ir à revista *Majesty* e soltar tudo. "Traição Real", é como eles poderiam chamar isso. Eu ia entender totalmente se ele fizesse isso.

Mas ele não vai fazer. Porque ele é muito legal.

Em vez disso, ele pediu almôndegas vegetarianas no vapor para mim e croquetes de carne de porco para ele (um sinal encorajador de que Kenny pode não me amar tanto quanto ele costumava insistir: ele está comendo carne novamente) e falou sobre biologia e sobre o que aconteceu na assembleia (eu não contei a ele que fui eu quem apertou o alarme, e ele não me perguntou, então não havia necessidade de dilatar minhas narinas). Ele mencionou novamente quanto ele lamentava por minha língua, perguntou como eu estava indo em álgebra e se ofereceu para vir me ensinar se eu quisesse (Kenny já tinha feito a prova de álgebra dos calouros), mesmo eu morando com um professor de álgebra. Além de tudo, dava para ver que ele estava querendo ser legal.

O que só faz eu me sentir pior. Por causa do que vou ter de fazer depois das provas finais e tudo.

Mas ele não me convidou para o baile.

Não sei se isso significa que não iremos, ou se significa que para ele está óbvio que nós vamos juntos.

Eu juro, não entendo mesmo os garotos.

Como se o almoço não tivesse sido ruim o suficiente, S&T não está sendo muito boa também. Não, Judith Gershner não está aqui... mas nem o Michael. O cara FALTOU. Ninguém sabe onde ele está. Lilly teve de dizer à Sra. Hill, quando ela percebeu, que seu irmão estava no banheiro.

Fico imaginando onde ele estará de verdade. Lilly diz que, desde que ele começou a escrever esse novo programa que o Clube de Computação vai apresentar no Carnaval de Inverno, ela quase não o vê mais.

O que não é uma grande mudança, já que Michael mal sai do quarto de qualquer maneira, mas enfim. De repente ele foi para casa estudar, para variar.

Mas eu acho que ele não se importa mais com as notas, já que entrou para a universidade que queria.

Além disso, como Lilly, Michael é um gênio. Para que ele precisa estudar? Ao contrário do restante de nós.

Espero que eles coloquem de volta a porta do almoxarifado. É extremamente difícil se concentrar com Boris arranhando seu violino aqui. Lilly diz que isso é apenas outra tática dos administradores para minar nossa resistência, para que nós nos transformemos nos vagabundos sem cérebro que eles estão tentando nos tornar, mas acho que é só por conta daquela vez em que todo mundo se esqueceu de abrir a porta e ele ficou trancado lá até o guarda-noturno ouvir seu pedido angustiado para ser solto.

O que é culpa da Lilly, se você pensar bem. Quer dizer, ela é namorada dele. Ela realmente devia tomar mais conta dele.

* DEVER DE CASA

Álgebra: exercício para a prova

Inglês: redação final

Civilizações Mundiais: exercício para a prova

S&T: nenhum

Francês: l'examen pratique

Biologia: exercício para a prova

Quinta, 11 de dezembro, 21h

Grandmère está seriamente descontrolada. Hoje à noite ela começou a fazer um teste comigo, perguntando os nomes e responsabilidades de todos os ministros do gabinete do meu pai. Não apenas eu tenho de saber exatamente o que eles fazem, mas também o estado civil e os nomes e idades dos filhos, se houver. Parece que são os filhos com quem eu vou ter de ficar durante a celebração do Natal no palácio. Fico imaginando que eles vão me odiar tanto, ou até mais, quanto o sobrinho e a sobrinha do Sr. Gianini me odiaram no Dia de Ação de Graças.

Acho que vou passar todos os meus feriados de agora em diante na companhia de adolescentes que me odeiam.

Sabe, eu só gostaria de dizer que eu não tenho mesmo culpa de ser uma princesa. Eles não têm o direito de me odiar tanto. Eu fiz tudo o que podia para manter uma vida normal, apesar da minha realeza. Eu dispensei oportunidades de estar nas capas da *Cosmo Girl*, *Teen People*, *Seventeen*, YM e *Girl's Life*. Eu recusei o convite para ir ao *Total Request Live*, da MTV, e apresentar o vídeo número um do país, e quando o prefeito perguntou se eu queria ser a pessoa que pressiona o botão para ligar as luzes na Times Square na Noite de Ano-Novo, eu disse não (não só porque eu vou estar em Genovia no Ano-Novo, mas porque eu me oponho à campanha mata-mosquitos do prefeito, pois os inseticidas usados na campanha contaminaram a população local de caranguejos-reis, e podem estar carregando o vírus da febre do Nilo Ocidental. Um composto do sangue dos caranguejos-reis, que se aninham por toda a Costa Leste, é usado para testar a pureza de cada medicamento e vacina administrados nos Estados Unidos. Os caranguejos são catados, drenados de um terço de seu sangue e depois soltos novamente no mar... um mar que agora está matando todos eles, bem como muitos outros artrópodes, como lagostas, devido à quantidade de inseticida na água).

Enfim, só estou dizendo que todos os adolescentes que me odeiam deviam só ficar de boa, porque eu nunca estive à caça dos holofotes, mas me jogaram na frente deles. Nunca nem mesmo convoquei eu mesma uma entrevista coletiva de imprensa.

Mas estou divagando.

Então Sebastiano estava lá, tomando aperitivos e escutando minha récita de nome após nome (Grandmère fez cartões com as fotos dos ministros do gabinete — tipo aqueles cartões dos Backstreet Boys que vêm no chiclete, só que os ministros do gabinete não usam roupa de couro). Eu estava pensando que bem podia estar enganada sobre o engajamento de Sebastiano na moda, e que ele bem podia estar ali pegando algumas dicas para depois me empurrar na frente de uma limusine em movimento, ou algo assim.

Mas quando Grandmère fez uma pausa para atender a um telefonema de seu velho amigo general Pinochet, Sebastiano começou a me fazer um monte de perguntas sobre roupa, em particular que roupas meus amigos e eu gostávamos de usar. O que eu achava, ele queria saber, de calças *stretch* de veludo? *Tops* de *spandex*? Lantejoulas?

Eu disse a ele que tudo aquilo parecia, sabe, bacana para Halloween ou Jersey City, mas que no dia a dia eu prefiro algodão. Ele pareceu meio triste com isso, então eu disse que eu realmente achava que o laranja ia ser o próximo rosa, e aquilo o alegrou muito e ele escreveu um monte de coisas no caderno que carrega por aí. Tipo como eu faço, pensando bem.

Quando Grandmère saiu do telefone, eu a informei — muito diplomaticamente, devo acrescentar — de que, considerando o progresso que nós havíamos feito nos últimos três meses, eu me sentia mais do que preparada para minha iminente apresentação ao povo de Genovia, e que eu não achava que seria necessário ter aulas na próxima semana, já que eu tenho que me preparar para CINCO provas finais.

Mas Grandmère ficou totalmente ofendida com isso! Ela ficou toda "De onde você tirou a ideia de que sua educação acadêmica é mais importante do que seu treinamento real? Seu pai, suponho. Com ele, é sempre educação, educação, educação. Ele não percebe que educação não está nem um pouco perto de ser tão importante quanto comportamento".

"Grandmère", argumentei, "eu preciso de uma educação se quiser comandar Genovia apropriadamente." Especialmente se vou converter o palácio num gigantesco abrigo para animais — algo que não vou ser capaz de fazer até que Grandmère morra, então não vejo motivo para mencionar isso a ela agora... ou nunca, por sinal.

Grandmère pronunciou alguns xingamentos em francês, o que não foi um comportamento muito principesco da parte dela, se quer saber a minha opinião. Felizmente, bem nessa hora meu pai entrou, procurando sua medalha da Força Aérea Genoviana, já que ele tinha um jantar de Estado para ir na embaixada. Eu contei a ele sobre minhas provas finais e como eu realmente precisava dar um tempo dessas coisas de princesa para estudar, e ele ficou todo: "Sim, com certeza."

Quando Grandmère protestou, ele só falou: "Pelo amor de Deus, se ela ainda não aprendeu até agora, não vai aprender nunca."

Grandmère apertou os lábios e não disse mais nada depois disso. Sebastiano usou a oportunidade para me perguntar sobre o que eu achava do tecido *rayon*. Eu disse a ele que não sabia nada sobre isso.

Pela primeira vez eu estava dizendo a verdade.

Sexta, 12 de dezembro, Sala de Estudos

AQUI ESTÁ O QUE TENHO DE FAZER

1. Parar de pensar em Michael, especialmente quando eu devia estar estudando.
2. Parar de contar a Grandmère qualquer coisa sobre minha vida pessoal.
3. Começar a agir com mais:
    ↳ Maturidade
    ↳ Responsabilidade
    ↳ Realeza
4. Parar de roer as unhas.
5. Escrever tudo o que a mamãe e o Sr. G precisam saber sobre como cuidar do Fat Louie enquanto eu estiver fora.
6. PRESENTES DE NATAL/HANUCÁ!
7. Parar de assistir a *S.O.S. Malibu* quando eu devia estar estudando.
8. Parar de jogar Pod-Racer quando eu devia estar estudando.
9. Parar de ouvir música quando eu devia estar estudando.
10. Terminar com Kenny.

Sexta, 12 de dezembro, Sala da diretora Gupta

Bem, acho que agora é oficial:

Eu, Mia Thermopolis, sou uma delinquente juvenil.

Sério. Aquele alarme de incêndio que eu apertei foi apenas o início, parece.

Eu realmente não sei o que vem acontecendo comigo ultimamente. É como se, quanto mais perto eu chego de realmente ir para Genovia e representar minhas primeiras obrigações oficiais como princesa de lá, menos eu ajo como uma princesa.

E se eu for expulsa?

Se eu for, será totalmente injusto. Foi Lana quem começou essa história. Eu estava sentada lá na aula de álgebra, escutando o Sr. G falar sobre o plano cartesiano, quando subitamente Lana se vira para trás e joga uma cópia do *USA Today* na minha carteira. Há um título gritando:

ENQUETE DO DIA

A Jovem Realeza Mais Popular

Cinquenta e sete por cento dos leitores dizem que o *Príncipe William da Inglaterra* é seu jovem favorito da realeza, com o irmão mais novo de Will, *Harry*, vindo com 28%. A princesa americana, *Princesa Mia Renaldo, de Genovia*, aparece em terceiro, com 13% dos votos, e as filhas do Príncipe Andrew e Sarah Ferguson, *Beatrice* e *Eugenie*, têm em torno de 1% dos votos, cada.

As razões para o terceiro lugar da Princesa Mia? "Não aparece" é a resposta mais comum. Ironicamente, a Princesa Mia é considerada tão tímida quanto a Princesa Diana — a mãe de William e Harry — quando ela pisou pela primeira vez no duro brilho dos refletores da mídia.

A Princesa Mia, que só recentemente descobriu que era herdeira do trono de Genovia, um pequeno principado localizado na Côte d'Azur, deve fazer sua primeira viagem oficial para aquele país na próxima semana. Um representante da princesa informa sua "grande expectativa" com relação a essa visita. A princesa vai continuar sua educação nos Estados Unidos e vai morar em Genovia apenas durante os meses de verão.

Eu li o artigo estúpido e então passei o jornal de volta para Lana.

"E daí?", sussurrei para ela.

"Daí", sussurrou Lana de volta, "imagino quanto você seria popular — especialmente com o povo de Genovia — se eles descobrissem que sua futura rainha sai por aí apertando alarmes de incêndio quando não há nenhum fogo."

Ela obviamente estava só supondo. Ela não podia ter me visto. A menos que talvez Justin Baxendale tenha se tocado! Sabe, me ver no corredor daquele jeito, logo antes de o alarme soar — e ele mencionou aquilo para Lana...

Não. Impossível. Estou tão remotamente distante da esfera da consciência de Justin Baxendale que sou inexistente para ele. Ele não contou nada a Lana. Lana, como o Sr. G, obviamente acha que é um pouco coincidência demais que, naquela quarta-feira fatídica, o alarme de incêndio tenha soado cerca de dois minutos depois que eu pedi para ir ao banheiro.

Mas mesmo assim. Mesmo se ela estivesse só especulando, me pareceu que sabia de tudo, como se ela só quisesse se certificar de que eu não ouvi o sinal do alarme.

Eu realmente não sei o que deu em mim. Não sei se foi

1. O estresse das provas finais
2. Minha viagem iminente para Genovia
3. A história com Kenny
4. O fato de que estou apaixonada por esse cara que está saindo com uma mosca-das-frutas humana
5. O fato de que minha mãe vai dar à luz um bebê do meu professor de álgebra
6. O fato de que Lana vem me perseguindo praticamente a vida inteira e muitas vezes escapa disso sem troco, ou
7. Todas as respostas acima

Qualquer que tenha sido a razão, eu explodi. Simplesmente explodi. De repente, me vi pegando o celular da Lana, que estava em cima da carteira ao lado da calculadora.

E então, quando percebi, tinha colocado aquela coisinha rosa no chão e a estraçalhado com meus coturnos tamanho 40.

Acho que não posso realmente culpar o Sr. G por me mandar para a sala da diretora.

Ainda assim, daria para esperar um pouco de simpatia do próprio padrasto.

Ai, ai. Lá vem a diretora Gupta.

Sexta, 12 de dezembro, 17h, em casa

Bem, aí está, então. Estou suspensa. Suspensa. Não consigo acreditar. EU! Mia Thermopolis! O que está acontecendo comigo? Sempre fui tão boazinha!

E beleza, é só por um dia, mas ainda assim. Vai entrar no meu histórico escolar! O que os ministros do gabinete genoviano vão dizer?

Estou me transformando na Lindsay Lohan.

Tudo bem, não vou deixar de entrar para a universidade porque fui suspensa por um dia no primeiro semestre do meu primeiro ano, mas é totalmente constrangedor! A diretora Gupta me tratou como se eu fosse algum tipo de *criminosa*, ou algo assim.

E você sabe o que eles dizem: trate uma pessoa como uma criminosa e muito em breve ela vai acabar virando uma. Pelo menos é isso o que acho que dizem. Do jeito que as coisas estão indo, eu não ficaria surpresa se eu começar a usar meia arrastão rasgada e pintar o cabelo de preto. Talvez eu até comece a fumar e faça uns dois piercings em cada orelha, ou algo assim. E então vão fazer um documentário sobre mim e chamá-lo *Escândalo real*. No filme, eu vou até o Príncipe William e digo "E agora, quem é a jovem realeza mais popular, hein, *punk*?", e então dou uma cabeçada nele, ou algo assim.

Só que eu quase desmaiei da primeira vez que furei as orelhas, e acho que fumar faz muito mal, e tenho certeza de que dar uma cabeçada em alguém deve doer.

Acho que não tenho condições para ser uma delinquente juvenil, no fim das contas.

Meu pai também acha. Ele está pronto para lançar os advogados da realeza genoviana sobre a diretora Gupta. O único problema é que, bom, eu não vou contar a ele — nem a mais ninguém, por sinal — o que Lana me disse para que eu atacasse o celular dela. É meio difícil provar que o ataque foi provocado se o atacante não disser qual foi a provocação. Meu pai ficou implorando um tempão para eu contar tudo quando veio me pegar na escola, depois de receber O Telefonema da diretora Gupta. Mas quando eu não contei o que ele queria, e Lars estava cuidadosamente alheio, meu pai só falou "Bom", e sua boca ficou toda torta, como fica quando Grandmère toma muitos Sidecars e começa a chamá-lo de Papa Bola da Vez.

Mas como eu posso contar a ele o que Lana disse? Se eu fizer isso, então todo mundo vai saber que eu sou culpada de não apenas um, mas de dois crimes!

Enfim, agora estou em casa, assistindo ao canal Lifetime com minha mãe. Ela não anda aparecendo muito no estúdio desde que ficou grávida. É porque ela fica exausta. E ela descobriu que é muito difícil pintar deitada. Então, em vez disso, ela vem fazendo um monte de rabiscos na cama, muitos desenhos do Fat Louie, que parece gostar de ter alguém em casa o dia inteiro com ele. Ele fica sentado durante horas na cama dela, observando os pombos da escada de incêndio do lado de fora da janela.

Mas, já que estou em casa hoje, mamãe fez alguns desenhos de mim. Acho que ela está fazendo minha boca muito grande, mas não vou falar nada, já que o Sr. Gianini e eu descobrimos que é melhor não aborrecer minha mãe em seu atual estado hormonal. Até a crítica mais leve — como perguntar por que ela deixou a conta do telefone na saladeira — pode provocar um ataque de choro de mais de uma hora.

Enquanto ela me desenhava, assisti a um filme muito maravilhoso chamado *Amor de obsessão*, estrelando Tori Spelling, que ficou famosa depois de *Barrados no baile* como a namorada de um cara abusivo. Eu realmente não entendo por que qualquer garota ficaria com um cara que bate nela, mas minha mãe diz que isso tem a ver com autoestima e o relacionamento com o pai. Só que mamãe não tem esse relacionamento tão maravilhoso assim com Vovô, e se qualquer cara tentasse bater nela, você pode apostar que ela o colocaria no hospital, então vá entender.

Enquanto minha mãe desenhava, ela tentou fazer com que eu me abrisse com ela, sabe, sobre o que Lana disse que me fez cometer aquela loucura de pisar no celular. Acho que ela estava tentando mesmo ser aquela mãe de TV na hora.

Eu acho que funcionou, porque de repente me vi contando tudo para ela, tudinho: a história do Kenny, que eu não gosto de beijá-lo, o que ele contou para todo mundo e meu plano de terminar com ele depois das provas finais.

E mencionei também Michael e Judith Gershner, Tina, os cartões, o Carnaval de Inverno, Lilly e seu grupo de protesto e eu como secretária do grupo e tudo o mais, exceto a parte do alarme de incêndio.

Depois de um tempo minha mãe parou de desenhar e só olhou para mim. Finalmente, quando terminei, ela disse: "Sabe do que eu acho que você precisa?"

E eu: "Do quê?"

E ela respondeu: "De umas férias."

Então nós tivemos um tipo de férias, bem ali na cama dela.

Quer dizer, ela não me mandou estudar. Em vez disso, ela me fez pedir uma pizza e juntas nós assistimos ao satisfatório, mas completamente inacreditável final de *Amor de obsessão*, que foi seguido, para nossa alegria, do documentário mais horrível já feito, *Obsessão no Meio-Oeste*, no qual Courtney Thorne-Smith faz a Princesa do Leite local, que sai por aí num Cadillac rosa usando brincos de pele de vaca e mata pessoas como Tracey Gold (no auge da agonia de sua anorexia pós-seriado *Growing Pains*) por mexer com o namorado dela. E a melhor parte é que era tudo *baseado numa história real*.

Por um momento, lá na cama da minha mãe, foi quase como nos velhos tempos. Sabe, antes que minha mãe conhecesse o Sr. Gianini e eu descobrisse que era uma princesa.

Só que não de verdade, obviamente, porque ela está grávida e eu estou suspensa.

Mas por que criticar?

Sexta, 12 de dezembro, 20h, em casa

Ai, meu Deus, acabei de checar meu e-mail. Estou sendo inundada com mensagens de apoio dos meus amigos!

Todos eles querem me parabenizar por minha forma decisiva de lidar com Lana Weinberger. Eles simpatizam com minha suspensão e me encorajaram a ficar firme em meu posicionamento contra a diretoria (que posicionamento contra a diretoria? Tudo o que eu fiz foi destruir um celular. Não tem nada a ver com a diretoria). Lilly foi tão longe que me comparou com Mary, rainha da Escócia, que foi aprisionada e depois decapitada por Elizabeth I.

Imagino se Lilly continuaria pensando a mesma coisa se soubesse que eu esmaguei o celular da Lana porque ela ameaçou espalhar que eu apertei o alarme de incêndio que arruinou sua greve.

Lilly diz que é tudo questão de princípios, que eu fui banida da escola por me recusar a renunciar às minhas crenças. Mas, na verdade, fui banida da escola por destruir a propriedade privada de outra pessoa — e só fiz isso para encobrir outro crime que cometi.

Ninguém sabe disso além de mim, no entanto. Bem, de mim e de Lana. E nem ela tem certeza. Quer dizer, aquilo podia ter sido apenas um daqueles atos gratuitos de violência que acontecem por aí.

Mas para todas as outras pessoas este é um grande ato político. Amanhã, na primeira reunião da Estudantes Contra o Corporativismo da Escola Albert Einstein, meu caso vai ser mostrado como exemplo de uma das muitas decisões injustas da administração Gupta.

Acho que amanhã eu talvez desenvolva uma infecção de garganta que dure todo o fim de semana.

Enfim, respondi a todo mundo que aprecio muito o apoio, mas que não fizessem daquilo um negócio maior do que realmente é. Quer dizer, não estou orgulhosa do que fiz. Eu preferia NÃO ter feito aquilo e não ter sido suspensa.

Um registro feliz: Michael com certeza está recebendo os cartões que venho mandando para ele. Tina passou pelo armário dele hoje depois da EF e o viu pegar o último, tirar e colocar na mochila! Infelizmente, de acordo com Tina, ele não fez nenhuma expressão de paixão avassaladora enquanto guardava o cartão nem olhou para ele com ternura. Ele nem mesmo o guardou com muito cuidado: Tina lamentou me informar que ele enfiou o Macbook dele na mochila depois, indubitavelmente esmagando o cartão.

Mas Tina se apressou em me dizer: ele não teria feito isso se soubesse que o cartão era seu, Mia! Talvez se você tivesse assinado...

Mas se eu assinasse, ele saberia que eu gosto dele! Mais do que isso, ele saberia que o amo, já que acredito que a palavra com A foi mencionada em pelo menos um cartão. E se ele não sentir a mesma coisa por mim? Que vexame! Tipo pior do que ser suspensa.

Ai, não! Enquanto eu estava escrevendo isso, de todas as pessoas que poderiam me escrever, recebi mensagem do próprio Michael! Eu fiquei tão alucinada que gritei e assustei Fat Louie, que estava dormindo no meu colo enquanto eu escrevia. Ele cravou as unhas em mim, e agora estou com furinhos espalhados pelas coxas.

Michael escreveu:

> **CracKing:** Ei, Thermopolis, que papo é esse que ouvi sobre você estar suspensa?

Eu respondi:

> **FtLouie:** Só por um dia.
>
> **CracKing:** O que você fez?
>
> **FtLouie:** Quebrei o celular de uma líder de torcida.
>
> **CracKing:** Seus pais devem estar tão orgulhosos.
>
> **FtLouie:** Se estão, eles fizeram um ótimo trabalho escondendo isso de mim.
>
> **CracKing:** Então você está de castigo?
>
> **FtLouie:** Surpreendentemente, não. O ataque ao celular foi provocado.
>
> **CracKing:** Então você ainda pretende ir ao Carnaval na semana que vem?

FtLouie: Como secretária da Estudantes Contra o Corporativismo da Escola Albert Einstein, acredito que minha presença seja requisitada. Sua irmã está querendo que a gente tenha uma barraca.

CracKing: Essa Lilly... Ela está sempre trabalhando para o bem-estar da espécie humana.

FtLouie: É um ponto de vista.

Acho que teríamos conversado bem mais, mas naquela hora minha mãe gritou para eu desconectar porque ela está esperando notícias do Sr. Gianini, que, surpreendentemente, ainda não voltou da escola, mesmo que já tivesse passado da hora do jantar. Então eu me desconectei.

Esta é a segunda vez que Michael pergunta se eu vou ao Carnaval de Inverno. O que será que está acontecendo?

Sexta, 12 de dezembro, 21h, em casa

Agora sabemos por que o Sr. G se atrasou tanto para chegar em casa: Ele parou no caminho para comprar uma árvore de Natal.

Não apenas qualquer árvore de Natal, mas uma de 4m de altura que deve ter pelo menos 2m de largura.

Eu não me opus, lógico, porque minha mãe ficou tão feliz e animada com ela que imediatamente apareceu com todos os seus enfeites de Celebridades Mortas de Natal (minha mãe não usa bolas bonitas de vidro ou enfeites brilhantes em sua árvore de Natal, como pessoas normais. Em vez disso, ela pinta pedaços de lata com as imagens de celebridades que morreram naquele ano, e pendura tudo na árvore. É por isso que a gente tem a única árvore da América do Norte com ornamentos homenageando Richard e Pat Nixon, Elvis, Audrey Hepburn, Kurt Cobain, Jim Henson, John Belushi, Rock Hudson, Alec Guiness, Divine, John Lennon e muitos, muitos mais).

E o Sr. Gianini ficou olhando pra mim, pra ver se eu estava feliz também. Ele trouxe a árvore, explicou, porque sabia do dia ruim que eu havia tido, e ele não queria que fosse um desastre total.

O Sr. G, obviamente, não tem ideia sobre o tema de minha redação final de Natal.

O que eu podia falar? Quer dizer, ele já havia saído e comprado a árvore, e você sabe que uma árvore daquele tamanho deve ter custado caro à beça. E ele queria fazer uma coisa bacana. E realmente fez.

Ainda assim, eu preferiria que as pessoas por aqui me consultassem antes sobre algumas coisas. Como, por exemplo, a gravidez, e agora essa árvore. Se o Sr. G tivesse me perguntado, eu teria falado tipo "Vamos ao Big Kmart no Astor Place comprar uma árvore artificial bem bacana para não contribuir com a destruição do hábitat do urso-polar, certo?".

Só que ele não me perguntou.

E a verdade é que, mesmo que ele tivesse perguntado, minha mãe jamais teria comprado uma árvore artificial. O que ela mais gosta de fazer no Natal é ficar deitada no chão com a cabeça embaixo da árvore, olhando pelos galhos e inalando o doce cheiro especial da essência de pinho. Ela diz que é a única lembrança de sua infância em Indiana de que ela realmente gosta.

É difícil pensar nos ursos-polares quando sua mãe diz algo assim.

Sábado, 13 de dezembro, 14h, Apartamento da Lilly

Bem, a primeira reunião dos Estudantes Contra o Corporativismo da Escola Albert Einstein foi um fracasso total.

Isso porque ninguém apareceu além de mim e Boris Pelkowski. Estou um pouco chateada porque Kenny não veio. Você poderia pensar que, se ele realmente me amasse tanto quanto diz que ama, ele agarraria qualquer oportunidade que fosse para estar perto de mim, até mesmo uma reunião chata dos Estudantes Contra o Corporativismo da Escola Albert Einstein.

Mas acho que até o amor de Kenny não é tão grande assim. Como devia estar óbvio para mim agora, considerando o fato de que estamos a exatamente seis dias do Baile Inominável de Inverno e Kenny AINDA NÃO ME PERGUNTOU SE EU QUERO IR COM ELE.

Não que eu esteja preocupada nem nada. Quer dizer, uma garota que apertou um alarme de incêndio E esmagou o celular de Lana Weinberger, preocupada por não ter companhia para um baile idiota?

Tudo bem. Estou preocupada.

Mas não suficientemente preocupada para dar uma de Sadie Hawkins e chamar *ele* para o baile.

Lilly está muito mais inconsolável com o fato de que ninguém, além de Boris e eu, apareceu para sua reunião. Eu tentei dizer a ela que todo mundo está muito ocupado estudando para as provas finais para se preocupar com privatização no momento, mas ela não quis escutar. Agora ela está sentada no sofá, com Boris falando com ela numa voz tranquilizante. Boris é muito nojento e tudo — com aqueles suéteres que ele sempre enfia dentro das calças e aquele aparelho estranho que seu dentista o obriga a usar —, mas você pode ver que ele sinceramente ama Lilly. Quer dizer, o jeito carinhoso com que ele está olhando para ela enquanto ela soluça sobre como vai ligar para seu representante no congresso.

Dói no coração ver Boris olhando para Lilly.

Acho que eu devo estar com inveja. Quero que um garoto olhe para *mim* desse jeito. E não quero que seja Kenny. Quero um garoto de quem eu realmente goste também, mais do que apenas como amigo.

Não consigo mais aguentar. Vou entrar na cozinha para ver o que Maya, a empregada dos Moscovitz, está fazendo. Até ajudar a lavar louça deve ser melhor do que isso.

Sábado, 13 de dezembro, 14h30, Apartamento da Lilly

Maya não estava na cozinha. Ela estava aqui, no quarto de Michael, arrumando o uniforme escolar dele, que ela acabou de passar. Maya está por aqui arrumando as coisas de Michael e me contando sobre o filho dela, Manuel. Graças à ajuda dos Drs. Moscovitz, Manuel foi recentemente solto da prisão na República Dominicana, onde fora preso por engano por suspeita de ter cometido crimes contra o Estado. Agora Manuel está fundando seu próprio partido político e Maya está tão orgulhosa quanto possível, mas está preocupada que ele possa terminar voltando à prisão se não baixar um pouco o tom dessa coisa antigoverno.

Manuel e Lilly têm muito em comum, eu acho.

As histórias de Maya sobre Manuel são sempre interessantes, mas é muito mais interessante estar no quarto de Michael. Tudo bem que eu já tinha estado ali antes, mas nunca quando ele não estava (ele está na escola, apesar de ser sábado, trabalhando no laboratório de computação em seu projeto para o Carnaval de Inverno; parece que o modem da escola é mais rápido que o dele. Também, eu suponho, embora odeie ter que admitir isso, ele e Judith Gershner podem fazer seus downloads lá, sem medo de interrupção dos pais).

Então estou deitada na cama de Michael enquanto Maya vaga por ali, dobrando camisas e resmungando sobre açúcar, uma das principais exportações da sua terra natal e aparentemente fonte de alguma consternação para a plataforma política do filho, enquanto o cachorro de Michael, Pavlov, se senta perto de mim, bafejando no meu rosto. Não consigo deixar de pensar: *Se eu sou Michael... Isso é o que Michael vê quando ele olha para cima à noite* (ele colocou estrelas fosforescentes lá em cima, na forma da galáxia em espiral Andrômeda) e *Esse é o cheiro do lençol de Michael* (frescor de primavera, graças ao sabão que Maya usa) e *Ali está a mesa de Michael vista da cama dele*.

Só que, olhando para a mesa, eu simplesmente notei algo. É um dos meus cartões! Aquele do morango!

Não está exatamente à mostra nem nada. Está apenas ali na mesa dele. Mas, ei, isso já é bem diferente de estar amassado no fundo da mochila dele. Mostra que os cartões significam algo para ele, que ele não os enterrou embaixo de todos os outros lixos da mesa — os manuais de sistemas operacionais e literatura contra a Microsoft —, ou pior, os jogou fora.

Isso é encorajador, com certeza.

Eita. Acabo de ouvir a porta da frente se abrir. Michael??? Ou os Drs. Moscovitz???? Melhor eu sair daqui. Michael não tem todos esses avisos ENTRE POR SUA CONTA E RISCO na porta à toa.

Sábado, 13 de dezembro, 15h, Suíte da Grandmère

Como, você deve perguntar, eu saí do apartamento dos Moscovitz para a suíte de minha avó no Plaza no espaço de apenas meia hora?

Bem, eu conto a você.

O desastre se chama Sebastiano.

Eu sempre suspeitei, obviamente, de que Sebastiano não era o inocente-de-temperamento-doce que ele fingia ser. Mas agora parece que o único assassinato com o qual Sebastiano precisa se preocupar é o dele mesmo. Porque se meu pai puser as mãos nele, Sebastiano é um estilista morto.

Olhando objetivamente para os fatos, acho que posso dizer com certeza que eu preferia ter sido assassinada. Quer dizer, eu estaria morta e tudo, o que seria triste — especialmente já que eu ainda não escrevi aquelas instruções para cuidar do Fat Louie enquanto eu estiver fora —, mas pelo menos eu não teria que aparecer na escola na segunda-feira.

Só que, agora, eu não apenas tenho que aparecer na escola segunda-feira, mas tenho que aparecer na escola na segunda-feira sabendo que cada um dos meus colegas de classe vai ter visto o suplemento que veio no *Sunday Times*: exibindo umas vinte fotos MINHAS posando em frente a um espelho triplo com vestidos *by* Sebastiano, com as palavras "Moda perfeita para uma Princesa" emoldurando a página.

Ah, sim. Não estou brincando. Moda perfeita para uma Princesa.

Não posso realmente culpá-lo, eu acho. Sebastiano, quer dizer. Suponho que a oportunidade foi demais para ele resistir. Afinal de contas, ele é um homem de negócios, e ter uma modelo princesa para suas roupas... bem, não se consegue comprar uma exposição como essa.

Porque você sabe que todos os outros jornais vão prosseguir com a história. Sabe, "Princesa de Genovia Faz Debut Como Modelo". Esse tipo de coisa.

Então, com apenas uma pequena mostra de fotos, Sebastiano vai ter uma cobertura mundial de sua nova coleção.

Uma coleção que, parece, eu endossei.

Grandmère não entende por que meu pai e eu estamos tão chateados. Bem, acho que ela entende por que meu pai está chateado. Você sabe, toda aquela coisa: "Minha filha está sendo usada" e tal. Ela só não entende por que *eu* estou tão infeliz. "Você ficou tão bonita", ela fica dizendo.

Então tá. Como se isso ajudasse.

Grandmère acha que estou exagerando. Mas, olha só, eu desejei seguir os passos de Claudia Schiffer? Acho que não. Moda não tem nada a ver comigo. E que tal o meio ambiente? Que tais os direitos dos animais? Que tais os CARANGUEJOS-REIS??????

As pessoas não vão acreditar que eu não posei para aquelas fotos. As pessoas vão achar que sou uma vendida. As pessoas vão pensar que sou uma modelo esnobe de nariz empinado.

Eu preferia tanto que eles pensassem que sou uma delinquente juvenil, isso eu garanto.

Mal sabia eu que, quando ouvi a porta da frente do apartamento dos Moscovitz se abrir e vazei para fora do quarto de Michael, eu estava prestes a ser presenteada com notícias desastrosas. Eram só os pais da Lilly, no fim das contas, chegando em casa da ginástica, onde eles haviam ido encontrar seus personal trainers. Mais tarde, eles pararam para um *latte* e leram o *Sunday Times*, cuja maior parte das seções chega, por motivos que ninguém entende, no sábado, se você tiver uma assinatura.

Que surpresa eles tiveram quando abriram o jornal e viram a Princesa de Genovia fazendo um *publi* dessa bela coleção de primavera desse novo estilista.

Que surpresa eu tive quando os Drs. Moscovitz me parabenizaram por minha nova carreira de modelo e eu fiquei toda tipo "Do que vocês estão falando?".

Aí, enquanto Lilly e Boris olhavam para mim com curiosidade, o Dr. Moscovitz abriu o jornal e me mostrou.

E lá estava, em toda a glória de seu layout de quatro cores.

Não vou mentir e dizer que eu estava feia. Até que eu saí bem nas fotos. O que eles fizeram foi pegar todas as fotos que a assistente de Sebastiano tirou de mim tentando decidir que vestido usar em minha apresentação ao povo de Genovia e colocar todas num fundo púrpura. Não estou sorrindo nas fotos nem nada. Só estou me olhando no espelho, com certeza pensando: *Ei, não é que eu pareço mesmo um palito andante?*

Mas, obviamente, se você não me conhecesse e não soubesse POR QUE eu estava experimentando todos aqueles vestidos, acharia que eu sou FISSURADA em looks de festa.

Que é exatamente como eu gostaria que todo mundo me visse.

NÃO!!!!!!!

Tenho que admitir, estou um pouco magoada. Quando Sebastiano me fez aquelas perguntas todas sobre Michael, achei que a gente estava criando uma conexão. Mas acho que não. Não se ele foi capaz de fazer uma coisa dessas.

Meu pai já ligou para o *Times* e pediu que eles retirem o suplemento de todos os jornais que não foram entregues ainda. Ele ligou para a portaria do Plaza e insistiu para que Sebastiano fosse fichado como *persona non grata*, o que significa que não será permitido que o primo do príncipe de Genovia coloque os pés na propriedade do hotel.

Achei que isso era um pouco cruel, mas não tão cruel quanto o que meu pai *queria mesmo* fazer, que era ligar para o Departamento de Polícia de Nova York e dar queixa contra Sebastiano por usar a imagem de uma menor sem a autorização dos pais. Graças a Deus Grandmère convenceu-o a não fazer isso. Ela disse que já havia divulgação suficiente daquela história para acrescentar a isso a humilhação de uma prisão na realeza.

Meu pai ainda está tão furioso que nem consegue se sentar. Ele está andando de um lado para o outro na suíte. Rommel o está observando muito nervosamente do colo de Grandmère, a cabeça se movendo de um lado para o outro, os olhos seguindo meu pai como se ele estivesse assistindo ao torneio de tênis US Open, ou algo assim.

Aposto que se Sebastiano *estivesse* aqui, meu pai iria esmagar um pouco mais do que apenas o celular dele.

Sábado, 13 de dezembro, 17h, em casa

Bem. Tudo o que eu posso dizer é que Grandmère realmente passou dos limites desta vez.

Sério. Acho que meu pai nunca mais vai querer falar com ela de novo.

E sei que *eu* não vou, nunca mais.

E tudo bem, ela é uma velha e não sabia que o que estava fazendo era errado, e eu devia realmente ser mais compreensiva.

Mas depois *disso* — e ela nem mesmo levou em consideração meus sentimentos — eu francamente não acho que poderia perdoá-la.

O que aconteceu foi que Sebastiano ligou pouco antes de eu estar pronta para sair do hotel. Ele ficou perplexo quando descobriu que meu pai estava furioso com ele. Explicou que tentou subir para nos ver, mas a segurança do Plaza o barrou.

Quando meu pai atendeu ao telefone e explicou que a segurança do Plaza o barrou porque ele tinha sido transformado em PNG, e depois explicou a razão, Sebastiano ficou ainda mais chateado. Ele ficou falando: "Mas eu tive sua permi! Eu tive sua permi, Phillipe!"

"Minha permissão para usar a imagem de minha filha para promover seus trapos de mau gosto?" Meu pai estava enojado. "Certamente você não teve!"

Mas Sebastiano ficou insistindo que tinha tido.

E pouco a pouco descobriu-se que ele *tinha* tido permissão, de certa forma. Só que não minha. E nem do meu pai tampouco. Adivinhe quem, ao que parece, deu permissão a ele?

Grandmère ficou toda indignada. "Eu só fiz isso, Phillipe, porque Amelia, como você sabe, sofre de uma autoestima baixíssima e precisava de um empurrão."

Mas meu pai estava tão enraivecido que nem mesmo a escutou. Ele apenas trovejou: "E então, para consertar a autoestima dela, você, pelas costas dela, deu permissão para usarem as fotos num catálogo de *roupas femininas*?

Grandmère não teve muito o que dizer depois disso. Ela só ficou lá, parada, assim, "ahn... ahn... ahn... ", como alguém num filme de terror que foi pregado em uma parede com um facão, mas ainda não está totalmente morto (eu sempre fecho os olhos durante essas partes, então eu sei exatamente quais são os sons).

Ficou evidente que, mesmo que Grandmère tivesse tido uma desculpa razoável para seu comportamento, meu pai não iria escutá-la — nem me deixaria escutar. Ele andou até onde eu estava, agarrou meu braço e me levou para fora da suíte, marchando.

Eu achei que íamos ter um momento de união, como pais e filhas sempre fazem na TV, que ele iria me dizer que Grandmère era uma mulher muito doente e ia mandá-la para algum lugar onde ela pudesse ter um descanso longo e bonito, mas em vez disso tudo o que ele disse foi "Vá para casa".

Então ele me entregou a Lars — depois de bater a porta da suíte de Grandmère MUITO alto atrás dele e antes de sair tempestuosamente em direção à própria suíte.

Céus.

Isso só mostra que até uma família real pode ter defeitos.

Não parece uma cena de *Ricki Lake*?

Ricki: Clarisse, conte-nos: por que você permitiu que Sebastiano colocasse as fotos de sua neta naquele encarte do *Times*?

Grandmère: Para você é Sua Alteza Real, Sra. Lake. Eu fiz isso para aumentar a autoestima dela.

Eu só sei que quando eu for para a escola na segunda-feira todo mundo vai ficar tipo "Ah, veja, lá vem Mia, aquela grande FALSA, com seu vegetarianismo, seu ativismo pelos direitos dos animais e o desprezo pelas aparências tipo 'o que importa é o interior'. Mas parece que está tudo bem posar para *fotografias de moda*, não, Mia?".

Como se não fosse suficiente ser suspensa. Agora eu vou ser desprezada pelos meus amigos também.

Estou em casa agora, tentando fingir que nada disso aconteceu. É difícil, sem dúvida, porque quando eu entrei de novo em casa, vi que minha mãe já havia tirado o encarte do nosso jornal e desenhado chifrinhos de diabo na minha cabeça em cada foto, depois pregado tudo na geladeira.

Apesar de eu apreciar essa esquisitice, não vai ser fácil eu mostrar a cara na escola na segunda-feira — depois de estampar aquele encarte por toda a área dos três estados.

Surpreendentemente, essa história toda teve um lado bom: eu tive certeza de que fico melhor no modelo de tafetá branco com o cinto azul. Meu pai diz que eu só vou usá-lo sobre seu cadáver, ou qualquer outra criação de Sebastiano novamente. Mas não há outro estilista em Genovia que pudesse fazer um trabalho tão bom, sem contar com o tempo para terminar o vestido. Então parece que será mesmo o vestido de Sebastiano, que foi entregue hoje de manhã.

É uma coisa a menos na minha cabeça.

Eu acho.

Sábado, 13 de dezembro, 20h, em casa

Eu já recebi dezessete mensagens, seis ligações e uma visita (Lilly) por causa dessa coisa da moda. Lilly diz que não é tão ruim quanto eu acho, e que muita gente joga os encartes fora sem nem mesmo olhar para eles.

Se isso é verdade, falei, por que todas essas pessoas estão ligando para mim e mandando mensagens?

Ela tentou me convencer de que eram todos membros do Estudantes Contra o Corporativismo na Escola Albert Einstein, ligando para mostrar solidariedade pela minha suspensão, mas acho que nós duas sabíamos a verdade:

Todos eles querem saber o que eu estava pensando ao me vender daquele jeito.

Como é que eu vou explicar que não tive nada a ver com aquilo, que eu nem mesmo *sabia* daquilo? Ninguém vai acreditar. Quer dizer, a prova está bem ali: estou *usando* a prova. Há evidências fotográficas a respeito.

Eu sentada aqui e minha reputação escorrendo pela sarjeta. Amanhã de manhã, milhões de assinantes do *New York Times* vão abrir seus jornais e ficar tipo "Ah, veja só, a Princesa Mia. Já se vendeu. Imagine quanto ela recebeu por isso? Não achei que ela precisasse de dinheiro, sendo da realeza e coisa e tal."

Finalmente eu tive de pedir a Lilly que, por favor, fosse para casa, porque eu havia desenvolvido uma dor de cabeça horrível. Ela tentou curá-la com *shiatsu*, que seus pais sempre empregam em seus pacientes, mas não funcionou. No final das contas, acho que ela acabou estourando um vaso sanguíneo entre meu polegar e meu indicador, já que está doendo à beça.

Agora estou determinada a começar a estudar, mesmo que seja sábado à noite e todo mundo da minha idade esteja na rua se divertindo.

Mas você não sabia? Princesas nunca se divertem.

AQUI ESTÁ O QUE TENHO DE FAZER

Álgebra: revisar capítulos 1-10

Inglês: redação final, 10 páginas, espaço duplo; utilizar margens apropriadas; também rever capítulos 1-7

Civilizações Mundiais: rever capítulos 1-12

S&T: nada

Francês: *revue chapitres un-neuf*

Biologia: rever capítulos 1-12

- [ ] Escrever instruções sobre como cuidar do Fat Louie.
- [ ] Compras de Natal/Hanucá:
    - ↳ Mamãe — Camiseta do Bon Jovi para grávidas
    - ↳ Papai — Livro sobre controle da raiva
    - ↳ Sr. G — Canivete do Exército suíço
    - ↳ Lilly — Pendrive
    - ↳ Tina Hakim Baba — Cópia de *Emanuelle*
    - ↳ Kenny — Uma daquelas TVs com videocassete acoplado (não acho que isso seja muito extravagante. E não, não é por culpa também. Ele realmente quer um)
    - ↳ Grandmère — NADA!!!!!!
- [ ] Pintar as unhas (talvez um esmalte de gosto horrível me impeça de roê-las).
- [ ] Terminar com Kenny.
- [ ] Organizar gaveta de meias.

Vou começar com a gaveta de meias, porque com certeza isso é o mais importante. Não dá para se concentrar em nada com as meias desarrumadas.

Então vou partir para a álgebra porque essa é minha pior matéria, e também minha primeira prova. Vou passar, mesmo se for a última coisa que eu fizer. NADA vai me distrair. Nem essa história da Grandmère, nem aquelas quatro mensagens do Michael (em dezessete), nem as duas do Kenny, nem minha ida para a Europa no fim da semana que vem, nem o fato de que minha mãe e o Sr. Gianini estão no quarto ao lado assistindo a *Duro de matar*, meu filme favorito de Natal, NADA.

VOU PASSAR EM ÁLGEBRA ESTE SEMESTRE, E NADA VAI ME IMPEDIR DE ESTUDAR PARA A PROVA FINAL!!!!!!!!!!!

Sábado, 13 de dezembro, 21h, em casa

Eu tive de ir lá ver a parte em que Bruce Willis joga os explosivos no vão do elevador, mas agora estou de volta ao trabalho.

Sábado, 13 de dezembro, 21h30, em casa

Fiquei realmente curiosa sobre o que Michael poderia querer, então eu li suas mensagens — só as dele. Uma era sobre o encarte (Lilly contou a ele, e ele queria saber se eu estava pensando em abdicar, haha) e as outras três eram piadas que eu acho que eram para fazer com que eu me sentisse melhor. Elas não eram muito engraçadas, mas eu ri assim mesmo.

Aposto que Judith Gershner não ri das piadas de Michael. Ela está muito ocupada fazendo clonagens.

Sábado, 13 de dezembro, 22h, em casa

COMO CUIDAR DO FAT LOUIE QUANDO EU ESTIVER FORA

De manhã:

Pela manhã, por favor, encha a tigela do Fat Louie com RAÇÃO SECA. Mesmo se ainda houver comida na tigela, ele gosta de ter um pouco de comida fresca servida em cima, para que ele possa sentir como se estivesse tomando café da manhã como todo mundo.

No meu banheiro tem uma XÍCARA DE PLÁSTICO AZUL perto da banheira. Por favor, encha-a toda manhã com água da pia do banheiro. Você deve usar a água da pia do banheiro porque a água da pia da cozinha não é muito fria. E você tem de colocá-la na XÍCARA AZUL porque esta é a xícara em que Fat Louie está acostumado a beber enquanto estou escovando os dentes.

Tem uma tigela no corredor do lado de fora do meu quarto. Lave-a e encha-a de água do JARRO DE ÁGUA FILTRADA na geladeira. Deve ser água do JARRO DE ÁGUA FILTRADA porque, mesmo que digam que as torneiras de Nova York são livres de contaminação, é bom para Louie tomar pelo menos alguma água que seja pura. Gatos precisam beber muita água para fazer seus sistemas funcionarem bem e cuidar dos rins e prevenir infecções do trato urinário, então sempre deixe muita água para ele, não só perto das tigelas de comida, mas em outros lugares também.

Não confunda a tigela no corredor com a TIGELA PERTO DA ÁRVORE DE NATAL. Aquela está lá para desencorajar Fat Louie de beber do prato da árvore. Resina de árvore pode dar gripe nele.

De manhã, Fat Louie gosta de se sentar no parapeito da janela do meu quarto e olhar para os pombos na escada de incêndio. NUNCA ABRA ESSA JANELA, mas deixe sempre as cortinas abertas para ele olhar para fora.

Também, às vezes, ele gosta de olhar pela janela perto da TV. Se ele ficar ali miando, é para você fazer carinho nele.

Depois do almoço:

Na hora do jantar, dê ao Fat Louie COMIDA ENLATADA. Fat Louie só gosta de três sabores: BANQUETE DE GALINHA E ATUM (EM PEDAÇOS), BANQUETE DE PEIXE E CAMARÃO (EM PEDAÇOS) e BANQUETE DE FRUTOS DO MAR (EM PEDAÇOS). Ele não vai comer nada com CARNE ou CARNE DE PORCO. O conteúdo de uma lata deve ser colocado num prato LIMPO, novo, ou ele não vai comer. Ele também não vai comer se o conteúdo não mantiver o FORMATO DE LATA no prato, então não despedace a comida dele.

Depois de comer a comida enlatada, Fat Louie gosta de arranhar o carpete em frente à porta da frente. Essa é uma boa hora para os exercícios dele. Quando ele arranhar, coloque a mão sob as pernas dianteiras dele e as alongue (ele gosta disso), até que ele se entorte como uma vírgula. Então enfie os polegares entre as omoplatas dele e faça uma massagem para gatos. Ele vai ronronar se você fizer certo. Se você fizer errado você vai saber, porque ele vai morder você.

Fat Louie fica entediado muito facilmente, e quando isso acontece ele anda em círculos, miando, então aqui estão algumas brincadeiras de que ele gosta:

1. Pegue algumas unidades de BISCOITO PARA GATOS e as alinhe no alto da caixa de som, para Fat Louie ficar tentando pegá-las.
2. Coloque Fat Louie na CADEIRA DO COMPUTADOR e então se esconda atrás da estante de livros e jogue uma ponta de um cadarço de sapato nas costas da cadeira, para que ele não possa ver de onde está vindo.
3. Faça uma TRINCHEIRA com os travesseiros na minha cama, coloque Fat Louie dentro e enfie sua mão por uma das aberturas entre os travesseiros (recomendo usar uma luva de forno durante essa brincadeira).
4. Coloque um pouco de erva-de-gato numa MEIA VELHA e jogue para Fat Louie. Então o deixe sozinho durante quatro ou cinco horas, porque a erva-de-gato o faz liberar um pouco as garras.

A caixa de areia:

Sr. Gianini, esta é para o senhor. Mamãe não deve limpar a caixa de areia ou tocar em nada que possa ter entrado em contato com ela, ou ela pode desenvolver toxoplasmose e o bebê ficar doente. Sempre lave suas mãos em água morna com sabão depois de trocar a caixa de areia do Fat Louie, mesmo se você achar que não tem nada nas mãos.

A caixa do Fat Louie precisa ser limpa TODOS OS DIAS. Sempre use torrões de areia. É só despejar torrões numa sacola e jogar fora. Nada poderia ser mais simples. Ele normalmente faz o número dois cerca de duas horas depois de sua refeição noturna. Você vai detectar logo, por causa do odor exalando da caixa no meu banheiro.

MAIS IMPORTANTE DE TUDO:

Lembre-se de não perturbar a ÁREA ESPECIAL DO FAT LOUIE ATRÁS DO VASO do meu banheiro. Lá é onde ele mantém sua coleção de objetos brilhantes. Se ele pegar alguma coisa sua e você a encontrar lá, não tome dele enquanto ele estiver olhando, senão ele vai ficar um mês tentando morder você. Eu falei com a veterinária sobre isso, mas ela disse que não há nada que possa ser feito, tirando contratar um psicanalista de bichos por 70 dólares a hora. Nós só temos que lidar com isso.

ACIMA DE TUDO, NÃO DEIXE DE PEGAR FAT LOUIE
VÁRIAS VEZES POR DIA E ABRAÇÁ-LO E APERTÁ-LO!!!!!
(ELE GOSTA.)

Sábado, 13 de dezembro, meia-noite, em casa

Não posso acreditar que já é meia-noite e eu ainda estou no capítulo um de *Introdução à Álgebra*!

Esse livro é incompreensível. Eu sinceramente espero que quem quer que o tenha escrito não tenha ganhado muito dinheiro com ele.

Eu devia simplesmente sair e perguntar ao Sr. G o que vai cair na prova. Não, isso seria cola.

* Não seria?

Domingo, 14 de dezembro, 10h, em casa

Apenas 48 horas até a prova final de álgebra e eu ainda estou no capítulo um.

Domingo, 14 de dezembro, 10h30, em casa

Lilly acaba de aparecer de novo. Ela quer estudar civilizações mundiais comigo. Eu disse a ela que não posso me preocupar com civilizações mundiais quando ainda estou no capítulo um da minha revisão de álgebra, mas ela disse que podíamos alternar: ela me faz perguntas de álgebra durante uma hora, depois eu posso perguntar a ela sobre civilizações mundiais durante uma hora. Eu disse tudo bem, mesmo que realmente não seja justo: ela vai tirar 10 em álgebra, então ela me perguntar não vai realmente ajudá-la em nada, enquanto eu perguntar a ela sobre civilizações mundiais me ajuda a estudar também.

Mas para isso servem os amigos, eu acho.

Domingo, 14 de dezembro, 11h, em casa

Tina acaba de ligar. Seu irmão menor e suas irmãs estão tirando ela do sério. Ela queria saber se podia vir estudar aqui. Eu disse sim, óbvio.

O que mais eu poderia dizer? Além do mais, ela prometeu parar na H&H para comprar bagels e cream cheese vegetal. E ela disse que achou que as minhas fotos no encarte eram bonitas e eu não devia ligar se as pessoas me chamassem de vendida, porque eu estou muito gata.

Domingo, 14 de dezembro, meio-dia, em casa

Michael disse a Boris onde Lilly está, então agora Boris está aqui também. Lilly tem razão. Boris realmente respira muito alto. Isso distrai muito.

E eu queria que ele não colocasse os pés na minha cama. O mínimo que ele podia fazer era tirar os sapatos antes. Mas, quando eu sugeri isso, Lilly disse que não seria uma boa ideia.

Argh. Não sei por que Lilly atura um namorado que não apenas respira pela boca, mas também tem chulé.

Boris pode ser um gênio musical, mas ele tem muito o que aprender sobre higiene, na minha opinião.

Domingo, 14 de dezembro, 12h30, em casa

Agora Kenny está aqui. Não sei como se espera que eu consiga estudar qualquer coisa com todas essas pessoas em volta. Além do mais, o Sr. Gianini decidiu que este seria um bom momento para praticar bateria.

Domingo, 14 de dezembro, 20h, em casa

Eu disse a Lilly, e ela concordou, que já que Boris e Kenny apareceram, o estudo ia acabar desandando. Além do mais, o Sr. G batucando não ajudou. Então decidimos que seria melhor dar um tempo e ir a Chinatown para um *dim sum*.

Nos divertimos no Great Shanghai comendo bolinhos vegetarianos e vagens fritas bem sequinhas com molho de alho. Eu acabei sentando perto de Boris e ele realmente me fez rir, arranjando um jeito de deixar espaço na mesa bem na frente dele quando os garçons traziam algo novo, e aí Boris e eu pegávamos os primeiros pedaços de tudo.

O que me fez perceber que, apesar dos suéteres e da respiração bucal, Boris realmente é uma pessoa engraçada e bacana. Lilly é muito sortuda. Quer dizer, o garoto que ela ama de verdade a ama também. Se eu pudesse amar Kenny do jeito que Lilly ama Boris...

Mas acho que não tenho nenhum controle sobre por quem me apaixono. Acredite em mim, se eu tivesse, eu NÃO amaria Michael. Quer dizer, só por uma coisa. Ele é o irmão mais velho da minha melhor amiga, e se Lilly descobrisse que eu gosto dele, ela NÃO entenderia. Além disso, ele é um veterano e vai se formar em breve.

Ah, sim, ele já tem namorada.

Mas o que eu tenho que fazer? Não posso me *obrigar* a me apaixonar por Kenny e muito menos *fazê-lo* parar de gostar de mim, sabe, desse jeito especial.

Embora ele ainda não tenha me convidado para o baile. Nem mesmo tocado no assunto.

Lilly diz que eu devia simplesmente ligar para ele e falar alguma coisa tipo "Então nós vamos ou não?". Afinal de contas, ela fica lembrando, eu tive coragem de esmigalhar o celular da Lana. Por que não tenho coragem de ligar para meu namorado e perguntar se ele vai ou não vai me levar ao baile da escola?

Mas eu estraçalhei o celular da Lana no calor da paixão. E não consigo sentir nenhuma paixão por Kenny. Há uma parte de mim que não quer ir ao baile com ele de jeito nenhum, e essa parte de mim está aliviada por ele não ter falado nada sobre isso.

Tudo bem, é uma parte muito pequena de mim, mas ela ainda está *aqui*.

Então, na verdade, mesmo me divertindo ao lado de Boris no restaurante e tal, era também um pouco deprimente, por conta de toda essa coisa do Kenny.

E aí as coisas ficaram ainda mais deprimentes. Isso porque algumas garotinhas sino-americanas vieram até mim enquanto eu estava abrindo meu biscoitinho da sorte e queriam saber se elas podiam ter meu autógrafo. Então elas me estenderam canetas e o encarte que havia aparecido no *Times* daquele dia para eu assinar.

Eu seriamente pensei em me matar, só que eu não conseguia pensar em como fazer isso, a não ser talvez enfiando um daqueles palitos de carne no meu coração.

Em vez disso, eu apenas assinei aquela coisa idiota para elas e tentei sorrir. Mas por dentro eu estava FURIOSA, óbvio, especialmente quando eu vi quanto as garotinhas estavam felizes por terem me encontrado. E por quê? Não, não pelo meu trabalho incansável em defesa dos ursos-polares, das baleias ou das crianças famintas. O que eu não havia feito ainda na verdade, mas pretendo muito fazer.

Não, porque eu estava numa revista com um monte de vestidos bonitos, e eu sou alta, pele e osso que nem uma modelo.

O que não é uma conquista, de jeito nenhum!

Depois disso, minha dor de cabeça voltou, e eu disse que tinha de ir para casa.

Ninguém protestou muito, acho que porque todo mundo se deu conta de repente de quanto tempo havíamos perdido e de quanto havíamos deixado de estudar. Então saímos e agora estou em casa novamente e minha mãe diz que enquanto eu saí Sebastiano ligou quatro vezes — e mandou entregar outro vestido.

Não apenas qualquer vestido também. É um vestido que Sebastiano desenhou só para mim, para usar no Baile Inominável de Inverno. Não é sexy. Não é nada sexy. É de veludo verde-escuro, com longas mangas e um decote grande e quadrado.

Mas quando eu o coloquei e olhei para meu reflexo no espelho do quarto, algo engraçado aconteceu:

Fiquei legal. *Bem* legal.

Havia um bilhete com o vestido, que dizia:

> *Por favor me perdoe.*
> *Prometo que com este vestido ele não vai pensar em você como a melhor amiga de sua irmã mais nova.*
>
> *S.*

O que foi muito carinhoso. Triste, mas carinhoso. Sebastiano não tem como saber que o Caso Michael está completamente perdido e não há *vestido* que faça qualquer diferença, não importa quanto eu fique bem com ele.

Mas olha só, pelo menos Sebastiano *pediu desculpas*. Percebi que isso era muito mais do que Grandmère havia feito.

Eu totalmente perdoo Sebastiano. Quer dizer, nada disso é culpa dele, na verdade.

E acho que algum dia provavelmente vou perdoar Grandmère, já que ela é muito velha para se tocar.

Mas quem eu não posso, jamais, perdoar, sou eu mesma, por me meter nessa situação, em primeiro lugar. Eu devia ter me tocado. Eu devia ter dito a Sebastiano: nada de fotos, por favor. Só que eu me deixei levar por aqueles belos vestidos, que esqueci que ser uma princesa é mais do que apenas usar vestidos bonitos: é ser um exemplo para um monte de gente... pessoas que você nem mesmo conhece e talvez nunca encontre pessoalmente.

* *É por isso que, se eu não passar nessa prova de álgebra, estarei morta.*

Segunda, 15 de dezembro, Sala de Estudos

Aqui está o número de estudantes da Escola Albert Einstein que (até agora) se sentiram compelidos a fazer comentários comigo sobre o esmagamento do celular de Lana Weinberger na última sexta-feira: 37.

Aqui está o número de estudantes da Escola Albert Einstein que (até agora) se sentiram compelidos a mencionar minha suspensão na última sexta-feira: 59.

Aqui está o número de estudantes da Escola Albert Einstein que (até agora) se sentiram compelidos a fazer comentários para mim sobre minha aparição no encarte do *New York Times* durante o fim de semana: 74.

Número total de comentários até agora, hoje, pelos estudantes da Escola Albert Einstein: 170.

Estranhamente, depois de me arrastar por tudo isso, quando fui ao meu armário encontrei algo que parecia extremamente fora de lugar: uma simples rosa amarela, saindo para fora da porta.

O que isso pode significar? Pode haver alguém nesta escola que não me despreza?

Aparentemente, sim. Mas quando olhei em volta, imaginando quem poderia ser meu único apoiador, vi apenas Justin Baxendale sendo perseguido (como sempre) por uma horda de garotas babando por ele.

Suponho que meu anônimo entregador de rosa deve ser Kenny, tentando me mimar. Ele não vai admitir isso, mas quem mais poderia ser?

Hoje é Dia de Leitura, o que significa que devemos passar o dia todo — exceto o almoço — sentados na sala de estudos, estudando para as provas finais, que começam amanhã.

Isso por mim é bom, já que pelo menos desse jeito não há chance de eu esbarrar com Lana. A sala de estudos dela fica em outro andar.

O único problema é que Kenny está nessa turma. Nós temos que nos sentar alfabeticamente, então ele está bem à frente desta fila, mas ele fica passando bilhetes para mim. Bilhetes que dizem coisas tipo: *Continue sorrindo!* e *Fique firme, meu raio de sol!*

Mas ele não vai confessar a coisa da rosa.

Por sinal, quer saber o número total de comentários feitos para mim até agora, hoje, por Michael Moscovitz? 1.

E não foi nem realmente um comentário. Ele me disse no corredor que o cadarço do meu coturno estava desamarrado.

E estava.

Minha vida está tão acabada.

Quatro dias até o Baile Inominável de Inverno, e ainda sem companhia.

Fórmula da distância: $d - 10xrt$

$r = 10$

$t = 2$

$d = 10 + (10)(2)$

$= 10 + 20 = 30$

Variáveis são substituíveis por números (letras)

Lei distributiva

$5x + 5y - 5$

$5(x + y - 1)$

2a − 2b + 2c

2(−1) − 2(−2) + 2(5)

− 2 + 4 + 10 = 12

Quatro vezes um número é adicionado a três. O resultado é cinco vezes o número.

Encontre o número.

x = o número

4x + 3 = 5x

− 4x −4x

3 = x

Regarde les oiseaux stupides.

O sistema de coordenadas cartesiano divide o plano em quatro partes chamadas quadrantes.

- Quadrante 1 (positivo, positivo)
- Quadrante 2 (negativo, positivo)
- Quadrante 3 (negativo, negativo)
- Quadrante 4 (positivo, negativo)

Inclinação: a inclinação de uma linha é denotada m

- Descubra a inclinação
- Inclinações negativas
- Inclinações positivas
- Inclinação zero
- Linha vertical não tem inclinação
- Linha horizontal tem inclinação 0
- Pontos colineares ficam na mesma linha
- Linhas paralelas têm a mesma inclinação

$4x + 2y = 6$

$2y = -4x + 6$

$y = -2x + 3$

* Voz ativa indica que o sujeito do verbo está atuando.

Voz passiva indica que o sujeito do verbo está sofrendo a ação.

Terça, 16 de dezembro

Provas de álgebra e inglês feitas.
Só mais três e a redação final, para acabar.

76 comentários hoje, 53 deles negativos:

"Vendida" = 29 vezes

Devo-Achar-Que-Sou-Aquilo-Tudo = 14 vezes

Aí vem a Miss Aberração = 6 vezes

Lilly diz: "Quem liga para o que as pessoas falam? Você sabe a verdade, certo? E isso é tudo o que importa."

É fácil para Lilly dizer isso. Lilly não é a pessoa sobre quem as pessoas estão falando todas essas coisas más. *Eu* sou.

Alguém deixou outra rosa amarela no meu armário. O que está acontecendo? Perguntei a Kenny de novo se era ele, mas ele negou. Estranhamente, ele pareceu ficar com o rosto muito vermelho quando falei. Mas isso deve ter sido porque Justin Baxendale, que estava passando na hora, pisou no pé do Kenny. Kenny tem pés muito grandes, maiores até que os meus.

* Mais três dias até o Baile Inominável de Inverno e nada de novo no front.

Quarta, 17 de dezembro

Provas de civilizações mundiais *finis*. Mais duas e a redação final, para acabar.

62 comentários, 34 negativos:

Não desista do seu emprego = 12 vezes

Vendida = 5 vezes

"Se eu fosse igual a você, sem peito, Mia, eu também poderia ser modelo" = 6 vezes

Uma rosa, amarela, ainda sem indicação de quem a deixou. Talvez alguém esteja confundindo meu armário com o da Lana. Ela está, no fim das contas, sempre circulando naquela área, esperando por Josh Richter, cujo armário é vizinho ao meu, para que os dois possam ficar fazendo sucção de boca. É possível que ele esteja deixando rosas para ela.

Deus sabe que ninguém na Escola Albert Einstein ia querer deixar flores para mim. Só, talvez, se eu estivesse morta, então eles iriam enfiá-las em meu caixão e dizer "Descanse em paz, Miss Aberração".

* Mais dois dias até o baile. Nada ainda.

Quinta, 18 de dezembro, 1h

Acaba de me ocorrer:
Talvez Kenny esteja mentindo sobre as rosas. Talvez elas sejam realmente dele. Talvez ele esteja deixando rosas meio que como pistas até ele me convidar para o baile amanhã à noite.

É meio insultuoso, na verdade. Quer dizer, ele esperar tanto para finalmente me convidar. Por tudo o que ele sabe, eu poderia ter dito sim para outra pessoa agora.

Como se outra pessoa fosse me convidar.

RÁ!

Quinta, 18 de dezembro, 16h, na limusine a caminho do Plaza

É ISSO!!!!!
ACABEI!!!!!
ACABEI AS PROVAS!!!!!!!!!!!!
E imagina o quê?
Tenho quase certeza de que passei em todas. Até em álgebra. As notas só serão distribuídas amanhã, durante o Carnaval de Inverno, mas eu enchi tanto o saco do Sr. G que ele finalmente disse: "Mia, você foi bem. Agora me deixe em paz, certo?"

Sacou????? Ele disse que eu fui BEM!!!!!!!!!! Sabe o que quer dizer *bem*, não sabe?

QUER DIZER QUE PASSEI!!!!!!!!!!!!!!!!

Graças a Deus isso tudo acabou. Agora posso me concentrar no que é importante:

Minha vida social.

Estou falando sério. Ela está num estado de ruína total. Todo mundo na escola — com exceção dos meus amigos — acha que eu sou essa vendida total. Eles ficam tipo "Faça o que eu digo, Mia, mas não faça o que eu faço".

Bem, vou mostrar a eles. Logo depois da prova de civilizações mundiais, ontem, eu soube *exatamente* o que fazer. Era o que Grandmère faria.

Bem, tudo bem, talvez não *muito* o que Grandmère faria, mas vai resolver todo o problema. Garanto que Sebastiano não vai gostar muito disso. Mas e daí, ele devia ter perguntado A MIM, não a Grandmère, se estava tudo bem colocar aquelas fotos numa divulgação das roupas dele. Certo?

Tenho que dizer, essa é a coisa mais princesa que eu já fiz até agora. Estou muito, muito nervosa. Sério. Você não acreditaria no quanto minhas palmas estão suando.

Mas não posso continuar a me sentir acuada e docilmente aceitar esse abuso. Algo deve ser feito a respeito, e eu acho que sei o quê.

A melhor parte é que vou fazer tudo por mim mesma, sem a ajuda de ninguém.

Bom, tudo bem, o porteiro do Plaza me ajudou conseguindo um quarto e Lars ajudou dando todos os telefonemas do seu celular.

E Lilly me ajudou a escrever o que eu ia dizer e Tina está fazendo minha maquiagem e meu cabelo agora mesmo.

Mas, tirando isso, tudo fui eu.

Tudo bem, estamos aqui.

Lá vamos nós.

Quinta, 18 de dezembro, 19h

Acabei de me ver em todas as quatro grandes redes de TV, além da New York 1, a CNN, a Headline News, a MSNBC e a Fox News Channel. Parece que vai passar no *Entertainment Tonight*, no *Access Hollywood* e no *E! Entertainment News* também.

E eu preciso dizer que, para uma garota que supostamente tem problemas com sua autoimagem, acho que fiz um bom trabalho. Não fiz besteira, nem uma sequer. Se talvez eu tiver falado um pouco rápido demais, bem, ainda dava para me *entender*. A menos, sabe, que seja alguém que não fale inglês ou algo assim.

Eu estava bem também. Eu provavelmente devia ter usado outra coisa em vez do meu uniforme escolar, mas, sabe, azul royal fica muito bem na TV.

O telefone ficou tocando o tempo todo desde que a coletiva de imprensa foi transmitida pela primeira vez. Da primeira vez que ele tocou, minha mãe atendeu e era Sebastiano, gritando incompreensivelmente sobre como eu o havia arruinado.

Só que ele não conseguia dizer arruinado. Só saía "ruiado".

Eu me senti bem má. Quer dizer, eu não queria arruiná-lo. Especialmente depois que ele foi tão legal em desenhar aquele vestido de baile para mim.

Mas o que se esperava que eu fizesse? Eu tentei fazê-lo ver as coisas por outro lado:

"Sebastiano", falei, quando peguei o telefone, "eu não arruinei você. De verdade. É só o dinheiro da venda dos vestidos que estou usando na propaganda que vai para o Greenpeace."

Mas Sebastiano não conseguiu ver as coisas por esse lado de maneira alguma. Ele continuou gritando: "Ruiado! Estou ruiado!"

Eu lembrei que, longe de arruiná-lo, a doação para o Greenpeace de todos os lucros com as vendas dos vestidos ia ser percebida na indústria como uma brilhante jogada de um gênio de marketing, e que eu não ficaria surpresa se esses vestidos saíssem voando das prateleiras, já que garotas como eu, que são realmente as pessoas para quem suas criações são adequadas, ligam — e muito — para o meio ambiente.

Eu devo ter aprendido uma ou duas coisas durante minhas aulas de princesa com Grandmère, já que, no fim, eu consegui vencê-lo totalmente. Na hora em que desliguei, acho que Sebastiano quase acreditou que a coisa toda tinha sido ideia dele em primeiro lugar.

A próxima vez que o telefone tocou era meu pai. Acho que vou ter que desistir do plano de comprar para ele um livro sobre controle da raiva, porque ele estava rindo às gargalhadas. Ele queria saber se tinha sido ideia da minha mãe e, quando eu disse "não, foi tudo ideia minha", ele falou: "Você realmente *pegou* essa coisa de ser princesa, sabe."

Então, de uma maneira estranha, eu sinto como se tivesse passado nessa prova também.

Só que, óbvio, ainda não estou falando com Grandmère. Nenhum dos telefonemas que recebi hoje à noite — da Lilly, da Tina, da Vovó e do Vovô lá de Indiana, que viram a transmissão numa afiliada local — foram dela.

Realmente, acho que ela é quem devia pedir desculpas, porque o que ela fez foi totalmente traição.

Quase tão traição, minha mãe observou durante o jantar do Number One Noodle Son, quanto o que *eu* fiz.

O que é meio chocante. Quer dizer, nunca pensei nisso antes, mas é verdade: o que eu fiz hoje à noite foi tão vil como qualquer coisa que Grandmère já tenha feito.

Mas acho que isso não deveria ser uma surpresa. Nós *somos* parentes, afinal de contas.

E daí? Luke Skywalker e Darth Vader também eram.

Tenho que ir. Está passando *S.O.S. Malibu*. Esta é a primeira vez em tempos que estou em casa para assistir.

Quinta, 18 de dezembro, 21h

Tina acaba de ligar. Ela não queria falar sobre a entrevista coletiva. Ela queria saber o que eu ganhei do meu Floco de Neve Secreto. Eu fiquei toda "Floco de neve secreto? Do que você está falando?".

"Você sabe", disse Tina. "Seu Floco de Neve Secreto. Lembra, Mia. Nós nos inscrevemos mais ou menos um mês atrás. Você coloca seu nome no pote e então alguém tira, e ele tem que ser seu Floco de Neve Secreto durante a última semana da escola antes das férias de inverno. Ele tem que surpreender com presentinhos e essas coisas. Sabe, tipo para quebrar o estresse. Já que é a semana das provas e tal.

Eu me lembrava confusamente que, um dia antes do feriado do Dia de Ação de Graças, Tina me levou a uma mesa dobrável onde os garotos nerds da liderança estudantil estavam sentados num canto do refeitório com um grande pote cheio de pequenos pedaços de papel. Tina me fez escrever meu nome numa tira de papel e depois pegar o nome de alguém do pote.

"Ai, meu Deus!", gritei. Com todo o estresse das provas e tudo o mais, eu tinha esquecido totalmente daquilo!

Pior, eu havia esquecido que eu tinha tirado o nome de Tina. Não que tenha sido uma coincidência de verdade, já que ela havia enfiado seu pedaço de papel no pote logo antes que eu pegasse o meu. Ainda assim, que tipo de amiga horrível eu sou, que esquece uma coisa dessas?

Então eu me dei conta de outra coisa. As rosas amarelas. Elas não haviam sido colocadas no meu armário por engano! E elas realmente não eram de Kenny! Só podiam ser do meu Floco de Neve Secreto.

O que era meio chato, na verdade. Quer dizer, está ficando cada vez mais evidente que Kenny não tem intenção de me convidar para o baile de amanhã à noite.

"Não consigo acreditar que você esqueceu isso", desabafou Tina, parecendo chateada. "Você *recebeu* coisas de seu Floco de Neve Secreto, não recebeu, Mia?"

Eu senti uma onda de culpa. Eu havia estragado tudo. Pobre Tina!

"Ah, sim", respondi, imaginando onde ia encontrar um presente para ela até amanhã de manhã, o último dia dessa coisa de Floco de Neve Secreto. "Recebi."

Tina suspirou. "Acho que ninguém me tirou", disse ela. "Porque eu não recebi nada."

"Não se preocupe", falei, esperando que a culpa que me inundava não fosse notada na minha voz. "Você vai receber. Seu Floco de Neve Secreto provavelmente está esperando, sabe, até o último dia, porque ela — ou ele — tem alguma coisa muito boa para você."

"Você acha?", perguntou Tina, triste.

"Eu tenho certeza", afirmei.

Tranquilizada, Tina começou a tratar de negócios.

"Agora que as provas acabaram..."

"Ah, sim?"

"... quando é que você vai contar a Michael que foi você quem mandou aqueles cartões?"

Chocada, falei: "Que tal nunca?"

Ao que Tina replicou, sarcasticamente: "Mia, se você não contar a ele, qual é o sentido de ter mandado aqueles cartões?"

"Que ele soubesse que há outras garotas por aí que podem gostar dele, além de Judith Gershner."

Tina disse, zangada: "Mia, isso não é suficiente. Você tem que contar a ele que foi você. Como é que você vai conseguir ficar com ele se ele não sabe o que você sente?" Tina Hakim Baba, surpreendentemente, tem muito em comum com meu pai. "Lembra de Kenny? Foi assim que Kenny ganhou você. Ele mandou os bilhetes anônimos, e aí finalmente confessou tudo."

"É", disse eu, sarcasticamente, "e veja onde *aquilo* foi parar."

"Será diferente com você e Michael", insistiu Tina. "Porque vocês dois estão destinados um ao outro. Eu *sinto* isso. Você tem que contar a ele, e tem que ser amanhã, porque no dia seguinte você vai partir para Genovia."

Ai, Deus. Em minhas autocongratulações sobre ter manobrado com sucesso minha primeira entrevista coletiva, eu havia me esquecido disso também. Vou partir para Genovia depois de amanhã! Com Grandmère! Com quem eu nem estou mais falando!

Eu disse a Tina que confessaria tudo a Michael amanhã. Ela desligou toda feliz.

Mas foi bom que ela não tenha sido capaz de ver minhas narinas, porque elas estavam se dilatando furiosamente por eu estar totalmente mentindo para ela.

Porque não há hipótese de eu dizer a Michael Moscovitz o que sinto por ele. Não importa o que meu pai diga. Eu *não posso*.

Não na cara dele.

Nunca.

Sexta, 19 de dezembro, Sala de Estudos

Eles estão nos mantendo reféns aqui na sala de estudos para dar as notas de fim de semestre. Então estaremos livres para passar o resto do dia do Carnaval de Inverno no ginásio, e depois, mais tarde, no baile.

De verdade. Nós não temos mais nenhuma aula depois disso. Só se espera que possamos nos divertir.

Como se fosse possível. Nunca mais vou me divertir de novo.

Isso porque, sabe — além de meus muitos outros problemas, há o fato de que não amo meu namorado, que também aparentemente não me ama mais, pelo menos não o suficiente para me convidar para o baile da escola, mas eu na verdade amo o irmão da minha melhor amiga, que não sabe nem de longe dos meus sentimentos —, acho que sei quem é meu Floco de Neve Secreto.

Verdade, não há outra explicação. Por que mais Justin Baxendale — que mesmo ainda sendo tão novo é totalmente popular, sem mencionar como é bonito — ficaria cercando tanto meu armário? Quer dizer, fala sério. Esta é a terceira vez na semana em que eu o vi rondando ali por perto. Por que ele faria isso, a não ser para deixar as rosas?

A menos que ele esteja planejando me chantagear sobre toda aquela coisa do alarme de incêndio.

Mas Justin Baxendale não me parece exatamente do tipo chantagista. Quer dizer, ele me olha como alguém que teria coisa melhor a fazer do que chantagear uma princesa.

Então resta apenas uma explicação para ele ficar gastando tanto tempo em volta do meu armário: ele é meu Floco de Neve Secreto.

E será totalmente embaraçoso quando eu for lá fora, depois que o sinal tocar, e Justin vier a mim e confessar — porque esta é a regra, como fiquei sabendo: você tem que revelar sua identidade para seu Floco de Neve Secreto hoje — e eu precisar olhar dentro daqueles olhos cinzentos com aqueles longos cílios, dar um grande sorriso falso e falar: "Ai, meu Deus, obrigada, Justin. Eu não tinha a menor ideia de que era você!"

Enfim. Este é realmente o menor dos meus problemas, certo? Quer dizer, considerando que sou a única garota na escola inteira que não tem par para o baile desta noite. E que amanhã tenho que partir para um país do qual eu sou princesa, com minha avó lunática que não está falando com meu pai e que, eu já sei por experiência, não vai deixar de fumar no banheiro do avião se tiver urgência de fazê-lo.

Verdade. Grandmère é o pior pesadelo de qualquer comissário de bordo.

Mas isso não é nem metade de tudo. Quer dizer, e minha mãe e o Sr. Gianini? Com certeza eles estão agindo como se não ligassem para o fato de eu passar as festas em outro país, e é verdade, nós vamos fazer nosso pequeno Natal particular antes de eu partir, mas na verdade eu aposto que eles se importam. Eu aposto que se importam muito.

E que tal minha nota em álgebra? Ah, o Sr. Gianini disse que fui bem, mas o que é bem, exatamente? Um 5? Um 5 não é ir bem. Não considerando o número de horas que investi para aumentar minha nota 3. Não é mesmo. Um 5 *não* é aceitável.

E o que — ai, Deus, *o quê* — eu vou fazer com Kenny?

Pelo menos eu resolvi o problema do presente da Tina: me conectei à internet na noite passada e fiz uma assinatura para ela em um clube mensal de livros de romances adolescentes. Imprimi o certificado, dizendo que ela é um membro oficial, e vou entregá-lo quando o sinal tocar.

Quando o sinal tocar, que é também a hora em que eu terei de ir lá fora e encarar Justin Baxendale.

Não seria muito ruim se não fosse por aqueles olhos dele. Por que ele tem que ser tão bonito? E por que uma pessoa bonita teve que me tirar como seu Floco de Neve Secreto? Pessoas bonitas, como Lana e Justin, não podem evitar sentir repulsa por pessoas de aparência normal, como eu.

Ele provavelmente nem mesmo tirou meu nome daquele pote. Provavelmente ele pegou o nome da Lana e ficou colocando aquelas rosas no meu armário pensando que era o dela, já que só Deus sabe como ela nunca para em frente ao próprio armário.

O que é ainda pior é que Tina me disse que rosas amarelas significam amor *eterno*.

O que, obviamente, foi o motivo pelo qual eu achei que era Kenny no fim das contas.

Ah, ótimo. Eles estão passando os papéis impressos com nossas notas. Não estou olhando. Nem ligo. EU NÃO LIGO PARA MINHAS NOTAS.

Graças a Deus tocou o sinal. Vou simplesmente vazar daqui — sem olhar para minhas notas, totalmente sem olhar para minhas notas — e ir cuidar da minha vida como se nada fora do normal estivesse acontecendo.

Só que, lógico, quando eu chego ao meu armário, Justin está lá, esperando alguém. Lana também está lá, esperando Josh. Sabe, eu realmente não preciso disso. Justin revelando que é meu Floco de Neve Secreto bem na frente da Lana, quer dizer. Só Deus sabe o que ela vai dizer, a garota que fica todo dia insinuando que eu uso band-aid em vez de sutiã desde que nós duas atingimos a puberdade. Além do mais, ela não está lá muito feliz comigo depois de toda aquela história do celular. Eu juro que ela terá alguma coisa supermá preparada para a ocasião.

"Cara", diz Justin.

Cara? Não sou nenhum cara. Com quem Justin está falando?

Eu me viro. Josh está lá, ao lado da Lana.

"Cara, estou procurando você a semana toda", diz Justin para Josh. "Você tem aquelas anotações de trigonometria para mim ou não? Tenho que começar a prova final daqui a uma hora."

Josh diz algo, mas eu não escuto. Não escuto porque há um som vibrando em meus ouvidos, porque bem ao lado de Justin está Michael. *Michael Moscovitz*.

E na mão dele, uma *rosa amarela*.

Sexta, 19 de dezembro, Carnaval de Inverno

Ai, Deus.

Estou metida na maior encrenca.

De novo.

E nem é minha culpa dessa vez. Quer dizer, eu não consegui controlar. Só *aconteceu*, sabe? E não quer dizer nada. Essas coisas acontecem.

Além do mais, não é nada que o Kenny está pensando. Não, mesmo. Quer dizer, pensando bem, é uma decepção completa e absoluta. Para mim, pelo menos.

Porque a primeira coisa que Michael diz, segurando aquela flor, quando me vê de pé ali de boca aberta para ele, é: "Aqui. Isso acabou de cair do seu armário."

Eu a tomei dele totalmente deslumbrada. Juro por Deus que meu coração estava batendo tão forte que achei que eu ia fazer a tal passagem.

Porque achei que eram dele. As rosas, quer dizer. Por um minuto, ali, eu realmente pensei que Michael Moscovitz andava deixando rosas para mim.

Mas lógico que dessa vez há um bilhete preso à rosa. Que diz:

Boa sorte em sua viagem para Genovia! A gente se vê quando você voltar!
Seu Floco de Neve Secreto,

Boris Pelkowski

Boris Pelkowski. Boris Pelkowski é quem vem me deixando essas rosas. Boris Pelkowski é meu Floco de Neve Secreto.

É óbvio que Boris não iria saber que uma rosa amarela representa amor eterno. Boris nem mesmo sabe que não deve enfiar o suéter para dentro das calças. Como ele saberia a linguagem secreta das flores?

Não sei o que foi realmente mais forte, meu sentimento de alívio porque não era Justin Baxendale deixando aquelas rosas, no fim das contas...

... ou meu sentimento de desapontamento porque não era Michael.

Aí Michael falou: "Bem? Qual é o veredicto?"

Ao que eu respondi olhando vagamente para ele. Eu ainda não tinha superado aquilo totalmente. Sabe, aqueles breves poucos segundos em que eu pensei — eu realmente pensei, boba que sou — que ele me amava.

"Quanto você tirou em álgebra?", perguntou ele, devagar, como se eu fosse burra.

O que, óbvio, eu sou. Tão burra que nunca percebi quanto eu estava apaixonada por Michael Moscovitz até que Judith Gershner viesse e o pegasse bem debaixo do meu nariz.

Enfim, então eu abri o papel impresso contendo minhas notas, e você acreditaria que eu aumentei meu 3 em álgebra e subi para um 8?

O que só vem mostrar que, se você passar cada um dos momentos da sua vida estudando alguma coisa, a probabilidade é que você consiga absorver pelo menos um pouco daquilo.

É suficiente ter um 8 na prova final, de qualquer forma.

Estou tentando não me gabar, mas é difícil. Quer dizer, estou tão feliz.

Bem, exceto por esse negócio de não ter um par para o baile.

Mesmo assim, é difícil ficar infeliz. Não há como eu ter tirado essa nota porque o professor é meu padrasto. Em álgebra, ou você dá a resposta certa ou não. Não há nada subjetivo naquilo, como em inglês. Não há interpretação dos fatos. Ou você está certa ou não está.

E eu estava certa. Oitenta por cento certa.

Obviamente eu saber a resposta para a pergunta extracrédito da prova ajudou: Que instrumento tocava Ringo nos Beatles?

Mas aquilo só valia dois pontos.

Enfim, aqui está a parte em que me meti em confusão. Mesmo que, obviamente, não seja minha culpa.

Eu estava tão feliz com meu 8 que esqueci por um minuto quanto sou apaixonada por Michael. Até esqueci, para variar, de ficar tímida perto dele. Em vez disso, fiz algo realmente pouco parecido comigo.

Eu joguei meus braços em torno dele.

Sério. Joguei meus braços em torno do pescoço dele e exclamei: "Uaaaaaaaau!!!!!!"

Não consegui evitar. Eu estava tão feliz. Tudo bem, toda aquela coisa da rosa foi meio decepcionante, mas o 8 superou tudo. Bem, quase tudo.

Foi apenas um abraço inocente. Foi *só* isso. Michael, afinal de contas, havia me ensinado álgebra quase que o semestre inteiro. Ele tinha participação no 8 também.

Mas acho que Kenny, que Tina acaba de me dizer que virou no corredor bem na hora em que eu estava fazendo isso — abraçando Michael, quer dizer —, não vê dessa forma. De acordo com Tina, Kenny acha que tem alguma coisa rolando entre mim e Michael.

Ao que, obviamente, eu só posso dizer QUEM DERA!

Mas não posso dizer isso. Tenho que encontrar Kenny agora e dizer a ele, sabe, que foi só um abraço amigável.

Tina está toda "Por quê? Por que você não conta a ele a verdade — que você não sente por ele o que ele sente por você? Essa é a sua grande chance!".

Mas você não pode terminar com alguém durante o Carnaval de Inverno. Quer dizer, de verdade. Falando sério. Que crueldade.

Por que minha vida tem que ser tão repleta de traumas?

Sexta, 19 de dezembro, ainda no Carnaval de Inverno

Bem, eu ainda não encontrei Kenny, mas realmente tenho que admitir sobre os diretores: eles podem ser uns carreiristas, mas certamente sabem como fazer uma festa. Até Lilly está impressionada.

Tudo bem que sinais de corporativismo estão por toda parte: há máquinas de suco de laranja do McDonald's em cada andar e parece que houve um compromisso com o Entenmann's, porque há muitas mesas de doces e biscoitos espalhadas por aí.

Ainda assim, dá para ver que eles estão realmente tentando nos proporcionar diversão. Todos os clubes estão oferecendo atividades e barracas. Há dança de salão no ginásio, cortesia do Clube de Dança; aulas de esgrima no auditório, graças ao Clube do Drama; até aulas de animação de torcida no corredor do primeiro andar, trazidas a nós pelas — você adivinhou — animadoras de torcida juniores.

Não consegui encontrar Kenny em lugar nenhum, mas esbarrei com Lilly na barraca dos Estudantes Pela Anistia Internacional (os Estudantes Contra o Corporativismo da Escola Albert Einstein não submeteram sua inscrição a uma barraca a tempo de conseguir uma, então Lilly está enfiada na de Anistia Internacional). E sabe o quê? Sabe quem tirou um 0 em alguma coisa?

Isso mesmo.

Lilly. Não consegui acreditar.

"A Sra. Spears deu um 0 em inglês para você? VOCÊ tirou um 0?"

Ela não parecia muito chateada com aquilo, no entanto.

"Eu tinha que me posicionar, Mia", explicou. "E às vezes, quando você acredita em alguma coisa, você tem que fazer sacrifícios."

"Eu sei", falei. "Mas um 0? Seus pais vão matar você."

"Não, não vão", disse Lilly. "Eles vão só tentar me analisar."

O que é verdade.

Ai, Deus. Lá vem Tina.

Espero que ela não se lembre de...

Ela se lembra.

Nós estamos indo para a barraca do Clube de Computação bem agora.

Não quero ir para a barraca do Clube de Computação. Já dei uma olhada lá e sei o que está acontecendo. Michael, Judith e o restante dos nerds de computadores estão sentados lá, atrás de todos aqueles monitores coloridos. Quando alguém aparece, eles se sentam na frente de um dos monitores e jogam um jogo de computador que o clube criou, onde você anda através da escola e todos os professores estão com roupas engraçadas. Como a diretora Gupta, que está usando uma roupa de couro de dominatrix e segurando um chicote, e o Sr. Gianini, que está de calças de pijama com um urso de pelúcia que se parece exatamente com ele.

Eles usaram um programa diferente quando o clube se inscreveu para fazer parte do Carnaval de Inverno, óbvio, então nenhum dos professores ou administradores sabe o que todo mundo sentado lá está vendo. Será que eles imaginam por que todos aqueles garotos estão rindo tanto?

Enfim. Não quero ir lá. Não quero nem chegar perto.

Mas Tina diz que eu tenho que ir.

"Agora é a hora perfeita para contar a ele", insistiu ela. "Quer dizer, Kenny não está em lugar nenhum à vista."

Ai, Deus. Isso é o que dá contar alguma coisa a suas amigas.

Ainda mais tarde na sexta, 19 de dezembro, ainda no Carnaval de Inverno

Bem, estou no banheiro de novo. E acho que posso afirmar com certeza de que dessa vez nunca mais saio daqui.

Não, acho que só vou ficar aqui até que todo mundo tenha ido para casa. Só então será seguro. Graças a Deus estarei deixando o país amanhã. Talvez, na época em que eu voltar, todo mundo envolvido nesse pequeno incidente terá esquecido tudo.

Mas eu duvido. Não com a sorte que tenho, pelo menos.

Por que esse tipo de coisa sempre acontece comigo? Quer dizer, sério? O que eu fiz para os deuses se voltarem contra mim? Por que esse tipo de coisa nunca acontece com Lana Weinberger? Por que eu? Por que sempre *eu*?

Tudo bem, aqui está o que aconteceu.

Eu não tinha intenção alguma de realmente contar nada a Michael. Quer dizer, deixe-me explicar isso de outra forma. Eu só estava concordando com Tina porque, bem, teria parecido estranho se eu tivesse evitado completamente a barraca do Clube de Computação. Além do mais, Michael me chamou várias vezes para ter certeza que eu iria. Então não havia meio de evitar aquilo.

Mas eu nunca tive a intenção de dizer uma palavra sobre Você-Sabe-o-Quê. Quer dizer, Tina simplesmente teria de aprender a viver com esse desapontamento. Você não ama alguém por tanto tempo quanto eu amei Michael e depois simplesmente vai até ele na feira da escola e diz, tipo: "Ah, olha só, eu te amo."

Certo? Você *não faz* isso.

Mas enfim. Então eu fui à barraca idiota com a Tina. Todo mundo estava dando risadas e adorando o programa. Tinha uma fila bem grande na barraca, mas Michael nos viu e disse: "Entrem!"

Como se a gente devesse furar a fila na frente de todas as outras pessoas. Quer dizer, nós realmente fizemos isso, mas todo mundo atrás de nós resmungou, e quem pode culpá-los? Eles já estavam esperando há muito tempo.

Mas eu acho que por causa do que fiz na noite anterior — sabe, quando eu expliquei em rede nacional que a única razão por eu ter feito aquele anúncio de roupas era que o estilista ia doar todos os lucros para o Greenpeace — eu havia me tornado bem mais popular (comentários positivos até agora: 243. Negativos: 1. Da Lana, óbvio). Então os resmungos não eram tão maus quanto poderiam ter sido.

Enfim, Michael ficou falando "Aqui, Mia, senta nesse aqui". E puxou uma cadeira na frente do monitor.

Então eu me sentei e esperei aquela coisa idiota começar, e em volta de mim outros garotos estavam rindo do que estavam vendo em suas telas. Eu só fiquei sentada ali pensando, por alguma razão, que *Corações tímidos nunca conseguem as damas belas.*

O que era besteira, porque, número um, eu NÃO ia contar a ele que eu gostava dele, e número dois, ele não é uma dama, obviamente.

Então ouvi Judith perguntar: "Espera aí, o que você está fazendo?"

E aí ouvi Michael dizer: "Não, tudo bem. Eu tenho um negócio especial para ela."

Então a tela em frente aos meus olhos piscou. Eu suspirei. *Tudo bem*, pensei, *aí vem a coisa estúpida dos professores. Não esqueça de sorrir para eles saberem que você gostou.*

Então eu estava sentada lá, meio deprimida, porque eu não tinha nada pra fazer depois, como o restante do pessoal. Quer dizer, todo mundo estava feliz porque mais tarde ia ao baile, mas ninguém tinha me convidado — nem mesmo meu suposto namorado —, então eu não tinha nem isso pra fazer. E todo mundo que eu conhecia ia esquiar ou ia às Bahamas ou onde quer que fosse para as férias de inverno, mas o que eu tinha para fazer? Ah, lidar com um monte de membros da Sociedade de Plantadores de Oliveiras de Genovia. Tenho certeza de que eles são todos bacanas, mas fala sério.

E antes mesmo que eu parta para minha entediante viagem para Genovia, tenho que terminar com Kenny, algo que eu realmente não quero fazer, porque gosto dele de verdade e não quero ferir seus sentimentos, mas acho que tenho que fazer isso.

Embora eu tenha de admitir, o fato de que ele ainda nem sequer tenha mencionado o baile está tornando a ideia de terminar com ele um pouco menos odiosa.

Aí amanhã, pensei, *eu parto para a Europa num avião com papai e Grandmère, que ainda não estão se falando* (e já que eu também não estou falando com Grandmère, será um voo realmente muito divertido), *e quando eu voltar, conhecendo minha sorte, Michael e Judith estarão noivos.*

Era isso o que eu estava pensando sentada ali no exato segundo em que a tela na minha frente piscou. Isso, e, *sabe, não estou realmente no espírito de ver nenhum de meus professores em roupas engraçadas.*

Só que, quando parou de piscar, não foi isso o que eu vi. O que eu vi em vez disso foi um castelo.

Sério. Era um castelo tipo saído dos Cavaleiros da Távola Redonda, ou *A Bela e a Fera*, ou o que seja. A imagem deu um *zoom* até que estivéssemos sobre os muros do castelo e dentro do pátio, onde havia um jardim. E no jardim, grandes e gordas rosas vermelhas estavam florindo. Algumas das rosas haviam perdido suas pétalas e dava para vê-las caídas no chão do pátio. Era muito bonito mesmo, e eu fiquei tipo: *Ei, isso é mais maneiro do que eu achei que seria*.

E eu esqueci que estava sentada ali em frente a um monitor de computador no Carnaval de Inverno, com umas duas dúzias de pessoas em torno de mim. Eu comecei a sentir como se estivesse realmente *dentro* daquele jardim.

Então aquela bandeira acenou na tela, em frente às rosas, como se estivesse flutuando ao vento. A bandeira tinha algumas palavras escritas em letras douradas. Quando ela parou de tremular, eu pude ler o que as palavras diziam:

> *Rosas são vermelhas*
> *Violetas são azuis*
> *Você pode não saber*
> *Mas eu também amo você*

Eu berrei e pulei para fora da cadeira, derrubando-a atrás de mim.

Todo mundo começou a rir. Acho que eles pensaram que eu tinha visto a diretora Gupta em seu traje de couro.

Só Michael sabia que eu não tinha visto isso.

E Michael não estava rindo.

Só que eu não podia olhar para Michael. Eu não podia olhar para lugar nenhum, na verdade, exceto para meus pés. Porque eu não conseguia acreditar no que acabara de acontecer. Quer dizer, eu não conseguia processar aquilo no meu cérebro. O que aquilo *queria dizer*? Queria dizer que Michael sabia que era eu quem estava mandando aqueles cartões para ele, e que ele sentia o mesmo?

Ou queria dizer que ele sabia que era eu quem estava mandando aqueles cartões para ele, e estava tentando se vingar de mim, como uma espécie de piada?

Eu não sabia. Tudo o que eu sabia era que, se eu não saísse dali logo, eu ia começar a chorar...

... e na frente de todo mundo, da escola inteira.

Eu agarrei Tina pelo braço e a arrastei, *com força*, atrás de mim. Acho que eu estava imaginando que podia dizer a ela o que havia visto e talvez *ela* fosse capaz de entender o que aquilo queria dizer, já que eu certamente não conseguia.

Tina gritou — eu devo tê-la agarrado com mais força do que pensei — e ouvi Michael chamando "Mia!".

Mas eu continuei andando e puxando Tina atrás de mim e forçando a passagem pela multidão em direção à porta, pensando apenas numa coisa:

Tenho que ir para o banheiro. Tenho que ir para o banheiro antes que eu comece a chorar muito alto.

Alguém me agarrou com mais força do que eu tinha agarrado o braço de Tina. Eu achei que era Michael. Eu sabia que, se eu só olhasse para ele, iria cair em grandes soluços de bebê. Eu disse "me *solta*", e sacudi o braço.

Era a voz de Kenny: "Mas, Mia, eu *tenho* que falar com você!"

"*Agora* não, Kenny", disse Tina.

Mas Kenny foi totalmente inflexível. Ele insistiu "*Agora*, sim", e pela expressão de seu rosto dava para ver que ele estava falando sério.

Tina revirou os olhos e retrocedeu. Eu fiquei ali de pé, de costas para a barraca do Clube de Computação, e rezei: *Por favor, por favor não venha até aqui, Michael. Por favor, fique onde você está. Por favor, por favor,* por favor *não venha até aqui.*

"Mia", começou Kenny. Ele parecia mais desconfortável do que eu jamais o vira, e eu já vira Kenny parecer bastante desconfortável. Ele é o tipo de cara desajeitado. "Eu só quero... quer dizer, eu só quero que você saiba. Bem. Que eu sei."

Eu o encarei. Eu não tinha ideia do que ele estava falando. Sério. Eu tinha esquecido totalmente aquele abraço que ele vira no corredor. Aquele que eu dei em Michael. Tudo o que eu podia pensar era: *Por favor, não venha até aqui, Michael. Por favor, não venha até aqui, Michael...*

"Olha, Kenny", disse eu. Eu nem mesmo sei como eu fiz minha língua funcionar, juro. Eu me sentia como um robô que alguém tinha colocado na posição *off*. "Esta realmente não é uma boa hora. A gente podia conversar depois..."

"Mia", interrompeu Kenny. Ele tinha um olhar engraçado no rosto. "Eu *sei*. Eu vi."

Eu pisquei.

E então me lembrei. Michael e o abraço da minha nota 8.

"Ai, Kenny", falei. "De verdade. Aquilo foi só... quer dizer, não há nada... "

"Você não precisa se preocupar", disse Kenny. E aí eu percebi por que seu rosto parecia tão engraçado. Era porque ele tinha uma expressão que eu nunca havia visto antes. Pelo menos, não em Kenny. A expressão era de resignação. "Eu não vou contar a Lilly."

Lilly! Ai, Deus! A última pessoa no mundo que eu queria que soubesse o que eu sentia por Michael!

Talvez não fosse tarde demais. Talvez houvesse ainda uma chance de que eu pudesse...

Mas não. Não, eu não podia mentir para ele. Ao menos uma vez em minha vida, eu não podia sustentar uma mentira.

"Kenny", suspirei. "Eu sinto muito, mesmo."

Até dizer isso eu não tinha percebido que era muito tarde para correr até o banheiro: eu já tinha começado a chorar. Minha voz falhou e, quando coloquei as mãos no rosto, elas ficaram úmidas.

Maravilha. Eu estava chorando em frente a todo o corpo estudantil da Escola Albert Einstein.

"Kenny", continuei, fungando. "Eu honestamente queria contar a você. E eu realmente gosto de você. Eu só não... amo você."

O rosto de Kenny estava muito pálido, mas ele não começou a chorar — não como eu. Graças a Deus. De fato, ele até tentou sorrir um pouco daquele jeito estranho e resignado enquanto dizia, sacudindo a cabeça: "Puxa. Não dá pra acreditar. Quer dizer, quando isso me ocorreu pela primeira vez, eu pensei, *sem chance*. Não a Mia. Sem chance, ela nunca faria isso com a melhor amiga. Mas... bem, eu acho que isso explica muito... Humm, sobre nós."

Eu não consegui encará-lo mais. Me senti um verme. Pior que um verme, porque vermes são muito úteis ao meio ambiente. Eu me senti como... como...

Como uma mosca-das-frutas.

"Acho que eu já suspeitava há muito tempo de que havia outra pessoa", prosseguiu Kenny. "Você nunca... bem, você nunca exatamente pareceu corresponder quando nós... você sabe."

Eu sabia. Beijávamos. Legal da parte dele trazer isso à tona, aqui no ginásio, na frente de todo mundo.

"Eu sabia que você só não estava dizendo nada porque não queria ferir meus sentimentos", disse Kenny. "Esse é o tipo de garota que você é. E foi por isso que eu adiei convidar você para o baile", admitiu ele. "Porque eu percebi que você simplesmente diria não. Por conta de você, sabe, gostar de outra pessoa. Quer dizer, eu sei que você nunca mentiria para mim, Mia. Você é a pessoa mais honesta que eu já conheci."

HA! Ele estava brincando? *Eu?* Honesta? Obviamente, ele não tinha a menor ideia sobre minhas narinas.

"É por isso que sei quanto isso deve estar rasgando você por dentro. Só acho que seria melhor você contar logo a Lilly", aconselhou Kenny, sombriamente. "Eu comecei a suspeitar, sabe, no restaurante. E se eu percebi, outras pessoas também vão perceber. E você não ia querer que ela soubesse por outra pessoa."

Eu havia levantado a mão para tentar afastar algumas lágrimas com a manga, mas parei com a mão na metade do caminho e olhei para ele. "Restaurante? Que restaurante?"

"Você sabe", respondeu Kenny, parecendo desconfortável. "Aquele dia todos nós fomos ao Chinatown. Você e ele se sentaram perto um do outro. Você ficou rindo... Você estava muito melosa."

Chinatown? Mas Michael não tinha ido conosco aquele dia a Chinatown...

"E você sabe", continuou ele. "Eu não sou o único que notou que ele estava deixando aquelas rosas para você a semana toda também."

Eu pisquei. Eu mal podia vê-lo através das lágrimas. "O-o quê?"

"Você sabe." Ele olhou em volta, depois abaixou a voz para um sussurro. "Boris. Deixando todas aquelas rosas para você. Quer dizer, fala sério, Mia. Se vocês dois querem ficar pelas costas de Lilly, isso é uma coisa, mas... "

O rugido em meus ouvidos que havia aparecido logo depois de ter lido o poema de Michael voltou. BORIS. BORIS PELKOWSKI. Meu namorado acaba de terminar comigo porque ele acha que estou tendo um caso com BORIS PELKOWSKI.

BORIS PELKOWSKI, que sempre tem restos de comida no aparelho.

BORIS PELKOWSKI, que usa seus suéteres enfiados nas calças.

BORIS PELKOWSKI, o namorado de minha melhor amiga.

Ai, Deus. Minha vida está acabada de vez.

Eu tentei dizer a ele. Sabe, a verdade. Que Boris não é meu amor secreto, mas meu Floco de Neve Secreto.

Mas Tina se lançou para a frente, me agarrou pelo braço e foi falando "Desculpe, Kenny, Mia tem que ir agora". Então ela me arrastou para dentro do banheiro.

"Tenho que dizer a ele", fiquei repetindo sem parar, enquanto eu tentava me livrar de suas garras. "Eu tenho que contar a ele. Tenho que contar a verdade a ele."

"Não, você não tem", opôs-se Tina, me empurrando para dentro de uma cabine do toalete. "Vocês terminaram. Que importa o motivo? Você conseguiu, e isso é tudo o que importa."

Eu pestanejei com todo o meu reflexo manchado de lágrimas no espelho sobre as pias. Eu estava horrível. Nunca em sua vida você viu alguém que se parecesse menos com uma princesa do que eu naquela hora. Só olhar para mim me fazia explodir em uma nova onda de lágrimas.

É lógico que Tina diz que tem certeza de que Michael não estava tentando fazer graça comigo. É lógico que ela diz que ele deve ter descoberto que era eu que estava mandando aqueles cartões para ele e estava tentando me contar que ele sentia a mesma coisa por mim.

Só que é lógico que eu não acredito nisso. Porque, se isso fosse verdade — *se isso fosse verdade* —, ele teria me deixado ir embora? Por que ele não tentou me segurar?

Tina lembrou que ele tentou. Mas gritar quando eu li o poema e depois sair correndo em lágrimas da sala pode não ter parecido para ele um sinal muito encorajador. É mesmo, ele deve ter achado que eu não gostei do que vi. Além do mais, Tina lembrou, mesmo se Michael tivesse tentado ir atrás de mim, havia Kenny me encurralando no meio do caminho. Certamente deve ter parecido que nós dois estávamos precisando conversar — o que nós estávamos mesmo — e não queríamos ser perturbados.

Tudo isso podia ser verdade.

Mas também podia ser verdade que Michael só estivesse brincando. Era uma brincadeira muito má, dadas as circunstâncias, mas Michael não sabe que eu o adoro com cada fibra do meu ser. Michael não sabe que sou apaixonada por ele desde sempre. Michael não sabe que, sem ele, eu nunca, jamais, vou conquistar minha autorrealização. Quer dizer, para Michael eu sou só a amiga da irmã mais nova. Ele provavelmente não tinha a intenção de ser cruel. Ele provavelmente achou que estava sendo engraçado.

Não é culpa dele que minha vida esteja acabada e que eu nunca, jamais, vá sair deste banheiro.

Eu só vou esperar até que todo mundo tenha ido embora, e então vou me esgueirar sorrateiramente para fora, e ninguém vai me ver de novo até que o semestre que vem comece, e nessa época, com esperança, tudo isso já vai ter passado.

Ou, melhor, talvez eu simplesmente fique em Genovia...

Ei, é isso aí. Por que não?

Sexta, 19 de dezembro, 17h, em casa

Não sei por que as pessoas simplesmente não podem me deixar sozinha. Sério. Eu posso ter acabado as provas finais, mas ainda tenho muito o que fazer. Quer dizer, tenho que fazer as malas, não tenho? As pessoas não sabem que, quando você está partindo para sua apresentação real ao povo sobre o qual você um dia irá reinar, você tem que fazer muitas malas?

Mas não. Não, as pessoas ficam ligando, mandando mensagens, aparecendo.

Bem, não estou falando com ninguém. Acho que deixei isso perfeitamente evidente. Não estou falando com Lilly ou Tina ou meu pai ou o Sr. Gianini ou minha mãe e ESPECIALMENTE com Michael, mesmo que pelos meus cálculos ele já tenha ligado quatro vezes.

Eu estou *realmente* muito ocupada para falar com alguém.

E com meus fones de ouvido, nem mesmo posso ouvi-los batendo na porta. Que bom, devo dizer.

Sexta, 19 de dezembro, 17h30, escada de incêndio

As pessoas têm direito à privacidade. Se eu quiser entrar no meu quarto e trancar a porta e não sair nem ter que lidar com ninguém, eu devia ter esse direito. As pessoas *não* podem arrancar as dobradiças da minha porta e *tirá-las*. Isso é completamente injusto.

Mas eu descobri um meio de enganar todo mundo. Estou do lado de fora, na escada de incêndio. Acho que está fazendo zero grau aqui fora, e nevando, por sinal, mas sabe o que mais? Até agora ninguém me seguiu.

Felizmente eu comprei uma dessas canetas que também é uma lanterna, então consigo ver o que escrevo. O sol se pôs há pouco tempo e, tenho que admitir, meu traseiro está congelando. Mas é realmente bacana aqui fora. Só dá para ouvir o assovio da neve caindo no metal da escada de incêndio e uma ocasional sirene de alarme de carro. É sossegado, de certa forma.

E sabe o que estou descobrindo? Preciso de um descanso. Por um bom tempo.

Verdade. Preciso me deitar numa praia em algum lugar, ou algo assim.

Há uma praia bacana em Genovia. Verdade. Com areias brancas, palmeiras, essa coisa toda.

Pena que, enquanto eu estiver lá, não terei tempo de visitá-la, já que vou estar muito ocupada batizando navios, ou o que seja.

Mas se eu *morasse* em Genovia... sabe, me mudasse para lá e vivesse lá o tempo todo...

Ah, vou sentir falta da minha mãe, óbvio. Eu já considerei isso. Ela já se inclinou na janela umas vinte vezes, me implorando para entrar ou, pelo menos, colocar um casaco. Minha mãe é uma mulher legal. Eu realmente vou sentir falta dela.

Mas ela pode vir me visitar em Genovia. Pelo menos até o oitavo mês da gravidez. Aí então a viagem aérea pode ficar um pouco arriscada. Mas ela pode vir depois que meu irmão — ou irmã — mais nova nascer. Isso seria bacana.

E o Sr. G, ele também é legal. Ele só se inclinou para fora e perguntou se eu queria um pouco do cozido com *chili* que ele acabou de fazer. Ele diz que não colocou carne só por minha causa.

Isso foi legal da parte dele. Ele pode me visitar em Genovia também.

Será bom viver lá. Posso ficar com meu pai o tempo todo. Ele não é um cara tão ruim assim, depois que a gente o conhece bem. Ele também quer que eu entre em casa e saia da escada de incêndio. Acho que minha mãe deve ter ligado para ele. Ele diz que está muito orgulhoso de mim, por conta da entrevista coletiva e do meu 8 em álgebra e tudo. Ele quer me levar para jantar fora para celebrar. Podemos ir ao Zen Palate, sugeriu. Um restaurante totalmente vegetariano. Isso não é legal da parte dele?

Pena que ele tenha mandado Lars tirar minha porta, senão eu podia ter ido com ele.

Ronnie, nossa vizinha de porta, acaba de olhar pela janela para me ver. Agora ela quer saber o que eu estou fazendo sentada na escada de incêndio em dezembro.

Eu disse a ela que precisava de privacidade, e que esse parece ser o único meio de consegui-la.

Ronnie falou: "Meu doce, e eu não sei o que é isso?"

Ela disse que eu ia congelar sem um casaco, e me ofereceu seu *mink*. Eu polidamente declinei, já que não consigo usar peles de animais mortos.

Então ela me emprestou seu cobertor elétrico, ligado na tomada embaixo do ar-condicionado. Devo dizer, melhorou bastante.

Ronnie está se preparando para sair. É legal vê-la colocar a maquiagem. Enquanto faz isso, ela mantém uma conversa rápida comigo através da janela aberta. Ela me perguntou se eu estava tendo problemas na escola, e se era por isso que eu estava na escada de incêndio, e eu disse que sim. Ela perguntou que tipo de problemas, e eu contei a ela. Contei a ela que estou sendo perseguida: que amo o irmão da minha melhor amiga, mas que para ele tudo é aparentemente uma grande piada. Ah, e também que todo mundo pensa que estou tendo um caso com um violinista bucorrespirador que por acaso é o namorado da minha melhor amiga.

Ronnie sacudiu a cabeça e disse que era bom saber que as coisas não mudaram desde seus tempos de escola.

Eu disse a Ronnie que isso realmente não importa, porque vou me mudar para Genovia. Ronnie disse que sentia muito por ouvir aquilo. Ela vai sentir minha falta, já que eu realmente melhorei as condições do depósito de lixo do prédio desde que insisti em instalar latas separadas recicláveis para jornais, latas e garrafas.

Então Ronnie disse que tinha de ir porque ia encontrar o namorado para uns drinques no Carlyle. Ela disse que eu podia continuar usando o cobertor elétrico, contanto que eu me lembrasse de devolvê-lo quando tivesse terminado.

Ai, droga. Escuto passos pelo quarto. Quem está vindo agora?

Sexta, 19 de dezembro, 19h30

Bem. Acho que você me derrubaria com um sopro.
Adivinha quem acaba de sair para a escada de incêndio e se sentar comigo por meia hora?

Grandmère.

Não estou brincando.

Eu estava sentada aqui, me sentindo toda deprimida, quando de repente aquela grande manga de peles apareceu na minha janela, e então um pé num sapato de salto alto, e então uma grande cabeça loura, e quando vi Grandmère estava sentada lá, piscando para mim das profundezas de sua longa chinchila.

"Amelia", começou ela, em seu tom mais absurdo. "O que você está fazendo aqui? Está nevando. Volte para dentro."

Eu estava chocada. Chocada por Grandmère até mesmo considerar a ideia de vir para a escada de incêndio (é uma coisa indelicada para uma princesa mencionar, mas há na verdade muito cocô de passarinho aqui fora), mas também por ela ousar falar comigo depois do que fez.

Mas ela foi direto ao assunto.

"Entendo que você esteja aborrecida comigo", disse ela. "E você tem o direito de estar. Mas quero que você saiba que o que fiz foi por você."

"Ah, sei!" Mesmo que eu tivesse jurado que nunca mais ia falar com ela, não consegui me conter. "Grandmère, como você pode dizer isso? Você me humilhou completamente!"

"Eu não tive a intenção", explicou Grandmère. "Eu só quis mostrar que você é tão bonita quanto essas garotas nas revistas com quem você está sempre desejando se parecer. É importante que saiba que você não é essa criatura horrenda que pensa que é."

"Grandmère", falei. "Isso é bacana da sua parte e tudo — eu acho —, mas você não devia ter feito as coisas daquele jeito."

"De que outro jeito eu poderia fazer?", perguntou Grandmère. "Você não vai posar para nenhuma das revistas que se ofereceram para mandar fotógrafos. Não para a *Vogue*, ou a *Harper's Bazaar*. Você não entende que o que Sebastiano disse sobre sua estrutura óssea é realmente verdade? Você é muito bonita, Amelia. Se apenas tivesse um pouco mais de confiança em si mesma, se mostrasse de vez em quando. Esse garoto de quem você gosta iria trocar a garota da mosca caseira por você logo, logo, pense nisso!"

"Mosca-das-frutas", corrigi. "E, Grandmère, eu disse a você, Michael gosta dela porque ela é realmente inteligente. Eles têm um monte de coisas em comum, tipo computadores. Não tem nada a ver com a beleza dela."

"Ah, Mia", disse Grandmère. "Não seja ingênua."

Pobre Grandmère. Realmente não era justo culpá-la, porque ela vem de um mundo tão diferente. No mundo de Grandmère, as mulheres são avaliadas por serem grandes beldades — ou, se não são grandes beldades, elas são reverenciadas por se vestirem impecavelmente. O que elas fazem, ou gostam de fazer para se sustentar, não é importante, porque muitas delas não fazem nada. Ah, talvez elas façam algum trabalho de caridade, ou o que seja, mas é isso.

Grandmère não entende, óbvio, que hoje em dia ser uma grande beldade não conta muito. Ah, importa em Hollywood, óbvio, e nas passarelas de Milão. Mas hoje em dia, as pessoas entendem que aparências perfeitas são o resultado de DNA, algo com o que a pessoa não tem nada a ver. Não é como se fosse nenhuma grande conquista ser bonita. Isso é apenas genética.

Não, o que importa hoje é o que você faz com o cérebro *atrás* daqueles perfeitos olhos azuis, ou olhos castanhos, ou verdes, ou o que seja. Na época de

Grandmère, uma garota como Judith, que conseguia clonar moscas-das-frutas, seria vista como uma aberração lastimável, a menos que ela conseguisse clonar moscas-das-frutas *e* ficar maravilhosa num vestido Dior.

E mesmo nesta época marcadamente iluminada, garotas como Judith ainda não exercem tanto poder de atração quanto garotas como Lana — o que não é justo, já que clonar moscas-das-frutas é provavelmente muito mais importante do que ter um cabelo totalmente perfeito.

As pessoas patéticas de verdade são aquelas parecidas comigo: não posso clonar moscas-das-frutas *e* meu cabelo é horrível.

Mas tudo bem. Já estou acostumada com isso agora.

Grandmère é a única que ainda precisa ser convencida de que sou um caso absolutamente perdido.

"Olha", tentei explicar a Grandmère, "eu disse a você. Michael não é o tipo de cara que vai ficar impressionado porque estou num encarte no *Sunday Times* num traje de baile sem alças. *É por isso que eu gosto dele.* Se ele fosse o tipo de cara que ficasse impressionado com coisas assim, eu não ia querer nada com ele."

Grandmère não me pareceu muito convencida.

"Bem", disse ela. "Talvez você e eu devamos concordar em discordar. De qualquer maneira, Amelia, eu vim aqui para pedir desculpas. Eu nunca quis magoar você. Eu só queria mostrar do que é capaz, se pelo menos você tentasse." Ela abriu largamente as mãos enluvadas. "E veja quanto eu fui bem-sucedida. Bem, você planejou e executou uma entrevista coletiva por conta própria!"

Eu não pude deixar de sorrir um pouco com aquilo. "É", concordei. "Eu fiz isso."

"E", continuou ela, "eu sei que você passou em álgebra."

Eu abri ainda mais o sorriso. "É. Eu passei."

"Agora há apenas uma coisa que falta você fazer."

Assenti. "Eu sei. Eu venho pensando muito a respeito disso, e acho que seria melhor se eu estendesse minha estada em Genovia. Tipo talvez eu pudesse morar lá daqui por diante. O que você acha disso?"

"Morar em... morar em Genovia?" Por uma vez eu a havia pegado desprevenida. "Do que você está falando?"

"Você sabe", esclareci. "Há escolas lá. Eu podia simplesmente terminar o primeiro ano lá. E então talvez eu pudesse ir para um desses colégios internos suíços de que você sempre está falando."

Grandmère só ficou me encarando. "Você odiaria."

"Não", discordei. "Deve ser divertido. Nada de garotos, certo? Isso seria ótimo. Quer dizer, estou meio que enjoada de garotos agora."

Grandmère sacudiu a cabeça. "Mas seus amigos... sua mãe... "

"Bem", disse eu, usando a lógica, "Eles podiam ir me visitar."

Então o rosto de Grandmère endureceu. Ela me olhou por entre as brechas altamente maquiadas que seus olhos haviam se tornado.

"Amelia Mignonette Grimaldi Renaldo", falou. "Você está fugindo de alguma coisa, não está?"

Eu sacudi a cabeça inocentemente. "Ah, não, Grandmère", respondi. "Verdade. Eu gostaria de morar em Genovia. Ia ser perfeito."

"PERFEITO?" Grandmère ficou de pé. Seus saltos altos ficaram presos entre as barras de metal da escada de incêndio, mas ela não percebeu. Ela apontou imperiosamente para a minha janela.

"Você entre imediatamente", ordenou, numa voz que eu jamais a escutara usar antes.

Tenho de admitir, fiquei tão chocada que fiz exatamente o que ela disse. Desliguei o cobertor elétrico de Ronnie e engatinhei de volta para dentro do quarto. Então eu fiquei de pé lá enquanto Grandmère engatinhava também.

"Você", afirmou, ajeitando a saia, "é uma princesa da casa real de Renaldo. Uma princesa", repetiu, indo ao meu *closet* e remexendo lá dentro, "não evita suas responsabilidades. Nem sai correndo ao primeiro sinal de adversidade."

"Ai, Grandmère", lamentei. "O que aconteceu hoje não foi o primeiro sinal de adversidade, entendeu? O que aconteceu hoje foi o último fiapo. Eu não aguento mais, Grandmère. Estou caindo fora."

Grandmère tirou do meu armário o vestido que Sebastiano desenhara para eu usar no baile. Sabe, aquele que deveria fazer Michael esquecer que eu sou a melhor amiga da sua irmã mais nova.

"Tolice", disse Grandmère.

Aquilo foi tudo.

Apenas tolice. Então ela ficou ali, batendo a ponta dos pés, me encarando.

"Grandmère", falei. Talvez tenha sido todo aquele tempo que eu passei do lado de fora. Ou talvez eu estivesse com muita certeza de que minha mãe e o Sr. G e meu pai estavam todos ali ao lado, escutando. Como eles poderiam não estar? Não havia *porta*, nem nada, para separar meu quarto da sala.

"Você não entende", argumentei. "Não posso voltar lá."

"Razão mais do que suficiente", insistiu Grandmère, "para você ir."

"Não", teimei. "Em primeiro lugar, eu nem mesmo tenho par para o baile, certo? E só fracassados vão a bailes sem par, entendeu agora?"

"Você não é uma fracassada, Amelia", disse Grandmère. "Você é uma princesa. E princesas não saem correndo quando as coisas ficam difíceis. Elas jogam os ombros para trás e encaram qualquer desastre que espere por elas de cabeça erguida. Bravamente, e sem reclamar."

"Olha só, nós não estamos falando sobre bandidos visigodos, falou, Grandmère? Estamos falando sobre uma escola inteira que acha que eu estou apaixonada por Boris Pelkowski."

"O que é precisamente o motivo pelo qual você deve mostrar a eles que você não se importa com o que eles pensam."

"Por que eu não posso mostrar a eles que não me importo não indo?"

"Porque esta", afirmou Grandmère, "é a maneira covarde. E você, Mia, como já mostrou muito bem esta última semana, não é uma covarde. Agora vista-se."

Não sei por que eu fiz o que ela disse. Talvez fosse porque em algum lugar lá dentro eu soubesse que, por uma vez, Grandmère estava certa.

Ou talvez fosse porque secretamente eu acho que estava um pouco curiosa para ver o que aconteceria.

Mas acho que a razão real era porque, pela primeira vez em toda a minha vida, Grandmère não me chamou de Amelia.

Não. Ela me chamou de Mia.

E por causa do meu estúpido sentimentalismo, estou num carro agora, voltando para aquela estúpida e imunda Escola Albert Einstein, a poeira que achei que havia conseguido sacudir permanentemente dos meus pés não tem nem quatro horas.

Mas não. Ah, não. Estou voltando, naquele vestido de festa idiota, de veludo, que Sebastiano desenhou para mim. Estou voltando, sem par. Estou voltando e vou provavelmente ser ridicularizada por ser a aberração biológica sem namorado que sou.

Sou, entretanto, uma princesa, e aparentemente isso significa que se espera que eu pegue o que quer que seja lançado para mim, não importa quão cruel, injusto ou imerecido isso possa ser.

E, aconteça o que acontecer, eu sempre posso me confortar com essa certeza:

Amanhã eu estarei a milhares de quilômetros longe de tudo isso.

Ai, Deus. Chegamos.

Acho que vou vomitar.

Sábado, 20 de dezembro, Jato Real Genoviano

Quando eu estava para fazer seis anos, tudo o que eu queria de aniversário era um gato.

Não me importava com o tipo de gato. Eu apenas queria um. Queria um gato que fosse meu. Nós tínhamos ido visitar os pais da minha mãe na fazenda deles em Indiana, e eles tinham muitos gatos. Um deles havia tido filhotes, pequenos gatinhos peludos laranja e brancos, que ronronavam alto quando eu os segurava sob meu queixo e gostavam de se enroscar dentro do bolso dos meus macacões e tirar sonecas. Mais do que qualquer coisa no mundo, eu queria ficar com um daqueles gatinhos.

Devo mencionar que na época eu tinha um problema de chupar dedo. Minha mãe havia tentado de tudo para me fazer parar de chupar o dedo, incluindo comprar uma Barbie para mim, apesar de seu posicionamento fundamental contra a Barbie e tudo o que ela representa, como uma espécie de suborno. Mas nada funcionou.

Então quando comecei a ficar reclamando no ouvido dela que queria um gatinho, minha mãe teve uma ideia. Ela me disse que me daria um gatinho de aniversário se eu parasse de chupar o dedo.

O que eu fiz, imediatamente. Eu queria um gato *a esse ponto*.

Ainda assim, quando chegou meu aniversário, eu tive minhas dúvidas de que minha mãe iria cumprir a parte dela na barganha. É que, mesmo com a idade de seis anos, eu sabia que minha mãe não era uma pessoa das mais responsáveis. Por que mais estaria a nossa eletricidade sendo sempre cortada? E muitas vezes eu aparecia na escola usando saia e calça ao mesmo tempo, porque minha mãe *me* deixava decidir o que usar. Então eu não tinha certeza de que ela iria se lembrar do gatinho — ou que, se lembrasse, ela saberia onde conseguir um.

Então, como você pode imaginar, quando a manhã do meu sexto aniversário chegou, eu não estava com muita esperança.

Mas quando minha mãe entrou no meu quarto segurando aquela pequena bola de pelo amarela e branca e a deixou cair no meu colo, eu olhei para Louie (ele não se tornou Fat Louie até uns 9kg mais tarde) e seus grandes olhos azuis (isso foi antes de eles ficarem verdes) e senti uma alegria que jamais havia conhecido na vida, e nunca esperei sentir novamente.

Isto é, até a noite passada.

Estou falando totalmente sério.

A noite passada foi a melhor noite de TODA a minha vida. Depois de todo aquele fiasco com Sebastiano e as fotos, eu achei que jamais sentiria nada tipo gratidão por Grandmère, NUNCA mais.

Mas ela estava TÃO CERTA de me fazer ir àquele baile. Estou TÃO FELIZ de ter voltado para a Albert Einstein, a melhor, a mais adorável escola de todo o país, se não de todo o mundo!!!!!!!

Tudo bem, aqui está o que aconteceu:

Lars e eu paramos em frente à escola. Havia luzes brancas compridas em todas as janelas, que devem ter colocado lá para representar massas de gelo pendente, ou o que quer que seja.

Eu tinha certeza de que ia vomitar e mencionei isso a Lars. Ele disse que eu não poderia vomitar porque, pelo que ele sabia com certeza, eu não havia comido nada desde o bolo da Entenmann's bem antes do almoço, e aquilo tudo já estava provavelmente digerido agora. Com aquele tanto de informação encorajadora, ele me acompanhou degraus acima para dentro da escola.

Havia grupos de pessoas zanzando em torno da chapelaria na entrada principal. Lars deixou nossos casacos lá enquanto eu ficava esperando que alguém chegasse e perguntasse o que eu tinha ido fazer ali sem um par. Tudo o que aconteceu, entretanto, foi que Lilly-e-Boris e Tina-e-Dave desceram até onde eu estava e começaram a agir de forma tão bacana e disseram quanto eles estavam felizes por eu ter vindo (Tina me disse mais tarde que ela já havia explicado para todo mundo que Kenny e eu havíamos terminado, embora ela não tivesse contado o motivo, GRAÇAS A DEUS).

Então, fortalecida por meus amigos, entrei no ginásio, que estava cheio de decorações de inverno, com flocos de neve de papel picado, um daqueles globos de discoteca e neve falsa por toda parte, que, devo dizer, parecia muito mais branca e limpa do que a neve que estava começando a se amontoar no chão do lado de fora.

Havia toneladas de pessoas lá. Eu vi Lana e Josh (ugh), Justin Baxendale com seu usual séquito de fãs apaixonadas, Shameeka e Ling Su e muitas outras pessoas. Até Kenny estava lá, mas quando me viu ele ficou muito vermelho, se virou de costas e começou a falar com uma garota da nossa sala de biologia. Tudo bem então.

Todo mundo estava lá, exceto a única pessoa que eu estava mais temendo. Ou esperando ver. Eu não sabia.

Aí eu vi Judith Gershner. Ela havia trocado de roupa e estava muito bonita num vestido vermelho tipo Laura Ashley.

Mas ela não estava dançando com Michael. Ela estava dançando com um garoto que eu nunca tinha visto antes.

Então eu olhei ao redor procurando Lilly e finalmente a vi usando um dos telefones pagos. Eu fui até ela e fiquei perguntando: "Onde está o seu irmão?"

Lilly desligou o telefone. "Como é que eu vou saber?", perguntou ela. "Não estou tomando conta dele."

Estranhamente confortada por seu comportamento — que simplesmente provava que não importa quanto outras coisas mudassem, Lilly era sempre a mesma —, eu continuei: "Bem, Judith Gershner está aqui, então eu só pensei..."

"Pelo amor de Deus", disse Lilly. "Quantas vezes eu tenho que dizer a você? *Michael e Judith não estão ficando.*"

Falei: "Ah, tá bom. Então por que eles estavam juntos o tempo todo nas duas últimas semanas?"

"Porque eles estavam trabalhando naquele estúpido programa de computador para o Carnaval de Inverno", respondeu ela. "Além do mais, Judith Gershner já tem namorado." Lilly me agarrou pelos ombros e me virou para que eu pudesse ver Judith no salão de dança. "Ele estuda no Colégio Trinity."

Eu olhei para Judith Gershner enquanto ela dançava lentamente com um garoto que se parecia muito com Kenny, só que mais velho e não tão descoordenado.

"Ah", falei.

"*Ah* está ótimo", disse Lilly. "Eu não sei o que há de errado com você hoje, mas não consigo lidar com você quando está agindo como uma alucinada. Sente-se bem aqui." — Ela puxou uma cadeira. "E não ouse se levantar. Eu quero saber onde encontrar você quando precisar."

Eu nem mesmo perguntei a Lilly por que ela precisaria me encontrar. Só me sentei. Senti como se não fosse mais conseguir ficar de pé. Eu estava cansada *a esse ponto*.

Não que eu estivesse desapontada. Quer dizer, eu não queria ver Michael. Pelo menos parte de mim não queria.

Outra parte de mim *realmente* queria vê-lo e perguntar exatamente o que ele quis dizer com aquele poema.

Mas eu estava meio com medo da resposta.

Porque podia não ser aquela que eu estava esperando que poderia ser.

Depois de um tempo, Lars e Wahim vieram se sentar perto de mim. Me senti uma completa boba. Quer dizer, ali estava eu, sentada num baile com dois guarda-costas, que estavam numa discussão profunda sobre as vantagens *versus* as desvantagens das balas de borracha. Ninguém estava me chamando para dançar. Ninguém ia chamar também. Quer dizer, eu era uma fracassada enorme, colossal. Uma fracassada enorme, colossal e sem namorado.

E, aliás, supostamente apaixonada por Boris Pelkowski.

Por que eu estava ali? Eu tinha feito o que Grandmère disse. Eu tinha aparecido. Eu tinha provado a todo mundo que não era covarde. Por que eu não podia sair? Quer dizer, se eu quisesse?

Fiquei de pé. Eu disse a Lars: "Vamos. Chega de baile por hoje. Eu ainda tenho muitas malas para fazer. Vamos embora."

Lars disse tudo bem, e começou a se levantar. Depois ele parou. Eu vi que ele estava olhando para alguma coisa atrás de mim. Eu me virei.

E lá estava Michael.

Ele tinha obviamente acabado de chegar. Estava sem fôlego. O laço da gravata nem estava amarrado. E ainda havia neve em seus cabelos.

"Achei que você não vinha", disse ele.

Eu sabia que meu rosto estava ficando tão vermelho quanto o vestido de Judith Gershner. Mas não havia nada que eu pudesse fazer a respeito. "Bem, eu quase não vim", falei.

"Eu liguei para você um monte de vezes. Só que você não atendeu ao telefone."

"Eu sei." Eu estava desejando que o chão do ginásio se abrisse, como em *It's a Wonderful Life*, e que eu caísse na piscina embaixo dele e afundasse e não tivesse que ter essa conversa.

"Mia", começou ele. "Sobre aquilo de hoje. Eu não queria fazer você chorar."

Ou o chão se abriria e eu poderia simplesmente cair, e ficar caindo, para sempre e sempre e sempre. Isso seria legal também. Eu olhei para o chão, desejando que ele se partisse e me sugasse.

"Você não me fez chorar", menti. "Quer dizer, não foi aquilo. Foi um negócio que Kenny disse."

"Sei", respondeu Michael. "Bom, eu ouvi dizer que vocês terminaram."

É. Provavelmente agora toda a escola já sabia. Agora eu sentia que meu rosto estava ainda mais vermelho do que o vestido de Judith.

"Só que", continuou Michael, "eu sabia que era você. Que era você quem estava deixando todos aqueles cartões para mim."

Se ele tivesse enfiado a mão dentro do meu peito, puxado meu coração para fora, jogado-o no chão e chutado-o ao longo do salão, não teria doído tanto quanto ouvir aquilo. Dava para sentir meus olhos se enchendo de lágrimas de novo.

"Você sabia?" Sabe, uma coisa é ter seu coração partido, mas isso acontecer num baile escolar, na frente de todos... bem, isso é cruel.

"É lógico que eu sabia", repetiu ele. Parecia impaciente. "Lilly me contou."

Pela primeira vez, levantei os olhos para o rosto dele.

"*Lilly* contou a você?!", exclamei. "Como *ela* sabia?"

Ele fez um gesto com a mão. "Eu não sei. Sua amiga Tina contou, eu acho. Mas isso não é importante."

Eu olhei em volta do ginásio e vi Lilly e Tina na outra ponta, ambas olhando na minha direção. Quando viram que eu estava olhando para elas, se viraram muito rápido e fingiram estar profundamente absortas em conversas com os respectivos namorados.

"Eu vou matar as duas", murmurei.

Michael estendeu o braço e agarrou meus ombros. "Mia." Ele me deu uma pequena sacudida. "*Não importa*. O que importa é que eu estava falando sério no que escrevi. E pensei que você também estivesse."

Eu não achei que tinha escutado direito o que ele disse. Falei: "É óbvio que eu estava falando sério."

Ele sacudiu a cabeça. "Então por que você teve aquele ataque hoje no Carnaval de Inverno?"

Gaguejei: "Bem, porque... porque... eu achei... eu achei que você estava me zoando."

"Nunca", afirmou ele.

E foi quando ele fez aquilo.

Sem confusão. Sem pedir minha permissão. Sem hesitar nenhum instante que fosse. Ele simplesmente se inclinou e me beijou, bem na boca.

E eu descobri, bem naquela hora, que Tina estava certa:

Não é nojento se você está apaixonada pelo cara.

De fato, é a melhor coisa do mundo.

E você sabe qual é a melhor parte?

Quer dizer, tirando o fato de Michael me amar e ter mantido isso em segredo quase tanto tempo quanto eu, se não mais?

E Lilly sabendo o tempo todo, mas não dizendo nada até alguns poucos dias atrás porque ela achou que seria uma interessante experiência social ver quanto tempo nós levaríamos para descobrir por conta própria (um longo tempo, como se revelou)?

E o fato de que Michael vai para a Columbia no próximo ano, que fica apenas algumas estações de metrô adiante, então eu ainda poderei vê-lo tanto quanto quiser?

Ah, e Lana passando enquanto estávamos nos beijando, e falando, naquela voz horrorosa: "Ai, meu Deus, vão para um quarto, por favor."

E dançando junto com ele a noite toda, até que Lilly finalmente chegasse e dissesse: "Anda, gente, está nevando muito, se não sairmos agora, nunca vamos chegar em casa?"

E dar um beijo de boa noite do lado de fora da minha portaria, com a neve caindo em torno de nós (e Lars irritado reclamando do frio)?

Não, a melhor parte é que fomos direto para o beijo de língua sem nenhum problema. Tina estava certa — pareceu perfeitamente natural.

E agora o comissário de bordo do voo real genoviano diz que temos que fechar as mesas para levantar voo, então terei de parar de escrever em um minuto.

Papai diz que se eu não parar de falar em Michael, ele vai se sentar na frente com o piloto durante o voo.

Grandmère diz que está impressionada com a mudança que ocorreu em mim. Ela diz que eu pareço mais alta. E, sabe, talvez eu esteja. Ela acha que é porque estou usando mais uma criação original de Sebastiano, desenhada especialmente para mim, exatamente como o vestido que deveria fazer Michael ver mais em mim do que apenas a melhor amiga da irmã mais nova... o que acabou acontecendo, na verdade. Mas eu sei que não estou mais alta por causa do vestido.

E nem por causa do amor também. Bem, não totalmente.

Eu vou dizer a você por quê: autorrealização.

Bem, isso e o fato de que no fim das contas eu sou realmente uma princesa. Devo ser, porque sabe o que mais?

Porque estou vivendo feliz para sempre.

4

A Princesa à espera

*Para Walter Schretzman e os muitos outros que espalham
suas doações por Nova York com tanta abnegação.
Não pensem que nós não reparamos.*

Obrigada.

Agradecimentos

Muito obrigada a Beth Ader, Alexandra Alexo, Jennifer Brown, Kim Goad Floyd, Darcy Jacobs, Laura Langlie, Amanda Maciel, Abby McAden e Benjamin Egnatz.

Agradecimentos atrasados à família Beckham, especialmente Julie, por me deixar, com tanta generosidade, pegar emprestado o uniforme engolidor de meias de Molly!

"Se eu fosse uma princesa", murmurou ela, "eu poderia distribuir donativos à população. Mas mesmo que eu seja apenas uma princesa de mentira, posso inventar pequenas coisas para fazer para as pessoas. Vou fingir que fazer coisas para as pessoas é como distribuir donativos."

A Princesinha
Frances Hodgson Burnett

Quinta, 1º de janeiro, meia-noite, Quarto Real Genoviano

MINHAS RESOLUÇÕES DE ANO-NOVO

POR PRINCESA AMELIA MIGNONETTE
GRIMALDI THERMOPOLIS RENALDO, IDADE 14 ANOS E 8 MESES

1. Vou parar de roer as unhas, incluindo as postiças.
2. Vou parar de mentir. Grandmère sabe quando estou mentindo mesmo, graças a minhas narinas traidoras, que se dilatam toda vez que eu conto uma mentira, então não há nenhuma razão para tentar não ser totalmente verdadeira.
3. Jamais vou me desviar do roteiro preparado enquanto faço comunicados pela televisão ao povo genoviano.
4. Vou parar de dizer *merde* por acidente na frente das damas de companhia.
5. Vou parar de pedir a François, meu guarda-costas genoviano, para me ensinar palavrões em francês.
6. Vou me desculpar com a Associação Genoviana de Plantadores de Oliveiras por causa daquele negócio dos caroços.
7. Vou me desculpar com o *Chef* Real por passar escondido para o cachorro da Grandmère aquele pedaço de *foie gras* (apesar de eu ter dito várias vezes à cozinha palaciana que não como fígado).
8. Vou parar de dar lições de moral à Imprensa Real Genoviana sobre os males do fumo. Se todos eles querem desenvolver câncer de pulmão, é problema deles.
9. Vou alcançar a autorrealização.
10. Vou parar de pensar tanto em Michael Moscovitz.

Ah, espera aí. Tudo bem pensar em Michael Moscovitz, PORQUE ELE AGORA É MEU NAMORADO!!!!!!!!!

MT + MM = AMOR VERDADEIRO P/SEMPRE

Sexta, 2 de janeiro, 14h, Parlamento Real Genoviano

Sabe, eu achei que estava de férias. Sério. Quer dizer, essas são as minhas férias de inverno. Eu tinha que estar me divertindo, me recarregando mentalmente para o semestre que está chegando e não vai ser fácil, já que vou começar álgebra II, sem mencionar a aula de saúde e segurança. Todo mundo na escola ficou tipo assim: *"Ah, você é tão sortuda, vai passar o Natal num castelo sendo servida o tempo todo."*

Bem, em primeiro lugar não tem nada de tão maravilhoso no fato de viver em um castelo. Porque sabe o que mais? Castelos são totalmente velhos. Ok, este aqui não foi construído em 4 d.C., ou quando quer que seja que minha ancestral Princesa Rosagunde se tornou a regente de Genovia. Ele na verdade foi construído em, tipo assim, 1600, e deixa eu te contar o que eles não tinham em 1600:

1. TV a cabo
2. Internet
3. Banheiros

O que não quer dizer que não há uma antena via satélite agora, mas, alô, esta é a casa do meu pai. Os únicos canais que ele tem programados são tipo CNN, CNN Notícias Financeiras e o canal de golfe. Eu queria saber onde está a MTV 2? Onde está o canal Lifetime?

Não que isso importe muito, porque estou passando todo o meu tempo sendo apressada pelos outros. Não é como se eu sempre tivesse um momento livre para pegar um controle remoto e aí falar "Hum, hum, será que tem um filme de Tracey Gold passando?".

Ah, sim, e os banheiros? De novo, deixa eu te dizer que, nos anos 1600, eles simplesmente não sabiam muita coisa sobre esgotos. Então agora, quatrocentos anos depois, se você resolver colocar um monte de papel higiênico no vaso e tentar dar a descarga, você cria um minitsunami dentro de casa.

Então é isso. Esta é minha vida em Genovia.

Todos os outros garotos e garotas que conheço estão passando as férias de inverno esquiando em Aspen ou se bronzeando em Miami.

Mas eu? O que *eu* estou fazendo nas minhas férias de inverno?

Bem, aqui estão os pontos principais da nova *agenda* que Grandmère me deu de presente de Natal (que garota não adoraria receber uma *agenda* de Natal?) sobre o que eu fiz até agora:

Domingo, 21 de dezembro
Agenda Diária Real

Chegada em Genovia. Devido ao grande saco de doces consumidos durante o voo, quase vomitei em cima do comitê de boas-vindas oficial de Genovia, que foi ao aeroporto me saudar quando eu desembarquei do avião.

* Um dia inteiro sem ver Michael. Tentei ligar para ele na casa dos avós em Boca Raton, onde os Moscovitz foram passar as férias de inverno, mas ninguém respondeu, talvez por causa da diferença de horário, Genovia estando seis horas adiante da Flórida.

Segunda, 22 de dezembro
Agenda Diária Real

Durante o tour pelo cruzador *Prince Phillipe*, tropeço na âncora, acidentalmente lançando o almirante Pepin na água do ancoradouro genoviano. Mas ele ficou bem. Eles o pescaram com um arpão.

Mas por que eu sou a única pessoa neste país que considera a poluição um tema importante? Se as pessoas vão atracar seus iates no porto genoviano, devem prestar muita atenção ao que estão despejando no mar. Quer dizer, golfinhos ficam o tempo todo com o nariz preso nessas embalagens plásticas de cerveja e depois morrem de fome porque não conseguem abrir a boca para comer. Tudo o que as pessoas têm de fazer é cortar os sacos antes de jogá-los fora, aí tudo ficaria bem.

Bom, está certo, nem *tudo*, já que em primeiro lugar não se deveria jogar lixo no mar.

Simplesmente não consigo aguentar ficar sem tomar uma atitude enquanto indefesas criaturas do mar estão sendo agredidas por um monte de gente em busca do bronzeado perfeito.

* Dois dias sem ver Michael. Tentei ligar para ele duas vezes. Da primeira vez, sem resposta. Da segunda vez, a avó do Michael atendeu e disse que por pouco eu não tinha falado com ele, já que Michael tinha ido à farmácia pegar a prescrição de talco para os pés do avô. Isso é tão a cara dele, sempre pensando nos outros antes de si mesmo.

Terça, 23 de dezembro
Agenda Diária Real

No café da manhã com a Associação Genoviana de Plantadores de Oliveiras, mencionei que a aridez fora de época que afligia a área do Mediterrâneo devia ser um "caroço engasgado". Ninguém pareceu achar essa piada particularmente engraçada, particularmente os membros da Associação de Plantadores de Oliveiras.

* Três dias sem ver Michael. Sem tempo de telefonar devido à controvérsia do caroço.

Quarta, 24 de dezembro
Agenda Diária Real

Fiz a saudação televisiva de Véspera de Natal para o povo genoviano. Acabei deixando de lado os discursos preparados e mencionei a quantidade de rendimentos gerados em cinco municípios de Nova York por parquímetros, expressando a crença de que instalar parquímetros em Genovia contribuiria bastante para a economia nacional, enquanto também desencorajaria viajantes de excursões baratas a se aventurarem dentro de nossas fronteiras. Ainda não faço ideia de por que Grandmère ficou tão furiosa com essa coisa toda. Os parquímetros de Nova York NÃO são pragas horrivelmente feias na paisagem. A maior parte do tempo eu nem os noto. Mesmo.

* Quatro dias SVM (sem ver Michael).

Quinta, 25 de dezembro, Natal
Agenda Diária Real

FINALMENTE FALEI COM MICHAEL!!!!!!! Finalmente consegui falar com ele. A conversa de alguma forma ficou forçada, entretanto, já que meu pai, minha avó e meu primo René estavam todos no aposento do qual eu estava ligando, e os pais, avós e a irmã do Michael estavam no aposento onde ele estava recebendo a ligação.

Ele me perguntou se ganhei alguma coisa boa de Natal, e eu disse não, nada além de uma *agenda* e um cetro. O que eu queria era um celular. Perguntei a Michael se ele tinha ganhado alguma coisa boa de Hanucá, e ele disse não, nada além de uma impressora colorida. O que é ainda melhor do que o que eu ganhei, se quer saber. Embora o cetro seja excelente para empurrar as cutículas.

Estou tão aliviada por Michael não ter esquecido tudo a meu respeito. Sei que meu namorado é altamente superior a todos os outros membros de sua espécie — garotos, quero dizer. Mas todo mundo sabe que os garotos são que nem cachorros: a memória de curto prazo deles é completamente nula. Você diz a eles que seu personagem de ficção favorito é Xena, a Princesa Guerreira e a próxima coisa que percebe é que eles estão falando que sua personagem de ficção favorita é Xica, da Telemundo. Garotos simplesmente não sabem de nada porque o cérebro deles está sempre muito cheio de coisas sobre modems e *Star Trek Voyager* e Limp Bizkit e tudo o mais.

Michael não é exceção a esta regra. Ah, eu sei que ele vai ser um dos oradores na formatura da turma dele, que recebeu notas perfeitas no vestibular e foi aceito por antecipação em uma das mais prestigiadas universidades do país. Mas você sabe que ele levou mais ou menos cinco milhões de anos só para admitir que gostava de mim. E que isso só aconteceu depois que eu mandei todos aqueles cartões de amor anônimos pra ele (que acabaram não sendo tão anônimos assim porque ele sabia que era eu o tempo todo, graças a todos os meus amigos, incluindo a irmã mais nova dele, que têm aqueles bocões tão excepcionalmente grandes).

Mas que seja. Só estou dizendo que cinco dias é muito tempo para passar sem ouvir nenhuma palavra do seu verdadeiro amor. Quer dizer, o namorado da Tina Hakim Baba, Dave Farouq El-Abar, às vezes fica esse tempo todo sem ligar e Tina sempre acha que Dave conheceu outra garota. Ela até o confrontou sobre isso uma vez, dizendo que o amava e ficava magoada quando ele não ligava... o que apenas fez com que ele nunca mais ligasse, já que Dave revelou ser um cara que tem fobia a compromisso.

Seria muito fácil para Michael conhecer uma garota melhor do que eu. Quer dizer, deve haver milhões de garotas por aí que têm coisas realmente a favor delas, exceto o lance de ser princesa, e que não têm de passar as férias enclausuradas num palácio com suas avós excêntricas e seus cachorros despelados e alucinados.

E apesar de, quando Tina começa a insistir que Dave a está traindo, nós todas falarmos "Ah, ele não está", acho que eu estou começando a saber como ela se sente.

Falei com mamãe e o Sr. Gianini. Eles estão bem, os dois, embora minha mãe ainda não queira deixar o médico contar a ela o que vai ter — menino ou menina. Mamãe diz que não quer saber, já que se for um menino ela não vai ter de parto normal, por não querer trazer outro opressor com cromossomo Y para o mundo (o Sr. G diz que isso são só os hormônios se manifestando, mas não tenho certeza. Minha mãe pode ser muito contrária ao cromossomo Y quando ela resolve ser). Eles colocaram Fat Louie ao telefone para que eu pudesse desejar a ele um Feliz Natal, e ele ronronou concordando, então eu sei que ele está passando bem também.

* 5 DSVM.

Sexta, 26 de dezembro
Agenda Diária Real

Forçada a observar papai e primo René jogarem torneio de golfe de caridade contra Tiger Woods. Tiger venceu (sem surpresa), já que papai é de meia-idade e o príncipe René confessou ter comparecido a uma festa de degustação de aguardente de uva na noite anterior. O único esporte mais entediante que golfe é polo. Serei forçada a observar papai e primo René jogarem *isso* no mês que vem — embora tecnicamente, de qualquer maneira, René mal seja meu primo de verdade. Ele é tipo um primo em milésimo centésimo grau.

E mesmo sendo um príncipe, a lei italiana não permite mais que ele coloque os pés em sua terra natal, devido aos socialistas terem botado para correr todos os membros da família real italiana. O palácio dos ancestrais do pobre René agora pertence a um famoso designer de sapatos, que o transformou num resort para americanos ricos passarem o fim de semana e fazerem sua própria massa e beberem vinagre balsâmico de duzentos anos.

René não parece se importar, entretanto, porque aqui em Genovia todo mundo ainda o chama de Sua Alteza o Príncipe René, e são estendidos a ele todos os privilégios dados aos membros de uma família real.

Além do mais, só porque René é quatro anos mais velho do que eu, seja um príncipe e esteja no primeiro ano de uma faculdade francesa de administração, não quer dizer que ele tenha o direito de me dar ordens. Quer dizer, acredito que jogatinas são moralmente erradas, e o fato de que René passe tantas horas na roleta em vez de utilizar seu tempo de forma mais produtiva me dá nojo.

Mencionei isso a ele. Simplesmente me parece que René precisa perceber que há mais na vida do que correr por aí em seu Alfa Romeo ou nadar na piscina interna do palácio sem usar nada além daquelas sunguinhas pretas, que estão muito na moda aqui na Europa (pedi a meu pai para, por favor, pelo amor de tudo o que é mais sagrado, ficar de bermuda, o que, graças a Deus, ele fez).

E, beleza, René simplesmente riu.

Mas pelo menos eu posso ficar descansada sabendo que fiz tudo o que podia para mostrar a um príncipe extremamente autocentrado o erro de suas maneiras libertinas.

* 6 DSVM.

Sábado, 27 de dezembro
Agenda Diária Real

Dia mt triste, já que é o aniversário de 25 anos da morte do Grandpère. Tive de pendurar uma coroa de flores no túmulo, usar véu preto etc. O véu colou no brilho labial, e não consegui tirá-lo soprando e, por fim, tive de tirá-lo, o que fez com que o chapéu fosse levado pelo vento e caísse no mar do porto genoviano. O príncipe René o capturou com a ajuda de algumas amigáveis banhistas de topless, mas o chapéu, é claro, jamais será o mesmo.

* 7 DSVM.

Domingo, 28 de dezembro
Agenda Diária Real

Príncipe René é pego se divertindo com amigáveis banhistas de topless na piscina. Grande sermão do meu pai, que pensa que aos 18 anos René devia ter consciência de que ele tem uma responsabilidade por ser o "Príncipe William do Continente", tirando as joias da coroa, já que o lado da família de René tem apenas nome e não mais fortuna para se apoiar, e que aquelas garotas estavam apenas usando-o. René diz que não se importa de ser usado daquela maneira, e se *ele* não se importa, por que papai deveria? Isso apenas fez meu pai ficar ainda mais furioso, entretanto. Devia ter alertado René de que não é sábio antagonizar papai quando a veia no centro da testa dele está pulsando, mas não houve tempo.

Tentei ligar para Michael, mas recebi sinal de ocupado durante quatro horas. Ele devia estar on-line. Poderia ter mandado um e-mail para ele, mas só há computadores no palácio com acesso à internet nos escritórios administrativos, e as portas estavam trancadas.

* 8 DSVM.

Segunda, 29 de dezembro
Agenda Diária Real

Encontro com operadores de cassino genovianos. Fui desencorajada por sua insistência em manter o estacionamento com manobristas para seus patrões. Expliquei o crescimento substancial na renda gerada pelos parquímetros, mas fui rejeitada.

Pedi ao papai uma chave para mim dos escritórios da administração, pra que eu possa mandar e-mails para Michael sempre que quiser, mas ele negou também, devido a René ter sido pego nos escritórios da administração na semana passada tirando xerox de suas partes baixas. Assegurei a papai que eu jamais faria algo tão burro assim, já que não sou um príncipe sem casa e de sunguinha cheio de testosterona, mas o argumento, infelizmente, não fez efeito nos ouvidos dele.

* Nove dias sem ver Michael, e acho que estou perdendo a CABEÇA!!!!!!!!!!!

Terça, 30 de dezembro
Agenda Diária Real

Mensagem do Michael via telefonistas do palácio. Diz: *Estou com saudades, vou tentar ligar na bonne nuit*. Perguntei às telefonistas do palácio se têm certeza de que foi isso o que Michael disse, e elas insistiram que foi. Só que essa mensagem não faz sentido. *Bonne nuit* significa "boa noite", não um horário. Seria possível haver alguma palavra em Klingon que pareça com *bonne nuit*? Sem tempo para ligar para Michael, entretanto, já que fiquei reunida o dia inteiro com o ministro da Defesa genoviano, aprendendo o que fazer no caso nada provável de incursão militar de forças inimigas hostis.

* 10 DSVM.

Quarta, 31 de dezembro
Agenda Diária Real

Posei para um retrato real. Fui instruída a não me mover e especialmente a não sorrir. Foi muito difícil não sorrir, entretanto, já que Rommel, o poodle da Grandmère, estava passeando por ali com um daqueles cones de plástico em volta da cabeça para que não pudesse arrancar o que sobrou de seu pelo. Rommel é o único cachorro que conheço com transtorno obsessivo-compulsivo, o que está fazendo com que ele se lamba até ficar despelado. Todos os veterinários americanos pensaram que a perda de pelo de Rommel era devida a alergias. Então, quando chegamos a Genovia, o Veterinário Real ficou todo assim, "*Alors!* Issu é Tê-Ó-Cê!"

Não gosto de rir da desgraça de nenhuma criatura de quatro patas, mas Rommel estava engraçado porque tinha perdido a visão periférica e ficava esbarrando nas armaduras e essas coisas.

O pintor do retrato real diz que está preocupado comigo e me deixa sair mais cedo para comparecer à Festa de Ano-Novo do palácio. Fiquei triste por não ter Michael lá para beijar à meia-noite. Tentei ligar para ele, mas os Moscovitz deviam ter saído para alguma festa na praia ou na piscina, já que ninguém atendeu.

Sabe o que eles têm de montão na Flórida? Festas de praia e de piscina. Sabe quem vai a festas de praia e de piscina? Garotas de biquíni. Como as garotas daquele filme *Blue Crush*. Como aquela Kate Bosworth, que tinha um olho azul e outro marrom e shortinhos minúsculos. É, aquela mesma. Eu queria saber como alguém pensaria em competir com uma surfista com um olho azul e outro castanho?????

René tentou me beijar à meia-noite, mas eu disse a ele para ir beijar Grandmère. Ele tinha bebido tanto champanhe que realmente fez isso. Grandmère bateu nele com um cisne decorativo esculpido num abacaxi.

* 11 DSVM.

Quinta, 1º de janeiro
Agenda Diária Real

RECEBI E-MAIL DO MICHAEL!!!!!!! René roubou a chave dos escritórios da administração porque ele disse que tinha de "fazer umas pesquisas" on-line (ele estava claramente dando pontos às pessoas no Você É Ou Não É Sensual — eu o peguei no flagra), bem na hora que eu estava indo para a piscina interna do palácio, então pedi para entrar. René estava com uma baita dor de cabeça por causa de todo o champanhe que ele tinha bebido na noite passada, para me impedir de fazer aquilo.

Então me conectei e lá estava este e-mail do Michael!!!!!!! Acaba que ele NÃO estava numa festa com garotas tipo Kate Bosworth na noite passada:

> Mia (ele escreveu) desculpe ter perdido seu telefonema, eu estava na festa de Ano-Novo do clube do meu avô (eles tocaram Ricky Martin e acharam que estavam no auge da modernidade). Você não recebeu meu recado? Bem, de qualquer maneira, feliz Ano-Novo e eu realmente estou com saudades de você e tudo o mais.
>
> P.S.: Eles estão mantendo você trancada numa torre aí ou o quê? Porque até os prisioneiros têm privilégios telefônicos. Vou ter de ir a Genovia e escalar suas tranças para salvar você ou algo assim?

Algum dia houve ALGUMA COISA mais romântica que isso? Ele realmente sente saudades de mim *e tudo o mais*! E você sabe o que *tudo o mais* quer dizer. Amor. Certo? Não é isso o que *tudo o mais* significa?

Cometi o erro de perguntar ao René. Ele disse que um homem que não está querendo colocar seus verdadeiros sentimentos por uma mulher no papel não é um homem de verdade, mesmo.

Eu disse a ele que aquilo não era papel, só e-mail, o que é diferente.

Não é?

Passei o dia inteiro visitando pacientes no Hospital Geral Genoviano. Foi mto triste, mas não por causa dos pacientes, e sim porque tinha um palhaço contratado pelo hospital para divertir as crianças doentes, e EU odeio palhaços!!!! Palhaços são mto assustadores para mim desde que eu li aquele livro *It*, do Stephen King, que foi transformado em filme com aquele cara dos *Waltons*. É horrível o jeito com que os escritores podem pegar uma coisa perfeitamente inocente como um palhaço e transformá-lo num poço de maldade! Tive de passar o tempo todo no hospital fugindo do palhaço, só para o caso de ele ser uma cria de Satã.

* 12 DSVM.

E agora aqui estou, em 2 de janeiro, simplesmente sentada numa sessão do Parlamento Real Genoviano, fingindo prestar atenção enquanto esses caras bem velhos de peruca falam e falam sobre estacionamento.

O que, estou me dando conta, é totalmente minha culpa. Quer dizer, se em primeiro lugar eu não tivesse aberto a boca sobre toda essa história dos parquímetros, nada disso estaria acontecendo.

Mas como é que eles podem não saber que, se não pagarmos para estacionar, isso vai apenas encorajar mais pessoas a entrar de carro pelas fronteiras francesa e italiana, em vez de pegar o trem, obstruindo as ruas já muito barulhentas de Genovia e causando ainda mais tensão na nossa infraestrutura já deteriorada?

E acho que eu devia ficar orgulhosa porque eles estão levando minha sugestão muito a sério. Quer dizer, beleza, eu sou a Princesa de Genovia, mas o que *eu* sei? Só porque tenho sangue real e por acaso estou na turma de Superdotados & Talentosos da Escola Albert Einstein não significa que eu seja realmente superdotada OU talentosa. De fato, a verdade é o contrário. Eu obviamente *não* sou superdotada, já que estou sempre na média em todas as categorias que você puder imaginar, com a possível exceção de tamanho de pé, na qual eu sou, de alguma forma, superfavorecida. E não tenho talentos dos quais falar. Na verdade, fui colocada na Superdotados & Talentosos só porque estava indo mal em álgebra e todo mundo decidiu que eu precisava de uma aula extra para estudar.

Então, sério mesmo, se você parar para pensar, é muito delicado da parte dos membros do Parlamento Real Genoviano escutar qualquer coisa que *eu* tenho a dizer.

Mas não consigo realmente me sentir grata a eles, considerando que cada instante que passo aqui é outro instante que sou forçada a passar longe do meu verdadeiro amor. Quer dizer, já estou há treze dias e dezoito horas sem ver Michael. Isso são quase duas semanas. E durante todo esse tempo eu só falei com ele por telefone uma vez devido ao fuso horário entre Genovia e os Estados Unidos e também a minha agenda de compromissos totalmente INJUSTA e FORA DA REALIDADE. Quer dizer, onde, na minha agenda exaustiva, eu vou conseguir encontrar tempo para ligar para meu namorado? Onde?

Vou te falar, isso é suficiente para eu ter um daqueles ataques-de-garota-de--quase-quinze-anos, pela maneira com que o destino está trabalhando contra mim e Michael. Nem mesmo tive tempo de comprar algo para o aniversário dele, que será daqui a três dias.

Eu só sou namorada dele há treze dias, e ele já vai ficar decepcionado comigo.

Bem, ele simplesmente terá que entrar na fila. De acordo com Grandmère, que deve saber bem das coisas, estou decepcionando todo mundo: Michael, o povo genoviano, meu pai, ela e quem quer que seja.

Realmente não entendo. Quer dizer, são apenas *parquímetros*, pelo amor de Deus.

* Treze dias e dezenove horas sem ver Michael.

Sábado, 3 de janeiro
Agenda Diária Real

8h — 9h: *Café da manhã com a Equipe Olímpica de Hipismo de Genovia*

Eu realmente não tenho nada contra cavaleiros e amazonas porque cavalos são totalmente maneiros, mas *o que* a equipe da cozinha do palácio tem contra ketchup? Sério, desde que eu desisti da história de não comer laticínios/ovos, por não conseguir viver sem queijo e o McDonald's ter começado a tratar humanamente as galinhas que chocam os ovos para os seus McMuffins de Ovos, eu não gosto de nada mais do que uma omelete de queijo no café da manhã. MAS NÃO É A MESMA COISA SEM KETCHUP!!!!!!!!!???? Quando eu voltar para Genovia da próxima vez, na certa vou trazer uma garrafa de Heinz comigo.

9h30 — 12h: *Inaugurar nova ala moderna do Museu de Arte Real Genoviano*

Ai, eu pinto melhor do que alguns desses camaradas, e eu sou completamente sem talento. Pelo menos eles colocaram uma das pinturas da minha mãe lá (*Retrato da filha da artista com a idade de cinco anos se recusando a comer cachorros-quentes*), então beleza.

12h30 — 14h: *Almoço com o embaixador genoviano no Japão*

Domo arigato.

14h30 — 16h30: *Assistir à reunião do Parlamento Real Genoviano*

De novo???? Passei toda a sessão pensando em Michael. Quando Michael sorri, às vezes um canto da boca dele fica mais alto que o outro. Ele também tem lábios extremamente bonitos. E olhos escuros muito lindos. Olhos que podem ver as profundezas da minha alma. Sinto tanta saudade dele!!!!!! Isso é péssimo. Eu devia ligar para a Anistia Internacional — É PUNIÇÃO CRUEL E HORRÍVEL ME MANTER LONGE DO HOMEM QUE AMO POR TANTO TEMPO!!!

17h — 18h: *Chá com a Sociedade Histórica Genoviana*

Eles realmente têm um monte de coisas muito interessantes para dizer sobre alguns dos meus parentes. Foi muito ruim o príncipe René estar em Monte Carlo comprando um novo cavalo de polo. Ele teria aprendido umas coisinhas.

> 19h — 22h: *Jantar formal com membros da Associação Genoviana de Comércio*

Tudo bem, René teve sorte de perder isso.

Não acho que serei capaz de suportar isso por muito mais tempo.

> Poema para M.M.
> Do outro lado do mar profundo, azul e brilhante,
> Está Michael, de mim muito distante.
> Mas ele não parece estar tão longe —
> Embora eu não o veja há catorze dias —
> Porque em meu coração Michael ficará
> E por ele para sempre baterá.

Posso ver que vou ter que trabalhar duro se quiser fazer um tributo digno do meu amor.

* 14 DSVM.

Domingo, 4 de janeiro
Agenda Diária Real

> 9h — 10h: *Missa na Capela Real Genoviana*

Achei que ir à igreja iria me preencher com uma sensação de auxílio e bem-estar espiritual. Mas tudo o que sinto é sono.

> 10h30 — 16h: *Passeio com a Família Real de Mônaco no Iate Real Genoviano*

Por que eu sou a pessoa menos bronzeada de Genovia? E o que rola com René e as sunguinhas? Quer dizer, dá pra sacar que ele realmente acha que é aquilo tudo. E todas aquelas garotas gritando o nome dele no cais só fazem encorajá-lo. Imagino se elas ainda ficariam tão a fim dele se alguém contasse a elas que peguei René cantando uma música do Enrique Iglesias na frente da parede espelhada no Salão de Recepções usando meu cetro como microfone.

16h30 — 19h: *Aulas de princesa com Grandmère*

Até em Genovia isso não termina. Como se eu já não soubesse por que todo mundo está com tanta raiva por causa daquela história toda do discurso. Quer dizer, eu já jurei que jamais vou me desviar do roteiro preparado quando estiver me dirigindo à população genoviana. Por que ela tem que ficar VOLTANDO AO ASSUNTO?

19h — 22h: *Jantar formal com o primeiro-ministro da França e sua família*

René desapareceu por quatro horas com a filha de 21 anos do primeiro-ministro. Eles disseram que simplesmente foram jogar na roleta, mas se isso fosse verdade, por que eles estavam sorrindo tanto quando voltaram? Se René não ficar ligado, ele vai ter um principezinho para criar mais cedo do que ele pensa.

* 15 DSVM.

Tentei ligar para ele duas vezes hoje. A avó do Michael atendeu da primeira vez e disse que ele tinha ido à loja de computadores comprar um novo cartucho para a impressora. Depois o pai dele atendeu e disse que Michael e Lilly tinham ido com os avós ver o último filme do James Bond no cinema. Caras sortudos!!!!!!!!!!!!!!!!!!!!!!!!!!!!!!

Segunda, 5 de janeiro, Agenda Diária Real

8h — 9h: *Café da manhã com a Companhia de Balé Real Genoviana*

Esta é a primeira vez que vejo René acordado antes das 10h.

9h30 — 12h: *Comparecer a workshops de balé, performance particular de* A Bela Adormecida

Não sei se Lilly está certa sobre o balé ser totalmente sensual. Quer dizer, os caras têm de usar malha também. O que realmente é informação demais, se é que me entende.

12h30 — 14h: *Almoço com o ministro genoviano de Turismo*

Será que ninguém vai reconhecer que minha ideia do parquímetro tem mérito? Além do mais, todo o tráfego a pé dos viajantes que saem dos navios de cruzeiro que ancoram no porto genoviano está destruindo algumas de nossas pontes historicamente mais importantes, como a *Pont des Vierges* (Ponte das Virgens), assim nomeada depois que minha ta-ta-ta-ta-ta-ta-tataravó Agnes, que se jogou dali para não se tornar uma freira como seu pai queria que ela fosse (ela ficou bem: a Marinha Real a resgatou e ela terminou fugindo com o capitão do navio, para total consternação da Casa de Renaldo). Não ligo para quanto o produto interno bruto de Genovia depende dos passageiros de navios de cruzeiro. Eles estão arruinando TUDO!

14h30 — 16h30: *Assistir ao pronunciamento do papai para a imprensa local sobre a importância de Genovia como participante global na economia internacional de hoje*

Que seja. Eu poderia ficar *mais* entediada? Michael! Ah, Michael! Onde estais vós, Michael?

17h — 18h: *Chá com Grandmère e membros da Sociedade de Assistência a Mulheres Genovianas*

Derramei chá nos sapatos novos de cetim que foram tingidos para combinar com o traje para chás.

Agora eles combinam com o chá.

19h — 23h: *Jantar formal com antigo líder soviético muito famoso e sua mulher*

René AUSENTE na maior parte do jantar. Foi encontrado depois da sobremesa se pegando na fonte do jardim palaciano com a primeira bailarina do balé Real Genoviano. Papai ficou mto chateado. Tentei acalmar seus nervos em frangalhos conversando de leve com sua namorada, a Miss República Tcheca, para que ela se sentisse bem-vinda à família, caso chegue a ocasião.

* 16 DSVM.

Se isso continuar por muito tempo, eu provavelmente vou ter afasia como aquela garota em *Firestarter*, e começar a pensar que meu pai é um chapéu.

Terça, 6 de janeiro, Aposentos Reais da Princesa-Viúva

ELE ME LIGOU!!!!!!!!!!!!!!
Só que eu não estava aqui (como sempre). Eu estava na Casa de Ópera Real Genoviana, assistindo à estúpida *La Bohème*, da qual eu estava gostando até que todos os personagens de que eu gostava MORRERAM.

Ele deixou um recado com os telefonistas do palácio. A mensagem dizia, *Oi. Oi.* Michael disse OI!

Tentei ligar para ele de volta no minuto em que consegui um telefone, mas os Moscovitz estavam todos no Le Crabbe Shacque curtindo o desconto de matinê para Cidadãos Idosos... todos, exceto a Dra. Moscovitz, que teve de ficar no condomínio devido ao fato de uma de suas pacientes precisar de atendimento de emergência (uma compradora compulsiva que estava tendo uma recaída devido a todas as liquidações de pós-feriado).

A Dra. Moscovitz disse que com certeza daria ao Michael o recado de que eu tinha ligado de volta. O recado era: *Oi*.

Bem, eu queria dizer algo mais romântico, mas parece realmente difícil dizer a palavra amor para a mãe do namorado.

Ai, meu Deus. Grandmère está gritando comigo novamente. Ela vem me dando lições de moral o dia inteiro sobre esse estúpido baile que está se aproximando — meu Baile de Despedida, aquele que eles vão fazer na noite anterior à minha partida para os Estados Unidos... e para o meu amor.

O negócio é que o príncipe William vai estar no baile, porque ele vai estar em Genovia de qualquer forma para o jogo de polo de caridade que meu pai e René estão promovendo, e Grandmère está toda preocupada se eu vou cometer o mesmo tipo de gafe social na frente do príncipe Wills que eu cometi durante minha apresentação televisiva ao povo genoviano.

Como se eu realmente fosse ficar aqui falando sobre parquímetros com o príncipe William. Mas enfim.

"Eu juro que não sei o que há de errado com você", disse Grandmère. "Sua cabeça tem estado nas nuvens desde que saímos de Nova York. Ainda mais do que o normal." Ela estreitou os olhos para mim — sempre uma coisa muito assustadora, porque Grandmère tem um delineado preto tatuado nas pálpebras para que ela possa passar as manhãs raspando as sobrancelhas e pintando novas por cima, em vez de ficar se sujando com rímel e delineador. "Você não está pensando *naquele* rapaz, está?"

Aquele rapaz é como Grandmère começou a chamar Michael, desde que eu anunciei que ele era minha razão de viver. Bem, tirando meu gato, Fat Louie, óbvio.

"Se você está falando do Michael Moscovitz", simplesmente repliquei para ela, em minha voz mais nobre, "eu certamente estou. Ele nunca está longe dos meus pensamentos, porque é a luz do meu coração."

A resposta de Grandmère a isso foi um suspiro.

"Querida, você vai se curar disso logo, logo", disse ela.

Hm, sinto muito, Grandmère, mas eu muito certamente não vou. Eu amei Michael por aproximadamente oito anos, exceto talvez por um breve período de tempo de duas semanas quando eu achei que estava apaixonada por Josh Richter. Oito anos é mais da metade da minha vida. Uma paixão profunda e eterna como esta não pode ser jogada fora tão facilmente assim, nem pode ser definida por sua compreensão terrena da emoção humana.

Eu não disse nada disso em voz alta, entretanto, porque Grandmère tem essas unhas realmente afiadas com as quais ela tende a ferir "acidentalmente" as pessoas.

Só que, mesmo que Michael seja realmente minha razão de viver e a luz do meu coração, não acho que vou decorar todo o meu caderno de álgebra com corações e flores e escrever em floreios um monte de *Sra. Michael Moscovitz*, da maneira que Lana Weinberger fez com os dela (só que com *Sra. Josh Richter*, obviamente). Não só porque fazer coisas como essa é completamente estúpido e porque eu não gosto do fato de ter minha identidade subjugada usando o nome do meu marido, mas também porque, como consorte da regente de Genovia, Michael certamente vai ter que usar o meu nome. Não Thermopolis. Renaldo. Michael Renaldo. Isso parece bem bonitinho, agora que estou pensando no assunto.

Mais treze dias até que eu veja novamente as luzes de Nova York e dos olhos castanho-escuros do Michael. Por favor, Deus, me deixe viver para isso.

Sua Alteza Real Michael Renaldo.

M. Renaldo, príncipe consorte.

Michael Moscovitz Renaldo de Genovia.

Quarta, 7 de janeiro
Agenda Diária Real

Tudo o que tenho a dizer sobre hoje é que, se essas pessoas QUEREM que sua infraestrutura seja destruída por veículos utilitários poluidores dirigidos por turistas alemães, isso é inteiramente problema delas. Quem sou eu para ficar no caminho delas?

Ah, desculpe, sou apenas a PRINCESA delas.

* 18 DSVM.

Quinta, 8 de janeiro
Agenda Diária Real

8h — 9h: *Café da manhã com o embaixador da Espanha*

Ainda sem ketchup!!!

9h30 — 12h: *Retoques finais no retrato real*

Não estão permitindo que eu veja a obra concluída até que seja retirado o véu no Baile de Despedida. Espero que o artista não tenha incluído a enorme espinha que comecei a desenvolver no queixo. Isso poderia ser meio embaraçoso.

12h30 — 14h: *Almoço com o ministro da Economia genoviano*

FINALMENTE! Alguém que concorda comigo sobre a importância fiscal dos parquímetros. O ministro da Economia é *o cara*!

Infelizmente, Grandmère ainda não está convencida. E ela, ainda mais que papai ou o Parlamento, é quem tem a maior influência sobre a opinião pública.

14h30 — 16h30: *Mais orientações sobre o que é legal e o que não é legal dizer para o Príncipe William quando eu o conhecer*

Exemplo:
    "Muitíssimo prazer em conhecê-lo." — Legal.
    "Alguém já disse que você parece o Heath Ledger?" — Não é legal.

René entrou intempestivamente no meio da minha sessão de orientações, a caminho da sala de ginástica do palácio, e sugeriu que eu perguntasse a Wills o que realmente aconteceu entre ele e Britney Spears. Grandmère diz que, se eu fizer isso, ela vai deixar Rommel sob meus cuidados da próxima vez que ela for a Baden-Baden para fazer um *peeling* no rosto. Argh! Tanto para tomar conta de Rommel *quanto para o peeling* no rosto. E para René também, por sinal.

19h — 23h: *Jantar formal com os maiores importadores/exportadores de azeite de oliva genovianos.*

Que seja.

* 19 DSVM.

Sexta, 9 de janeiro, 3h, Quarto Real Genoviano

Acabei de pensar o seguinte:
Quando Michael disse que ele me amava naquela noite durante o Baile Inominável de Inverno, ele podia estar querendo dizer amor no sentido platônico. Não amor no sentido do fluxo de paixão flamejante. Sabe, tipo assim, talvez ele me ame como amiga.

Só que você geralmente não coloca a língua na boca dos seus amigos, coloca?

Bem, talvez aqui na Europa você possa fazer isso. Mas não nos Estados Unidos, pelo amor de Deus.

Exceto que Josh Richter usou a língua daquela vez que ele me beijou em frente à escola, e ele certamente jamais esteve apaixonado por mim!!!!!!!!!

Isso é muito preocupante. Sério. Estou vendo que já é meio da noite e eu devia estar pelo menos tentando dormir, já que amanhã tenho que cortar a fita do novo Orfanato Real Genoviano.

Mas como é que eu posso dormir quando meu namorado pode estar na Flórida me amando como amiga e possivelmente nesse exato instante realmente se apaixonando por Kate Bosworth? Quer dizer, ao contrário de mim, Kate é realmente boa em alguma coisa (surfe). Kate pertence aos Superdotados & Talentosos, *não eu*.

Por que eu sou tão burra? Por que não pedi que Michael especificasse quando ele disse que me amava? Por que eu não falei "Me ama como? Como amigo? Ou como parceira pra vida?".

Sou muito idiota.

Nunca vou conseguir dormir. Quer dizer, como é que eu posso, sabendo que o homem que amo pode muito bem pensar em mim apenas como uma amiga que ele gosta de beijar de língua?

Só há uma coisa que posso fazer: tenho que ligar para a única pessoa que conheço que pode ser capaz de me ajudar. E tudo bem ligar para ela porque:

1. são só 19h onde ela está, e
2. ela ganhou um celular de Natal, então mesmo que nesse exato instante ela esteja esquiando em Aspen, ainda assim posso falar com ela, mesmo se estiver num teleférico de esqui, ou o que quer que seja.

Graças a Deus tenho meu próprio telefone no quarto. Apesar de eu *ter* que discar 9 para conseguir linha fora do palácio.

* 20 DSVM.

Sexta, 9 de janeiro, 3h05
Quarto Real Genoviano

Tina atendeu no primeiro toque! Ela com certeza não estava num teleférico de esqui. Ela torceu o tornozelo numa descida ontem. Ah, obrigada, Deus, por fazer Tina torcer o tornozelo para que ela pudesse estar disponível para mim na hora da minha necessidade.

E tudo bem, porque ela diz que só dói quando ela se mexe.

Tina estava no quarto dela no alojamento de esqui, assistindo ao canal Lifetime quando eu liguei (*Garota de programa*, no qual Tori Spelling faz o papel de uma jovem lutando para pagar sua educação universitária com dinheiro ganho trabalhando como garota de programa — baseada numa história real).

A princípio foi muito difícil fazer Tina prestar atenção na situação atual. Tudo o que ela queria saber era o que eu ia dizer quando encontrasse o príncipe William. Tentei explicar a ela que, de acordo com Grandmère, não estou autorizada a dizer nada para o príncipe William além de *Muitíssimo prazer em conhecê-lo*. Ela aparentemente tem medo de que eu vá falar da minha pesquisa sobre parquímetros, o que ela acha totalmente pouco glamoroso.

Além do mais, o que importa o que eu vou dizer a ele? Meu coração pertence a outro.

Essa resposta foi extremamente insatisfatória para Tina.

"O mínimo que você pode fazer", falou, "é pegar o e-mail dele para mim. Quer dizer, nem todo mundo está num relacionamento emocionalmente satisfatório como você, Mia."

Desde que ela começou a sair com ele, Dave, o namorado de Tina, se esquivava de qualquer comprometimento, dizendo que um homem não pode se deixar amarrar antes dos 16 anos. Então, mesmo que Tina fique dizendo que Dave é seu Romeu de calças cargo, ela vem mantendo os olhos abertos para encontrar um cara legal que deseje se comprometer. Embora eu ache que o príncipe William seja muito velho para ela. Sugeri que ela tentasse o irmão mais novo de Will, Harry, que, ouvi dizer, é muito gato também, mas Tina disse que aí ela jamais seria rainha, um sentimento que acho que posso entender, embora, pode acreditar em mim, ser da família real perde muito do glamour uma vez que acontece de verdade com você.

"Beleza", falei. "Vou dar o melhor de mim para conseguir o e-mail do príncipe William para você. Mas eu realmente tenho outras coisas na cabeça, Tina. Como, por exemplo, que há uma possibilidade real de que Michael só me ame como amiga."

"O quê?" Tina estava chocada. "Mas eu achei que você disse que ele usou a palavra com A na noite do Baile Inominável de Inverno!"

"Ele usou", disse eu. "Só que ele não disse que estava *apaixonado* por mim. Só disse que me amava."

Felizmente não tive que explicar mais nada. Tina já tinha lido romances suficientes para saber exatamente aonde eu estava querendo chegar.

"Garotos não dizem a palavra *amor* a menos que eles queiram dizer isso mesmo, Mia", consolou. "Eu *sei*. Dave nunca a usa comigo." Houve uma pontada de dor em sua voz.

"Sim, eu sei", concordei, com simpatia. "Mas a questão é *como* Michael quis dizer isso. Quer dizer, Tina, já ouvi ele falando que ama o cachorro dele. Mas ele não está *apaixonado* pelo cachorro."

"Acho que estou entendendo o que você quer dizer", afirmou, embora ela parecesse meio em dúvida. "Então, o que você vai fazer?"

"Foi por isso que liguei para você!", declarei. "Quer dizer, você acha que eu devia perguntar a ele?"

Tina soltou um grito de dor. Achei que fosse por ela ter mexido o tornozelo torcido, mas na verdade foi porque ela ficou muito horrorizada com o que eu tinha perguntado.

"De jeito nenhum! Você não pode simplesmente perguntar isso a ele!", gritou ela. "Você não pode colocá-lo contra a parede assim. Você tem que ser mais sutil. Lembre-se, ele é Michael, o que, obviamente, o torna totalmente superior a muitos caras, mas mesmo assim ele é um cara."

Eu não tinha pensado nisso. Eu não tinha pensado em um monte de coisas, parece. Não consegui acreditar que eu tinha simplesmente seguido nesse mar de felicidade, feliz só por saber que Michael só gostava de mim, enquanto o tempo todo ele podia ter se apaixonado por outra garota, mais talentosa intelectual ou atleticamente.

"Bem", disse eu. "Talvez eu devesse falar só tipo assim: 'Você gosta de mim como amiga ou gosta de mim como namorada?'"

"Mia", disse Tina. "Eu realmente não acho que você devia perguntar ao Michael assim, direto. Ele pode sair correndo de medo, como um cervo assustado. Garotos têm uma tendência a fazer isso, sabe. Eles não são como a gente. Eles não gostam de falar sobre os sentimentos deles."

É tão absolutamente triste que para conseguir qualquer tipo de conselho confiável sobre os homens eu tenha de ligar para alguém a 13 mil quilômetros de distância. Graças a Deus por Tina Hakim Baba existir, é tudo o que tenho a dizer.

"Então o que você acha que eu deveria fazer?", perguntei.

"Bem, vai ser difícil pra você fazer qualquer coisa", Tina disse, "até voltar para cá. O único jeito de saber o que um cara está sentindo é olhar dentro dos olhos dele. Você nunca vai conseguir arrancar nada dele por telefone. Garotos não são bons em falar no telefone."

Isso certamente era verdade, se meu ex-namorado Kenny pudesse ser algum tipo de indicação.

"Já sei", repetiu, como se ela tivesse acabado de ter uma boa ideia. "Por que você não pergunta a Lilly?"

"Não sei", confessei. "Eu ia me sentir meio estranha de envolver a Lilly em alguma coisa que é só entre mim e Michael..." A verdade era que Lilly e eu ainda não tínhamos nem mesmo falado de verdade sobre o fato de eu gostar do irmão dela e o irmão dela gostar de mim também. Eu sempre achei que ela ficaria meio bolada com isso. Mas aí acabou que no fim ela realmente meio que ajudou a gente a ficar junto, contando ao Michael que eu era a pessoa que estava mandando para ele aquelas cartas de amor anônimas.

"Só pergunte a ela", sugeriu.

"Mas é muito tarde lá agora", lamentei.

"Tarde? São só tipo nove horas na Flórida!"

"É, e essa é a hora em que os avós da Lilly e do Michael vão para a cama. Não quero ligar e acordá-los. Aí eles vão me odiar para sempre." *E isso vai tornar as coisas desconfortáveis no casamento.* Eu não disse essa parte em voz alta. Embora provavelmente eu pudesse ter dito e Tina tivesse compreendido.

"Eles não vão ligar se você os acordar, Mia", disse Tina. "Você está ligando de outro fuso horário. Eles vão entender. E me liga de volta depois que falar com ela! Quero saber o que ela acha."

Tenho de admitir que, enquanto eu discava, meus dedos estavam tremendo. Não tanto porque estava com medo de acordar o Sr. e a Sra. Moscovitz e fazer com que eles me odiassem por aquilo para sempre, mas porque havia uma chance de que Michael pudesse atender. O que eu iria dizer se ele atendesse? Eu não tinha ideia. A única coisa que eu sabia com certeza era que eu não ia dizer "Você gosta de mim como amiga ou gosta de mim como namorada?". Porque Tina tinha me dito para não dizer.

Lilly atendeu no primeiro toque. Nossa conversa foi assim:

Lilly: Uau. É você.

Eu: É muito tarde para ligar? Não acordei seus avós, acordei?

Lilly: Bom, é. Meio que sim. Mas eles vão superar isso. E aí? Como é que está?

Eu: Você quer dizer Genovia? Hm, tudo bem, acho.

Lilly: Ah, sim. Tenho certeza que está tudo bem, sendo servida o tempo todo, tendo todas as suas necessidades atendidas por criados e usando uma coroa o tempo todo.

Eu: A coroa machuca um pouco. Olha. Só me diz a verdade, Lilly. Michael conheceu outra garota?

Lilly: Outra garota? Do que você está falando?

Eu: Você sabe o que quero dizer. Alguma garota da Flórida que sabe surfar. Alguma garota chamada Kate, ou possivelmente Anne Marie, com um olho azul e outro castanho. Só me diga, Lilly, posso suportar a verdade, eu juro.

Lilly: Em primeiro lugar, para Michael ter conhecido outra garota, isso significa que ele teria de se desgrudar do laptop e sair do quarto, o que ele fez apenas para fazer as refeições e para comprar mais equipamentos de informática no tempo em que a gente está aqui. Ele está com a pele tão branca como sempre. Em segundo lugar, ele não vai sair com alguma garota chamada Kate, porque ele gosta de *você*.

Eu: (praticamente chorando de alívio) Verdade, Lilly? Você jura? Você não está só mentindo para fazer eu me sentir melhor?

Lilly: Não, não estou. Embora eu não saiba quanto a devoção dele a você vai durar, considerando que você nem mesmo se lembrou do aniversário dele.

Senti algo se agarrando à minha garganta. O aniversário do Michael! Eu tinha me esquecido do aniversário do Michael! Eu tinha marcado o dia em minha nova agenda e tudo, mas com tudo o que vinha acontecendo...

"Ai, meu Deus, Lilly", gritei. "Eu esqueci completamente!"

"É", disse Lilly. "Você esqueceu. Mas não se preocupe. Tenho certeza de que ele não esperava nenhum cartão nem nada. Quer dizer, você está fora, sendo a princesa de Genovia. Como se pode esperar que você se lembre de algo tão importante quanto o aniversário do seu namorado?"

Isso me pareceu bem injusto. Quer dizer, Michael e eu estávamos juntos só há 22 dias, e em 21 deles eu tinha andado muito, muito ocupada. Quer dizer, é muito fácil pra Lilly fazer piada, mas eu não a vi batizando nenhum navio de guerra nem lutando pela instalação de parquímetros públicos. Pode nunca ter passado pela cabeça de ninguém, mas essa história de ser princesa é dureza.

"Lilly", eu disse. "Posso falar com ele, por favor? Com Michael, quero dizer."

"Claro", confirmou Lilly. Depois ela berrou, "Michael! Telefone!"

"Lilly", eu gritei, chocada. "Seus avós!"

"Relaxa", disse ela. "Isso vai fazer com que eles parem de bater a porta da frente às cinco horas todas as manhãs quando vão buscar o jornal."

Um longo tempo depois daquilo eu finalmente ouvi alguns passos e depois Michael falando com Lilly "Obrigado". Em seguida ele pegou o telefone e falou, meio que curioso, já que Lilly não tinha dito quem era. "Alô?"

Só ouvir a voz dele me fez esquecer que já passava das três da madrugada e eu estava deprimida e odiando minha vida. De repente era como se fossem duas da tarde e eu estivesse deitada em uma das praias por onde eu estava trabalhando tão duro a fim de protegê-las da erosão e da poluição dos turistas, com o calor do sol se derramando sobre mim e alguém me oferecendo uma Orangina gelada numa bandeja de prata. Foi assim que a voz do Michael fez eu me sentir.

"Michael", falei. "Sou eu."

"Mia", disse ele, parecendo feliz de verdade por me ouvir. Não acho que fosse minha imaginação também. Ele realmente pareceu feliz, e não como se ele estivesse pronto para me dispensar em troca da Kate Bosworth mesmo. "Como você está?"

"Tudo bem", afirmei. Depois, para soltar o mais rápido possível, falei: "Olha, Michael, não acredito que me esqueci do seu aniversário. Foi mal. Foi muito mal. Sou a pessoa mais horrível que já pisou na face da Terra."

Então Michael fez uma coisa milagrosa. Ele riu. Riu! Como se esquecer o aniversário dele não fosse nada!

"Ah, tudo bem", ele disse. "Sei que você está ocupada aí. E tem essa coisa do fuso horário e tal. Então, como está indo? Sua avó deixou você em paz por causa daquela coisa do parquímetro ou ela ainda está na sua cola por causa disso?"

Eu praticamente derreti bem ali no meio da minha grande e pomposa cama real, com o telefone grudado na orelha e tudo. Eu não podia acreditar que ele estava sendo tão bacana comigo depois da coisa terrível que eu tinha feito. Não parecia que tinham se passado 20 dias, de jeito nenhum. Era como se nós ainda estivéssemos de pé na frente da minha portaria, com a neve caindo e parecendo tão branca sobre os cabelos do Michael, e Lars bolado na entrada porque nós não parávamos de nos beijar e ele estava com frio e queria entrar.

Eu não conseguia acreditar que sequer tivesse pensado que Michael pudesse se apaixonar por alguma garota da Flórida com olhos multicoloridos e uma prancha de surfe. Quer dizer, eu ainda não estava totalmente certa de que ele estava apaixonado por mim, nem nada. Mas eu tinha muita certeza de que ele *gostava* de mim.

E bem ali, às três da madrugada, sentada sozinha em meu quarto real no Palácio de Genovia, aquilo era suficiente.

Aí depois eu perguntei a ele sobre o aniversário, e ele me contou que eles tinham ido ao Red Lobster e Lilly tinha tido uma reação alérgica ao coquetel de camarões, daí eles tiveram de interromper o jantar para ir ao pronto-socorro porque ela ficou empolada como a Violet de *A fantástica fábrica de chocolate*, e agora ela tinha de carregar uma seringa cheia de adrenalina por todo canto, para o caso de ela ingerir frutos do mar acidentalmente, e que ganhou um notebook novo dos pais para quando ele for para a universidade, e que quando ele voltar para Nova York está pensando em montar uma banda, já que está tendo problemas em encontrar patrocinadores para sua newsletter, a *Crackhead*, por ter feito aquela exposição arrasadora sobre quanto o Windows é ruim e como ele só usa Linux agora.

Aparentemente um monte de ex-assinantes da *Crackhead* está assustado com a ira de Bill Gates e seus servos.

Eu fiquei tão feliz de escutar a voz do Michael que nem notei que horas eram ou quanto eu estava ficando sonolenta, até que ele falou "Ei, aí não são tipo quatro da manhã?", o que, naquele momento, já eram. Só que eu não estava ligando porque eu estava feliz demais só por estar falando com ele.

"É", falei, sonhadora.

"Bem, é melhor você ir para a cama", Michael disse. "A menos que você fique dormindo direto. Mas aposto que você tem coisas pra fazer amanhã, certo?"

"Ah", resmunguei, ainda totalmente perdida na poesia, que é para onde o som da voz do Michael me carrega. "Só uma cerimônia de cortação-de-fita no hospital. E depois almoço com a Sociedade Histórica Genoviana. E depois uma turnê no zoológico genoviano. E depois jantar com o ministro da Cultura e a mulher dele."

"Ai, meu Deus", Michael disse, parecendo alarmado. "Você tem que fazer esse tipo de coisa todo dia?"

"Aham", respondi, desejando estar lá com ele para poder olhar dentro daqueles olhos castanhos adoráveis enquanto escutava sua voz adoravelmente profunda, e dessa forma saber se ele me amava ou não, já que esta é, segundo Tina, a única maneira pela qual você pode saber isso dos garotos.

"Mia", disse ele, com alguma urgência. "É melhor você dormir um pouco. Você tem outro dia enorme à sua frente."

"Tá bom", respondi, feliz.

"Estou falando sério, Mia", repetiu. Ele pode ser tão autoritário às vezes, exatamente como a Fera de *A bela e a fera*, meu filme favorito de todos os tempos. Ou do jeito que Patrick Swayze fica mandando em Baby em *Dirty Dancing*. Tão, tão excitante. "Desligue o telefone e vá para a cama."

"Você desliga primeiro", disse eu.

Infelizmente, ele ficou menos mandão depois disso. Ao contrário, ele começou a falar naquela voz que eu só o tinha ouvido usar uma vez antes, na portaria em frente ao prédio do apartamento da minha mãe na noite do Baile Inominável de Inverno, quando nos beijamos daquele jeito todo.

O que era na verdade ainda mais maravilhoso do que quando ele estava me dando ordens, para ser sincera.

"Não", disse ele. "Você desliga primeiro."

"Não", falei, despedaçada, "Você."

"Não", disse ele. "Você."

"Vocês dois desliguem", disse Lilly, muito grosseiramente, pela extensão. "Eu tenho que ligar para Boris antes que o antialérgico dele faça efeito."

Então nós dois dissemos boa noite muito sem querer e desligamos.

Mas eu tenho quase certeza de que Michael teria dito eu te amo se Lilly não estivesse na linha.

* Dez dias até que o veja de novo. Mal posso ESPERAR!!!!!!!!!

Sábado, 10 de janeiro
Agenda Diária Real

13h — 15h: *Almoço com a Sociedade Histórica Genoviana*

Grandmère consegue ser tão má. Sério. Imagine me beliscar só porque ela achou que eu tinha cochilado por alguns segundos no almoço! Juro que vai ficar um hematoma. É uma coisa boa eu não ter tempo nenhum para ir à praia, porque se eu tivesse e alguém visse a marca que ela deixou, provavelmente chamaria o Serviço de Proteção à Criança Genoviana, ou o que quer que seja.

E eu não estava dormindo também. Estava apenas descansando os olhos.

Grandmère diz que é descuido "daquele rapaz" me manter acordada até altas horas sussurrando em meus ouvidos coisas doces que não querem dizer nada. Ela diz que o príncipe René jamais trataria nenhuma de suas namoradas de maneira tão dominadora.

Eu a informei muito firmemente de que Michael tinha realmente me *dito* para desligar, porque ele se importa muito profundamente comigo, e que fui *eu* que continuei falando. E que nós não sussurramos coisas doces que não querem dizer nada um para o outro, nós temos conversas cheias de substância sobre arte e literatura e o monopólio de Bill Gates na indústria de software.

Ao que Grandmère respondeu: *"Pfuit!"*

Mas dá para ver que ela está totalmente enciumada, porque ela ia gostar de um namorado que fosse tão inteligente e culto como o meu. Mas isso nunca, jamais vai acontecer, porque Grandmère é muito má e, além do mais, tem todas essas coisas que ela faz com as sobrancelhas. Caras gostam de mulheres com sobrancelhas de verdade, não pintadas.

* Nove dias até que eu esteja uma vez mais nos braços de meu amado.

Sábado, 10 de janeiro, 23h
Quarto Real Genoviano

Estou tão emocionada! Tina, não sendo capaz de se juntar à família nas pistas de esqui, passou todo o dia na internet em uma lan house de Aspen procurando os horóscopos de todos os amigos dela. Na noite passada ela me mandou um fax com o meu horóscopo e o do Michael! Vou até colar na minha agenda para não perder. Eles são tão precisos que estão provocando arrepios em minha espinha.

Michael — data de nascimento = 5 de janeiro

Capricórnio é o líder dos signos de Terra. Aqui está uma força estabilizadora, um dos signos mais trabalhadores do zodíaco. A Cabra-montesa tem poderes intensos de autoconcentração, mas não num sentido egoísta. Membros desse signo encontram muito mais confiança no que eles fazem do que em quem eles são. Capricórnio é um realizador muito grande! Sem equilíbrio, entretanto, Capricórnio pode se tornar muito rígido e se fixar muito nas realizações. Aí eles esquecem as pequenas alegrias da vida. Quando a Cabra finalmente relaxa e aproveita a vida, os mais deliciosos segredos dele ou dela emergem. Ninguém tem um senso de humor melhor do que o capricorniano. Ah, esse caprica pode nos aquecer com aquele sorriso caloroso!

Mia — Data de nascimento = 1º de maio

Regida pela amante Vênus, Touro tem grande profundidade emocional. Amigos e amantes contam com a cordialidade e acessibilidade emocional do taurino. Touro representa consistência, lealdade e paciência. Pé no chão, pode ser muito rígido, muito cauteloso para correr alguns dos riscos necessários na vida. Às vezes o taurino acaba temporariamente enfiado no pântano. Ele ou ela podem não querer crescer em cada desafio ou potência. E teimoso? Sim! O Touro pode sempre se revelar. A energia Yin desse signo pode também ir muito longe, fazendo com que o taurino se torne muito, muito passivo. Apesar disso, você não poderia pedir um amante melhor ou um amigo mais leal.

Michael + Mia

Signos corajosos e ambiciosos de Terra, Touro e Capricórnio parecem ter sido feitos um para o outro. Ambos dão valor ao sucesso na carreira e partilham o amor pela beleza e por estruturas duradouras e de qualidade. A ironia de Capricórnio seduz o Touro, enquanto a sensualidade especial do último resgata a Cabra de sua obsessão com a carreira. Eles gostam de conversar e a comunicação é excelente. Eles confiam um no outro, um prometendo nunca ofender ou trair o outro. Este pode ser um casal perfeito.

Está vendo? Nós somos perfeitos um para o outro! Mas sensualidade especial? *Eu?* Hm, não acho.

Mesmo assim... estou tão feliz! Perfeito! Não poderia ser mais perfeito!

Domingo, 11 de janeiro
Agenda Diária Real

9h — 10h: *Missa na Capela Real Genoviana*

Ai, meu Deus, eu sou namorada do Michael há apenas 24 dias e já me sinto terrível com isso. Essa história de namorada, quer dizer. Nem posso imaginar o que vou dar a ele de aniversário. Ele é o amor da minha vida, a razão pela qual meu coração bate. Você poderia pensar que eu devia saber o que comprar para o cara.

Mas não. Não faço ideia.

Tina diz que a única coisa apropriada para se comprar para um garoto que você está namorando oficialmente há menos de quatro semanas é um suéter. E ela diz que mesmo isso é adiantar as coisas, já que Michael e eu ainda não tivemos um encontro de verdade — então, tecnicamente, como nós podemos estar namorando?

Mas um *suéter*? Quer dizer, isso não é nada romântico. É o tipo de coisa que eu daria ao meu pai — se ele não estivesse precisando tanto de manuais de como lidar com a raiva, que foi o que dei a ele de Natal. Eu compraria um suéter para meu padrasto com certeza.

Mas para o meu *namorado*?

Fiquei meio surpresa por Tina ter sugerido algo tão banal, já que ela é basicamente a maior especialista em romances do nosso grupo. Mas Tina diz que as regras sobre o que dar aos garotos são na verdade muito inflexíveis. Foi a mãe dela quem disse. A mãe de Tina era modelo, viajava muito de jatinho e já tinha namorado um sultão, então acho que ela deve saber. As regras para dar presentes para os caras, de acordo com a Sra. Hakim Baba, são:

Tempo de duração do namoro:	Presente apropriado:
1-4 meses	Suéter
5-8 meses	Perfume
9-12 meses	Isqueiro*
1 ano +	Relógio

Mas isso é melhor pelo menos do que a lista feita por Grandmère do que é apropriado dar aos namorados, que ela me apresentou ontem, assim que eu mencionei a ela meu horrível vacilo de esquecer o aniversário do Michael. A lista dela é assim:

Tempo de duração do namoro:	Presente apropriado:
1-4 meses	Bombons
5-8 meses	Livro
9-12 meses	Lenço
1 ano +	Luvas

Lenços? Quem ainda dá lenços de presente? Lenços são totalmente anti-higiênicos!

E bombons? Para um *cara*????

Mas Grandmère diz que as mesmas regras se aplicam para as garotas e para os garotos. Michael não deve me dar nada além de bombons ou possivelmente flores em meu aniversário também!

Por alto, acho que prefiro a lista da Sra. Hakim Baba.

Além do mais, toda essa coisa de presente-para-namorado é tão difícil! Todo mundo diz alguma coisa diferente. Tipo assim, na noite passada eu liguei para minha mãe e perguntei a ela o que eu devia dar ao Michael, e ela disse umas sambas-canção de seda.

Mas eu não posso dar CUECAS para o Michael!!!!!!!!!!!!

Queria que minha mãe se apressasse e tivesse logo esse bebê de uma vez para ela parar de agir de forma tão estranha. Ela é bem inútil para mim em seu atual estado de desequilíbrio hormonal.

No auge do desespero, perguntei ao meu pai o que eu devia dar ao Michael, e ele disse uma caneta, para que Michael possa me escrever enquanto eu estiver em Genovia, em vez de eu ficar ligando para ele a toda hora e esvaziando os cofres de Genovia.

Que seja, pai. Como se alguém ainda usasse canetas para escrever.

E, alô, só vou estar em Genovia no Natal e durante os verões, segundo nosso acordo redigido em setembro passado.

Uma caneta. Que coisa. Será que sou a única pessoa da minha família com um pouco de romance nas veias?

Ops, tenho que parar de escrever, padre Christoff está olhando para cá. Mas a culpa é toda dele. Eu não estaria escrevendo em meu diário durante a missa se os sermões dele tivessem um mínimo de inspiração. Ou se pelo menos fossem em inglês.

12h — 14h: *Almoço com o diretor da Ópera Real Genoviana e o mezzo-soprano principal*

Achava que *eu* era chata para comer, mas na verdade os mezzo-sopranos são ainda mais chatas do que as princesas.

Minha espinha está crescendo descontroladamente, apesar da aplicação de pasta de dentes na noite passada antes de ir para a cama.

15h — 17h: *Encontro com a Associação Genoviana de Proprietários*

Você poderia pensar que a Associação de Proprietários, pelo menos, estaria do meu lado na questão do parquímetro. Afinal de contas, é na frente da casa *deles* que esses turistas ficam estacionando. Você poderia pensar que eles iriam querer trazer um pouco mais de renda para fazer reparos nas calçadas. Mas NÃÃÃÃÃÃÃÃÃÃÃÃÃÃÃÃO.

Eu juro que não sei como meu pai faz isso todos os dias. Eu realmente não sei.

19h — 22h: *Jantar formal com o embaixador do Chile e a esposa*

Grande controvérsia devido a René ter "pegado emprestado" o Porsche conversível do embaixador chileno — e a mulher dele — para uma excursão a Monte Carlo depois da sobremesa. Dupla finalmente encontrada jogando tênis na quadra real.

Infelizmente, era strip tênis.

* Oito dias para vê-lo novamente. Ah, alegria! Ah, êxtase!

Segunda, 12 de janeiro, 1h
Quarto Real Genoviano

Acabo de desligar o telefone depois de falar com Michael. Eu *tive* que ligar pra ele. Não tive escolha. Tinha que descobrir o que ele queria de aniversário. Sei que é jogo baixo — *perguntar* a alguém o que ele quer ganhar —, mas eu sinceramente não consigo pensar no que dar a ele. É óbvio que se eu fizesse o tipo Kate Bosworth eu totalmente já teria dado a ele o presente perfeito, tipo assim, uma pulseira de amizade charmosa que eu tivesse trançado sozinha com algas marinhas, ou o que quer que fosse.

Mas não sou Kate Bosworth. Eu nem sei trançar. AI, MEU DEUS, EU NEM MESMO SEI TRANÇAR!!!!!!!!!!!

Eu *tenho* que dar a ele algo *realmente* bom, já que esqueci. O aniversário, quero dizer. E aí é lógico que tem toda essa história de ele estar triste por ter uma princesa monstruosa e sem talento como namorada, em vez de uma tipo Kate Bosworth, gostosa, que consegue surfar, trançar, é autorrealizada e nunca tem espinhas nem nada. Eu tenho que dar a ele algo que seja tão fabuloso que ele esqueça que não sou nada além de uma caloura-não-surfista-roedora-de--unhas que por acaso nasceu com sangue real.

É óbvio que Michael diz que não quer nada, que eu sou a única coisa de que ele precisa (se pelo menos eu pudesse acreditar nisso!!!!!!!!!!!!!!), que ele vai me ver em oito dias e que este é o melhor presente que qualquer um poderia dar a ele.

Isso parece indicar que ele pode realmente estar apaixonado por mim, em vez de apenas gostar de mim como amiga. Tudo bem, eu terei de conferir com Tina para ver o que ela acha, mas eu diria que, neste caso, O Ponteiro Aponta para o Sim!

Mas ele obviamente só está falando isso por falar. Que ele não quer nada de aniversário, quer dizer. Tenho que dar *alguma coisa* a ele. Alguma coisa realmente boa. Mas o quê?

De qualquer forma, realmente tive uma razão para ligar para ele. Eu não fiz isso só porque eu queria escutar a voz dele nem nada. Quer dizer, *não cheguei* a esse ponto.

Ah, tudo bem, talvez eu tenha chegado. Como posso evitar? Só estou apaixonada por Michael desde, tipo assim, sempre. Amo o jeito como ele diz meu nome. Amo o jeito de ele rir. Amo o jeito dele de pedir minha opinião, como se realmente se importasse com o que penso (Deus sabe que ninguém por aqui se sente assim. Quer dizer, faça uma sugestão — tipo, de que se pode economizar água desligando a fonte em frente ao palácio à noite, quando ninguém está passando mesmo — e todo mundo praticamente age como se uma das armaduras do Grand Hall tivesse começado a falar).

Bem, certo, meu pai, não. Mas eu o vejo menos aqui do que lá em casa, praticamente, porque ele está tão ocupado com os encontros parlamentares, velejando com seu iate em regatas e saindo com a Miss República Tcheca.

Enfim, eu gosto de conversar com Michael. Será que isso é tão errado? Quer dizer, ele *é* meu namorado, afinal de contas.

Se pelo menos eu fosse mais digna dele! Quer dizer, apesar de eu não ter me lembrado do aniversário dele, de não ser capaz de descobrir o que dar a ele e de realmente não ser boa em nada, do jeito que ele é, é uma maravilha que ele ainda esteja interessado em mim!

Então a gente estava apenas se despedindo depois de ter tido uma conversa perfeitamente agradável sobre a Associação de Plantadores Genovianos de Oliveiras e a banda que ele está tentando montar (ele é tão talentoso!), e sobre se é desagradável chamar uma banda de Lobotomia Frontal, e eu estava me preparando para a despedida, tipo "Estou com saudades", ou "Eu te amo", deixando, dessa forma, uma abertura para ele dizer algo semelhante e assim resolver o dilema será-que-ele-me-ama-só-como-amiga-ou-está-apaixonado--por-mim de uma vez por todas, quando ouvi Lilly ao fundo pedindo para falar comigo.

Michael ficou falando, "Sai fora", mas Lilly continuou gritando, "eu preciso falar com ela, acabei de me lembrar que tenho algo realmente importante para perguntar a ela".

Aí Michael falou "Não conte a ela nada disso" e meu coração pulou porque achei que Lilly tinha de repente se lembrado de que Michael estava saindo com alguma garota chamada Anne Marie pelas minhas costas, no fim das contas. Antes que eu pudesse dizer qualquer coisa, Lilly havia arrancado o telefone dele (ouvi Michael grunhir, acho que de dor, porque ela deve ter batido nele ou algo assim) e então ela estava falando: "Ai, meu Deus, esqueci de perguntar. Você viu aquilo?"

"Lilly", falei, já que mesmo a 13 mil quilômetros de distância eu podia sentir a dor do Michael — Lilly bate forte. Eu sei porque já fui o saco de pancadas dela ao longo dos anos. "Sei que você está acostumada a que eu esteja inteiramente à sua disposição, mas vai ter que aprender a me dividir com seu irmão. Agora, se isso significa que vamos ter de estabelecer fronteiras em nosso relacionamento, então acho que vamos mesmo. Mas você não pode simplesmente aparecer e arrancar o telefone da mão do Michael quando ele pode ter algo realmente importante para..."

"Ah, para de falar sobre o meu santo irmão um minuto. Você... viu... aquilo?"

"Vi o quê? Do que você está falando?" Achei que talvez alguém tivesse tentado pular para dentro da jaula do urso-polar no zoológico do Central Park de novo.

"Ah, o documentário", disse Lilly. "Sobre a sua vida. Aquele que passou na TV noite passada. Ou você não ouviu dizer que fizeram um documentário sobre você?"

Eu não fiquei muito surpresa ao ouvir aquilo. Eu já tinha sido alertada de que um documentário sobre mim estava em produção. Mas tinham me garantido, pela equipe de publicidade do palácio, que o filme não seria exibido até fevereiro. Acho que estavam brincando com a gente.

Enfim. Há ainda quatro biografias minhas não autorizadas circulando por aí. Uma delas entrou para a lista de best-sellers por, tipo assim, meio segundo. Eu li. Não era tão bom assim. Mas talvez seja só porque eu já sabia como tudo ia acabar.

"E daí?", falei. Eu estava meio bolada com a Lilly. Quer dizer, ela havia expulsado Michael a socos do telefone só para me contar sobre algum filme idiota?

"Alô", disse Lilly. "Filme. Da sua vida. Você foi retratada como tímida e estranha."

"Eu *sou* tímida e estranha", lembrei a ela.

"Eles fizeram sua avó ser toda amigável e simpática com suas dificuldades", disse Lilly. "Foi a descaracterização mais grosseira que já vi desde que *Shakespeare apaixonado* tentou passar a imagem do Bardo como um gostosão com uma barriga sarada e todos os dentes no lugar."

"Isso é horrível", falei. "Agora posso, por favor, terminar de falar com Michael?"

"Você nem mesmo perguntou como eles *me* retrataram", Lilly disse, acusadoramente, "sua leal e melhor amiga."

"Como eles retrataram você, Lilly?", perguntei, olhando para o belo e grande relógio no topo do belo e grande aparador de mármore sobre minha bela e grande lareira do quarto. "E vê se conta rápido, porque eu tenho um café da manhã e depois uma cavalgada com a Sociedade Hípica Genoviana dentro de exatamente sete horas."

"Eles me retrataram como se não tivesse apoiado sua realeza." Lilly praticamente gritou ao telefone. "Eles fizeram o filme como se depois de você ter feito aquele corte de cabelo horrível, eu tivesse zoado você por ser superficial e maria vai com as outras!"

"É", eu disse, esperando que ela chegasse logo ao ponto principal do seu discurso furioso sobre sua desgraça. Porque é óbvio que Lilly não tinha apoiado meu corte de cabelo ou minha realeza.

Mas acabou que Lilly já tinha chegado ao motivo da desgraça.

"Nunca deixei de apoiar sua realeza!", gritou ao telefone, me fazendo segurar o fone longe da cabeça a fim de manter meus tímpanos intactos. "Eu fui a primeira amiga a apoiar você durante toda a história!"

Isso era uma mentira tão grande que achei que Lilly estivesse zoando e comecei a rir. Mas aí percebi, quando ela recebeu meu riso com um silêncio mortal, que ela estava falando sério. Aparentemente Lilly tinha uma dessas memórias seletivas, em que ela pode lembrar todas as coisas boas que fez, mas nenhuma das coisas más. Meio como um político.

Porque se fosse verdade que Lilly tinha me apoiado tanto, eu nunca teria ficado amiga de Tina Hakim Baba, com quem eu só comecei a sentar na hora do almoço em outubro porque Lilly não estava mais falando comigo por conta dessa coisa toda de ser princesa.

"Eu sinceramente espero", anunciou, "que você esteja rindo de incredulidade com a ideia de que eu jamais tenha sido nada menos do que uma boa amiga para você, Mia. Eu sei que tivemos nossos altos e baixos, mas se em alguma hora eu tiver sido dura com você, foi apenas porque pensei que você não estava sendo verdadeira consigo mesma."

"Hm", resmunguei. "Certo."

"Vou escrever uma carta", continuou, "para o estúdio que produziu essa peça de lixo *nonsense*, solicitando desculpas por escrito por aquele roteiro irresponsável. E se eles não providenciarem isso — e publicarem em anúncio de página inteira, e na *Variety* — eu vou processar. Não estou nem aí se eu tiver que levar meu caso à Suprema Corte. Esses caras de Hollywood acham que podem jogar qualquer coisa que eles queiram na frente da câmera e o público vai simplesmente lamber os beiços. Bem, isso pode ser verdade para o resto das massas, mas *eu* vou lutar por retratos mais honestos de pessoas e fatos reais. O homem não vai *me* intimidar."

Perguntei a Lilly que homem, pensando que ela queria dizer o diretor, ou algo assim, e ela só continuou a falar "O homem! O homem!", como se eu fosse mentalmente incapaz, ou algo assim.

Aí Michael voltou ao telefone e explicou que "o homem" é uma alusão figurativa à autoridade, e que da mesma maneira que os analistas freudianos colocam toda a culpa "na mãe", músicos de blues têm historicamente colocado a culpa de suas desgraças "no homem". Tradicionalmente, Michael me informou, "o homem" é normalmente branco, financeiramente bem-sucedido, de meia-idade e em posição de considerável poder sobre os outros.

Nós conversamos sobre a possibilidade de chamar a banda do Michael de O Homem, mas aí descartamos isso por ter possíveis subtons misóginos.

Sete dias até que eu possa mais uma vez estar nos braços do Michael. Ah, que as horas voem suavemente como pombas aladas!

Acabo de me dar conta — a descrição do Michael "do homem" parece muito com meu pai! Embora eu duvide de que todos esses músicos de blues estivessem falando do príncipe de Genovia. Até onde eu saiba, meu pai nunca esteve em Memphis.

Segunda, 12 de janeiro
Agenda Diária Real

20h — 0h: *Sinfônica Real Genoviana*

Exatamente quando parece, tipo assim, só tipo assim, que as coisas podem estar começando a rolar do meu jeito, algo sempre tem que acontecer para arruinar tudo.

E, como sempre, foi Grandmère.

Acho que ela sacou porque eu estava tão sonolenta de novo hoje, porque tinha ficado acordada a noite inteira conversando com Michael. Então hoje de manhã, entre minha cavalgada com a Sociedade Hípica e meu encontro com a Sociedade Genoviana de Desenvolvimento da Beira-Mar, Grandmère me fez sentar e me deu um sermão. Dessa vez não foi sobre os presentes socialmente aceitáveis para se dar a um garoto no seu aniversário. Ao contrário, foi sobre Escolhas Apropriadas.

"Está tudo muito bem e bom, Amelia", disse Grandmère, "você gostar *daquele rapaz*."

"Acho que sim", reclamei, com indignação justa. "Considerando que você nunca nem o conheceu! Quer dizer, o que você sabe sobre Michael, de qualquer forma? Nada!"

Grandmère só me deu aquele olhar do mal. "No entanto", continuou, "não acho que seja justo de sua parte deixar seu afeto por esse rapaz, Michael, cegar você para outros pretendentes mais adequados, como..."

Eu interrompi para dizer a Grandmère que se ela dissesse as palavras *príncipe William* eu ia pular da Ponte das Virgens.

Grandmère me disse para não ser mais ridícula do que já sou, que eu jamais poderia me casar com o príncipe William de qualquer forma, por ele ser da Igreja Anglicana. Entretanto, há aparentemente outros parceiros românticos, infinitamente mais adequados do que Michael, para uma princesa da Casa Real de Renaldo. E Grandmère disse que ela odiaria que eu perdesse a oportunidade de conhecer esses outros jovens rapazes só porque eu me iludo com o amor por Michael. Ela me assegurou que, fossem as circunstâncias inversas, se Michael fosse o herdeiro de um trono e de uma fortuna considerável, ela duvidava muitíssimo de que ele seria tão escrupulosamente fiel como eu estava sendo.

Objetei demais com relação a esta avaliação do caráter do Michael. Informei a Grandmère que, se ela ao menos tivesse se dado o trabalho de conhecer Michael, teria percebido que, em todos os aspectos da vida dele, desde ser editor da agora falecida *Crackhead* até seu papel como tesoureiro no Clube de Computação, ele tinha mostrado apenas a máxima lealdade e integridade. Também expliquei, o mais pacientemente que pude, que me magoava ouvi-la dizer qualquer coisa negativa sobre um homem para quem eu tinha prometido meu coração.

"É exatamente isso, Amelia", Grandmère afirmou, revirando os olhos assustadores. "Você é muito jovem para prometer seu coração a qualquer pessoa. Acho que é muito pouco inteligente de sua parte decidir, aos 14 anos, com quem você vai passar o resto de sua vida. A menos que acontecesse de ser alguém muito especial, obviamente. Alguém que seu pai e eu conhecêssemos. *Muito, muito* bem. Alguém que, embora possivelmente *pareça* um pouco imaturo, provavelmente só precisa da mulher certa para fazê-lo se assentar. Garotas amadurecem muito mais rápido do que os rapazes, Amelia..."

Interrompi Grandmère para informar a ela que farei 15 anos dentro de quatro meses, e também que Julieta tinha 14 anos quando se casou com Romeu. Ao que Grandmère replicou: "E aquele relacionamento terminou muito bem, não foi?"

Grandmère claramente nunca tinha se apaixonado. Além disso, não tinha qualquer apreciação por qualquer tipo de tragédia romântica.

"Seja como for", acrescentou Grandmère, "se você espera segurar *aquele rapaz*, você está fazendo tudo errado."

Achei que era muita falta de apoio Grandmère estar sugerindo que eu, depois de apenas ter tido um namorado de verdade durante vinte e cinco dias, tempo durante o qual eu tinha falado com ele exatamente três vezes ao telefone, já corria o risco de perdê-lo para alguém com olhos multicoloridos, e disse isso a ela.

"Bem, sinto muito, Amelia", disse Grandmère. "Mas não posso dizer que você sabe se é verdade que você realmente quer ficar com esse jovem rapaz."

Eu juro que não sei o que deu em mim naquele momento. Mas foi tipo como se toda a pressão que vinha sendo construída — a história do parquímetro; a saudade do Michael e da minha mãe e do Fat Louie; o que eu ia dizer ao príncipe William; minha espinha — tudo se tornou demais e me ouvi despejando: "Óbvio que quero ficar com ele! Mas como vou ser capaz de fazer isso quando sou uma princesa totalmente não autorrealizada, sem talento, sem peitos, sem-ser-o-tipo-Kate-Bosworth e HORRENDA?????"

Grandmère pareceu meio surpresa com minha explosão. Ela não parecia saber a que tema se dedicar primeiro, se minha falta de talento ou minha falta de seios. Finalmente ela escolheu dizer: "Bem, você poderia começar por não ficar ao telefone com ele até altas horas da noite. Você não dá a ele nenhuma razão para duvidar de seus sentimentos."

"Lógico que não", falei, horrorizada. "Por que eu faria isso? Eu o amo!"

"Mas você não devia deixá-lo saber disso!" Grandmère parecia pronta para jogar seu Sidecar matutino em mim. "Você é completamente estúpida? *Nunca* deixe um homem ter certeza de seus sentimentos por ele! Você fez um trabalho muito bom no início, com esse negócio de esquecer o aniversário dele. Mas agora você está arruinando tudo com essa história de ligar a toda hora. Se *aquele rapaz* perceber como você realmente se sente, ele vai parar de tentar agradar você."

"Mas, Grandmère", eu estava meio confusa. "Você se casou com o meu avô. Certamente ele entendeu que você o amava, se você foi em frente e se casou com ele."

"Grandpère, Mia, por favor, não esse vulgar *Avô* que vocês americanos insistem em usar." Grandmère fungou e pareceu insultada. "Seu Grandpère muito certamente não 'entendeu' meus sentimentos por ele. Eu praticamente garanto que achou que eu estava me casando com ele apenas por seu dinheiro e seu título. E não acho que preciso lembrar a você que nós passamos quarenta deliciosos anos juntos. E sem quartos separados", acrescentou, com alguma malícia, "ao contrário de *alguns* casais reais que eu poderia mencionar."

"Espera aí", eu a encarei. "Por quarenta anos você dormiu na mesma cama que Grandpère, mas você nunca, nem uma vez, disse a ele que o amava?"

Grandmère sugou o resto do seu Sidecar e deixou cair uma mão afetada sobre a cabeça de Rommel. Desde que havia retornado a Genovia e tido o diagnóstico de transtorno obsessivo-compulsivo, boa parte do pelo de Rommel havia começado a crescer novamente, graças ao cone de plástico em torno da cabeça dele. Uma penugem branca estava começando a surgir nele todo, tipo um pintinho. Mas isso não o fazia parecer nem um pouco menos repulsivo.

"Isso", disse Grandmère, "é exatamente o que estou dizendo a você. Mantive seu avô sempre na linha e ele amou cada minuto de tudo. Se você quer segurar esse rapaz, Michael, sugiro que faça a mesma coisa. Pare com esse negócio de ligar para ele toda noite. Pare com esse negócio de não olhar para qualquer outro rapaz. E pare com essa obsessão sobre o que você vai dar a ele de aniversário. Deveria ser *ele* o obcecado com o que vai comprar para manter *você* interessada, não o contrário."

"*Eu?* Mas meu aniversário é só em maio!" Eu não queria dizer a ela que já tinha descoberto o que ia dar para Michael. Não queria contar a ela porque eu meio que tinha afanado dos fundos do museu do Palácio de Genovia.

Bem, ninguém mais estava usando aquilo, então não vejo por que eu não possa. Sou a princesa de Genovia, afinal de contas. Sou dona de tudo o que está dentro daquele museu, de qualquer forma. Ou pelo menos a família real é.

"Quem disse que um homem deve dar presentes a uma mulher apenas no aniversário dela?" Grandmère estava olhando para mim como se temesse eu não ser um *Homo sapiens*. Ela levantou o pulso. Pendurado nele estava um bracelete que Grandmère usa muito, com diamantes grandes como moedas de um centavo de euro penduradas nele. "Eu ganhei isso do seu Grandpère no dia 5 de março, mais ou menos há quarenta anos. Por quê? Cinco de março não é meu aniversário nem é nenhum tipo de data festiva. Seu avô me deu isso naquele dia simplesmente porque ele achou que o bracelete, como eu, era bonito." Ela baixou a mão de volta para a cabeça de Rommel. "Assim, Amelia, é como um homem deve tratar a mulher que ele ama."

Tudo o que eu pude pensar foi *Pobre Grandpère*. Ele não fazia nenhuma ideia de onde estava se metendo quando ficou com Grandmère, que era bem gata quando jovem, antes de ter tatuado os olhos e raspado as sobrancelhas. Tenho certeza de que Grandpère só precisou dar uma olhada nela, através daquele salão de danças onde eles tinham se conhecido quando ele era apenas o herdeiro do trono e ela era uma alegre e jovem debutante, para congelar, como um pichador pego pelas luzes de um carro da polícia, sem jamais suspeitar do que estava por vir...

Anos de jogos mentais sutis e muitos Sidecar.

"Não acho que consigo ser assim, Grandmère", disse eu. "Quer dizer, não quero que Michael me dê diamantes. Só quero que me convide para o baile de formatura."

"Bem, ele não vai fazer isso", disse Grandmère, "se não achar que há uma possibilidade de que você esteja recebendo propostas de outros garotos".

"Grandmère!", fiquei chocada. "Eu nunca iria ao baile de formatura com ninguém a não ser com Michael!" Não que tivesse uma grande chance de qualquer outra pessoa me chamar também, mas eu sentia que aquilo não estava em questão.

"Mas você nunca deve deixá-lo *saber* disso, Amelia", declarou, severamente. "Você deve mantê-lo sempre em dúvida sobre seus sentimentos, sempre na linha. Homens gostam da caçada, sabe, e uma vez que tenham capturado sua presa, eles tendem a perder o interesse. Aqui. Isto é para você ler. Acredito que vai ilustrar adequadamente meus argumentos."

Grandmère havia tirado um livro de sua bolsa Gucci e o entregou a mim. Olhei para baixo, incrédula.

"*Jane Eyre?*" Eu não estava acreditando. "Grandmère, eu vi o filme. E, sem ofensa, era meio chato."

"Filme", disse Grandmère fungando. "Leia esse livro, Amelia, e veja se ele não ensina a você uma ou duas coisas sobre como os homens e as mulheres se relacionam uns com os outros."

"Grandmère", disse eu, sem ter certeza de como falar para ela que estava ultrapassada. "Acho que as pessoas que querem saber como os homens e as mulheres se relacionam uns com os outros estão lendo *Os homens são de Marte, as mulheres são de Vênus* hoje em dia."

"LEIA ESTE!" Grandmère gritou tão alto que assustou Rommel, que pulou de seu colo. Ele se esgueirou para trás de um vaso de gerânios.

Juro, não sei o que fiz para merecer uma avó como a minha. A avó da Lilly admira muito o namorado da Lilly, Boris Pelkowski. Ela sempre manda pra ele *kreplach* e essas coisas. Não sei por que eu tenho que ter uma avó que está sempre tentando me fazer terminar com o cara com quem eu estou namorando só há vinte e cinco dias.

* Sete dias, seis horas, quarenta e dois minutos até vê-lo novamente.

Terça, 13 de janeiro, Agenda Diária Real

8h — 10h: *Café da manhã com membros da Sociedade Shakespeariana Real Genoviana*

Jane Eyre é mto chato — até agora nada além de órfãos, péssimos cortes de cabelo e um monte de tosse.

10h — 16h: *Sessão do Parlamento Genoviano*

Jane Eyre está melhorando — ela conseguiu um emprego de governanta na casa de um cara muito rico, o Sr. Rochester. O Sr. Rochester é mto mandão, tipo Wolverine, ou Michael.

17h — 19h: *Chá com Grandmère e a mulher do primeiro-ministro da Inglaterra*

Sr. Rochester = muito gato. Entrando na minha lista de Caras Muito Gatos, entre Hugh Jackman e aquele cara croata do *Plantão Médico*.

20h — 22h: *Jantar formal com o primeiro-ministro da Inglaterra e família*

Jane Eyre = idiota total! Não foi culpa do Sr. Rochester! Por que ela está sendo tão má com ele?

E Grandmère não devia gritar comigo por ler à mesa. Foi ela quem me deu esse livro para ler.

* Seis dias, onze horas, vinte e nove minutos para vê-lo novamente.

Quarta, 14 de janeiro, 3h
Quarto Real Genoviano

OK, acho que estou entendendo aonde Grandmère estava querendo chegar com esse livro. Mas, sério, toda aquela parte onde a Sra. Fairfax alerta Jane para não ficar muito íntima do Sr. Rochester antes do casamento foi só porque naqueles dias de antigamente não havia métodos anticoncepcionais.

Além do mais — e eu devo consultar Lilly sobre isso —, tenho certeza de que é injusto basear o comportamento de alguém nos conselhos de um personagem de ficção, especialmente de um livro escrito em 1846.

Entretanto, eu entendo de verdade o significado geral do alerta da Sra. Fairfax, que era este: não corra atrás dos garotos. Correr atrás de garotos é ruim. Correr atrás de garotos pode levar a coisas horríveis, tipo mansões se desfazendo em chamas, amputação de mãos e cegueira. Tenha amor-próprio e não deixe as coisas irem tão longe antes do casamento.

Estou entendendo isso. Realmente estou entendendo isso.

Mas o que Michael vai pensar se eu simplesmente parar de ligar????? Quer dizer, ele pode pensar que não gosto mais dele!!!! E não é como se eu tivesse muitas coisas a meu favor, em primeiro lugar. Quer dizer, como namorada eu sou muito ruim. Não sou boa em nada, não consigo me lembrar do aniversário das pessoas e sou uma *princesa*.

Acho que é isso o que Grandmère quer dizer. Acho que você tem de manter os garotos na linha desse jeito.

Não sei. Mas pareceu funcionar com Grandmère. E com Jane, no fim. Acho que eu podia tentar.

Mas não será fácil. São nove da noite na Flórida agora. Quem sabe o que Michael está fazendo? Ele pode ter ido até a praia para um passeio e conhecido uma artista de rua que é bonita e faz música, e que está morando no cais e ganhando a vida com os turistas, para quem ela toca interessantes canções folclóricas em sua Stratocaster. Eu nem consigo jogar tênis, quanto mais tocar um instrumento.

Aposto que ela está usando roupas cheias de franjas, é toda cheia de curvas e tem os dentes perfeitos como pedras preciosas. Nenhum cara simplesmente ignora uma garota como essa.

Não. Grandmère e a Sra. Fairfax estão certas. Tenho que resistir. Tenho que resistir à vontade de ligar para ele. Quando você está menos disponível, os homens ficam mais interessados, exatamente como em *Jane Eyre*.

Embora eu ache que mudar de nome e fugir para morar com parentes distantes, como Jane fez, pode ser ir um pouco longe demais. Muito apelativo.

* Cinco dias, sete horas e vinte e cinco minutos para vê-lo novamente.

Quarta, 14 de janeiro, Agenda Diária Real

8h — 10h: *Café da manhã com a Sociedade Genoviana de Medicina*

Tão, tão cansada. Esta é a última vez que eu fico acordada metade da noite lendo literatura do século XIX.

10h — 16h: *Sessão do Parlamento Genoviano*

Longo discurso do ministro da Economia! Ele diz que Genovia vai ter parquímetros ou perecer!

17h — 19h: *Sessão do Parlamento Genoviano*

Longo discurso continua. Gostaria de escapar para pegar um refrigerante, mas tenho medo de que isso possa parecer falta de apoio.

20h — 22h: *Sessão do Parlamento Genoviano*

Não consigo mais aguentar. Longo discurso muito chato. Além do mais, René acaba de enfiar a cabeça pela porta e rir de mim. Deixe-o rir. *Ele* não vai ter que governar um país um dia.

Quinta, 15 de janeiro
Jantar formal no país vizinho Mônaco

Grandmère finalmente notou minha espinha. Acho que a ideia de eu encontrar o príncipe William com uma espinha gigante no queixo foi demais para ela, já que ela completamente extrapolou os limites. Eu disse a ela que tinha a situação sob controle, mas Grandmère claramente não coloca, como eu, tanta fé em pasta de dentes enquanto ajuda cosmética. Ela me mandou para o dermatologista real. Ele injetou alguma coisa no meu queixo, depois disse para não colocar mais pasta de dentes no rosto.

Parece que não consigo nem lidar com uma espinha direito. Como eu poderei governar um país?

COISAS PRA FAZER ANTES DE PARTIR DE GENOVIA

1. Descobrir um lugar seguro para colocar o presente do Michael, onde ele NÃO seja encontrado por Grandmère ou damas de companhia abelhudas enquanto estiverem embalando minhas coisas (dentro do coturno?).
2. Dizer adeus ao pessoal da cozinha e agradecer a eles por todas as comidas vegetarianas.
3. Garantir que o comandante do cais do porto tenha conseguido pendurar um par de tesouras do lado de fora de cada embarcação no porto para uso de turistas de iates que não trazem os próprios utensílios para cortar as embalagens plásticas de cerveja.
4. Tirar o nariz e os óculos engraçados da estátua da Grandmère no Hall dos Retratos antes que ela note.
5. Praticar meu discurso "Encontro com o príncipe William". Também o discurso "Adeus, príncipe René".
6. Quebrar o recorde de François de seis metros e trinta centímetros de lançamento de meias no Corredor dos Cristais.
7. Soltar todos os pombos do pombal do palácio (se eles quiserem voltar, tudo bem, mas eles devem ter a opção de ser livres).
8. Deixar Tia Jean Marie saber que este é o século XXI e que as mulheres não têm mais que viver com o estigma de pelos faciais escuros e deixar para ela meu creme descolorante.

9. Passar para o ministro da Economia detalhes sobre fabricantes de parquímetros que eu peguei na internet.
10. Pegar meu cetro de volta com o príncipe René.

Sexta, 16 de janeiro, 23h, Quarto Real Genoviano

Tina passou ontem o dia inteiro lendo *Jane Eyre* por minha recomendação e concorda comigo que deve haver alguma coisa nessa história toda de deixar-os-caras-correrem-atrás-de-você-em-vez-de-você-correr-atrás-deles. Então ela decidiu não mandar mensagens nem ligar para o Dave (a menos que ele escreva ou ligue antes).

Lilly, entretanto, se recusa a participar desse plano, já que ela diz que jogos são para crianças e seu relacionamento com Boris não pode ser qualificado por práticas psicossexuais de acasalamento da era moderna. De acordo com Tina (não posso ligar para Lilly porque Michael pode atender ao telefone e aí ele vai pensar que estou correndo atrás dele), Lilly diz que *Jane Eyre* foi um dos primeiros manifestos feministas, e ela aprova de coração que a gente o utilize como modelo para nossos relacionamentos românticos. Embora ela tenha mandado um aviso para mim, por Tina, de que eu não devo esperar que Michael me peça em casamento até depois que ele tenha obtido pelo menos um diploma de pós-graduação, bem como um emprego inicial numa empresa que pague pelo menos duzentos mil dólares por ano, mais bônus de performance anual.

Lilly também acrescentou que na única vez que ela o viu cavalgando, Michael não parecia nada romântico, então eu não devo ter esperanças de que ele vai começar a pular nenhuma sebe, tipo o Sr. Rochester, tão cedo.

Mas acho isso difícil de acreditar. Tenho certeza de que Michael ficaria muito bonito num cavalo.

Tina mencionou que Lilly ainda está chateada com o filme da minha vida que foi exibido outro dia. Tina o viu, aliás, e disse que não foi tão ruim quanto Lilly está querendo fazer parecer. Ela disse que a moça que interpretou a diretora Gupta era hilária.

Mas Tina não estava no filme, porque seu pai descobriu sobre ele antecipadamente e ameaçou os produtores com um processo se eles mencionassem o nome da filha em qualquer parte. O Sr. Hakim Baba se preocupa muito com a possibilidade de Tina ser sequestrada por um xeque rival do ramo petrolífero. Tina diz que ela não se importaria de ser sequestrada se o rival ou o xeque fosse gato e quisesse assumir um relacionamento de longo prazo e se lembrasse de comprar para ela um daqueles pingentes de diamante em formato de coração da Joalheria Kay no Dia dos Namorados.

Tina diz que a garota que fez Lana Weinberg no filme fez um trabalho genial e devia ganhar um Emmy. Disse também que ela não achava que Lana ia ficar muito feliz com a maneira pela qual foi retratada, como uma invejosa com ciúmes da princesa.

E também que o cara que fez o Josh era um gato. Tina está tentando descobrir o e-mail dele.

Tina e eu juramos que se qualquer uma de nós tivesse vontade de ligar para os nossos namorados, em vez disso nós íamos ligar uma para a outra. Infelizmente não tenho celular, então Tina não vai ser capaz de me encontrar se eu estiver no meio da condecoração de alguém, ou algo assim. Mas eu certamente vou perturbar meu pai para ganhar um Motorola amanhã. Pô, eu sou herdeira do soberano de um país inteiro. No mínimo, no mínimo, eu devia ter um *pager*.

* **Anotação pessoal:** procurar a palavra "sebe".

Quatro dias, doze horas e cinco minutos para ver Michael de novo.

Sábado, 17 de janeiro
Jogo de Polo Real Genoviano

Existe algum esporte mais chato do que polo? Quer dizer, tirando golfe? Acho que não.

Além do mais, não acho que seja muito bom para os cavalos ter aqueles martelos compridos balançando muito perto da cabeça deles. É tipo Silver, o cavalo do Zorro. O Zorro fica dando tiros perto da orelha do Silver. Não seria surpresa se o pobre bicho ficasse surdo.

Além do mais, René não tem *muito* espírito esportivo com o príncipe William nem nada. René fica cavalgando na frente do coitado e roubando a bola dele a cada chance que tem... e eles estão no mesmo time!

Eu juro, se o time de René ganhar, e ele der uma de Mia Hamm e balançar a camiseta no alto, vou saber que ele só está fazendo isso tudo para se mostrar para as hordas de fãs do príncipe William que estão aqui. O que eu acho compreensível. Provavelmente é desconcertante para ele que Wills seja tão mais popular do que ele. E René realmente tem peitorais muito impressionantes.

Se pelo menos todas essas garotas soubessem que ele fica imitando Enrique Iglesias...

* Três dias, dezessete horas e seis minutos até ver Michael de novo. Falando sobre peitorais impressionantes...

Sábado, 17 de janeiro, 23h
Quarto Real Genoviano

Grandmère precisa tanto cuidar da própria vida...
Hoje foi o Baile de Despedida — sabe, para celebrar o fim de minha primeira viagem oficial a Genovia na condição de herdeira do trono.

Enfim, Grandmère vem enchendo o saco sobre esse baile há semanas, como se essa fosse ser a minha primeira grande chance de me redimir por conta da história do parquímetro. Sem mencionar o fator príncipe William. Na verdade, por causa disso e de toda a história de não-achar-que-Michael-é-um-candidato-adequado-a-consorte, ela anda batendo tanto na mesma tecla que eu a culpo inteiramente por minha espinha — mesmo que ela tenha sumido agora, graças aos milagres da dermatologia moderna. Mas mesmo assim. Entre as pressões que Grandmère vem colocando em mim, mais a ansiedade de saber que meu namorado pode estar nesse exato momento tendo aulas de surfe com alguma Kate Bosworth sem espinhas, é um milagre que minha compleição não se pareça com a do cara que eles trancam no porão naquele filme *Os Goonies*.

Enfim. Então Grandmère faz esse grande drama por causa do meu cabelo (que está crescendo e tomando novamente a forma triangular, mas quem liga para isso, já que se espera que os garotos gostem mais de garotas com cabelos longos do que com cabelos curtos — eu li isso na *Cosmopolitan* francesa) e ela faz esse grande drama por causa das minhas unhas (certo, então apesar de toda a resolução de Ano-Novo eu ainda continuo roendo. Quem pode me condenar? O homem está me deixando mal) e ela faz esse grande drama com o que vou dizer ao príncipe William.

Depois, além de tudo isso, nós vamos ao estúpido baile, e eu ando até Wills (que, devo admitir, apesar de meu coração ainda pertencer ao Michael, estava bastante másculo em seu fraque) e estou toda preparada para dizer "Muitíssimo prazer em conhecê-lo", mas aí foi tipo como se no último segundo eu tivesse esquecido com quem eu estava falando, porque ele virou aqueles olhos muito, muito azuis para mim, tipo um par de refletores, e eu congelei na hora, exatamente da maneira que fiquei daquela vez quando Josh Richter sorriu para mim na farmácia Bigelow. Sério, eu meio que não conseguia lembrar onde estava ou o que estava fazendo ali, eu só estava olhando dentro daqueles olhos azuis e falando dentro da minha cabeça: *Ai, meu Deus, eles são da mesma cor do mar do lado de fora da janela do meu Quarto Real Genoviano.*

Aí o príncipe William foi falando "Muito prazer em conhecê-la", e apertou minha mão, e eu só fiquei encarando-o, apesar de nem gostar dele tanto assim. ESTOU APAIXONADA POR MEU NAMORADO.

Mas acho que é isso o que esse cara tem, ele tem esse carisma todo, meio tipo Bill Clinton (só que eu nunca o conheci, só li sobre isso).

Enfim, foi isso. Foi essa a duração da minha interação com o príncipe William da Inglaterra! Ele se virou depois disso para responder à pergunta de alguém sobre corrida de cavalos de raça e eu fiquei tipo "Ah, veja, cogumelos assados", para encobrir minha mortificação excruciante e fui correndo atrás do garçom que estava passando. É isso, fim.

Desnecessário dizer, eu não peguei o e-mail dele. Tina vai ter que aprender a viver com esse desapontamento.

Ah, mas minha noite não terminou aí. Não mesmo. Não, eu mal sabia que havia muito, muito mais a acontecer, com Grandmère me empurrando para o *príncipe René* a noite toda, para que nós dois pudéssemos dançar em frente ao repórter da *Newsweek* que está em Genovia para fazer uma reportagem sobre a transição do nosso país para o euro. Ela JUROU que era a única razão: para a fotografia.

Mas aí quando a gente estava dançando — o que, por sinal, eu sou horrível em fazer... dançar, quero dizer. Posso dançar *box step* se olhar para baixo o tempo todo e contar mentalmente, mas isso é tudo, tirando dançar junto, mas adivinhe o quê? Eles não dançam música lenta em Genovia... pelo menos, não no palácio — eu vi Grandmère circulando por todo o salão, apontando-nos para as pessoas, e foi tão óbvio o que ela estava dizendo, que você nem mesmo tinha que fazer leitura labial para saber que ela estava falando: "Eles não fazem o casal mais adorável do mundo?"

ECA!!!

Então, quando a dança acabou, só para o caso de Grandmère estar tendo qualquer ideia, eu fui até ela e falei "Grandmère, estou desejando dar um tempo nessa coisa de ligar para o Michael, mas isso não significa que vou começar a sair com o príncipe René", que, por sinal, me perguntou se eu queria ir até o terraço e fumar um cigarro.

É óbvio que eu disse a ele que não fumo e que ele não devia fumar também, já que o tabaco é responsável por meio milhão de mortes por ano apenas nos Estados Unidos, mas ele simplesmente sorriu, tipo James Spader em *A garota de rosa-shocking*.

Aí então eu disse a ele para não se empolgar, que eu já tinha namorado e talvez ele não tivesse visto o filme sobre a minha vida, mas eu sou totalmente capaz de lidar com caras que só estão atrás de mim por causa das joias da coroa.

Aí então René disse que eu era adorável e eu disse "Ah, pelo amor de Deus, corta esse lance de Enrique Iglesias", e aí meu pai apareceu e perguntou se eu tinha visto o primeiro-ministro da Grécia e eu disse "Pai, acho que Grandmère está tentando me empurrar para o René", e aí meu pai ficou todo sério e puxou Grandmère de lado e teve "Uma Palavrinha" com ela enquanto o príncipe René vazava para agarrar uma das irmãs Hilton.

Mais tarde Grandmère apareceu e me disse para não ser tão ridícula, que ela apenas queria que o príncipe René e eu dançássemos juntos porque era uma foto bonita para a *Newsweek* e talvez, se eles publicassem uma história sobre a gente, aquilo fosse atrair mais turistas.

Ao que eu repliquei que, à luz de nossa infraestrutura decadente, mais turistas é exatamente o que este país não precisa.

Suponho que se meu palácio fosse comprado sem meu conhecimento por algum designer de sapatos eu ficaria muito desesperada também, mas não ia ficar com uma garota que tem o peso de uma população inteira em seus ombros — e que *já* tinha um namorado, além do mais.

O lado bom é que, se a *Newsweek* realmente publicar a foto, talvez Michael fique todo cheio de ciúmes de René, do jeito que o Sr. Rochester ficou com aquele cara St. John, e ele vai ficar me dando ainda mais ordens!!!

* Dois dias, oito horas e dez minutos até ver Michael de novo.
MAL POSSO ESPERAR!!!!!!!!!!!!!!!!!!!!!!!!!

Segunda, 19 de janeiro, 15h, horário de Genovia, Jato Real Genoviano, 35 mil pés de altura

Não consigo acreditar que

1. Meu pai ficou em Genovia para resolver a crise do estacionamento em vez de voltar para Nova York comigo
2. Ele realmente acreditou em Grandmère quando ela disse que, devido ao meu fraco desempenho em Genovia, minhas aulas de princesa precisam continuar
3. Ela (para não mencionar Rommel) está voltando para Nova York comigo

ISSO NÃO É JUSTO. Eu mantive minha parte do acordo. Fui a cada uma das aulas de princesa que Grandmère me deu no outono passado. Passei em álgebra. Fiz meu pronunciamento estúpido para o povo genoviano.

Grandmère diz que, apesar do que eu possa pensar, eu ainda tenho muito o que aprender sobre governar. Só que ela está muito errada. Eu sei que ela só está voltando para Nova York comigo para poder continuar me torturando. Virou tipo um hobby pra ela. Na verdade, pelo que sei, pode ser até um dom dela, um talento concedido por Deus.

E, sim, antes de sair meu pai me deu cem euros e me disse que, se eu não fizesse drama por causa de Grandmère, ele ia me recompensar por isso um dia.

Mas não há nada que ele possa fazer para me recompensar por *isso*. Nada.

Ele diz que ela só é uma senhora inofensiva e que eu devia tentar aproveitar a companhia dela enquanto posso, porque um dia ela não vai mais estar conosco. Eu só olhei para ele como se ele tivesse perdido a cabeça. Até ele não conseguiu manter o rosto sério. Ele falou, "Tudo bem, vou doar *duzentos* dólares por dia para o Greenpeace se você garantir que ela não vai me deixar de cabelo em pé."

O que é engraçado, porque é óbvio que meu pai não tem mais nenhum. Cabelo, quero dizer.

Este é o dobro da quantia que ele já estava doando em meu nome para minha organização favorita. Eu sinceramente espero que o Greenpeace aprecie o supremo sacrifício que estou fazendo por amor a eles.

Então Grandmère está voltando para Nova York comigo e arrastando um lamuriento Rommel com ela. Bem quando o pelo dele tinha começado a crescer de novo. Pobre bichinho.

Eu disse ao meu pai que iria aguentar toda essa história de aula de princesa de novo esse semestre, mas que era melhor que ele deixasse uma coisa clara para Grandmère antecipadamente, que é o seguinte: eu tenho um namorado sério agora. É melhor Grandmère não tentar sabotar isso, ou achar que ela pode ficar tentando me juntar com algum príncipe René. Não ligo para quantos títulos da coroa o cara tem, meu coração pertence ao Sr. Michael Moscovitz, Escudeiro.

Meu pai disse que ele ia ver o que podia fazer. Mas não sei quanto ele estava realmente prestando atenção, já que a Miss República Tcheca estava por lá, girando seu xale, meio que impaciente.

Enfim, agora há pouco eu mesma disse a Grandmère que é melhor ela prestar atenção no que disser a respeito de Michael.

"Não quero ouvir mais nada sobre como eu sou muito jovem para estar apaixonada", falei durante o almoço (salmão cozido para Grandmère, salada de três feijões para mim) servido pelas comissárias de bordo reais genovianas. "Já sou madura o suficiente para conhecer meu próprio coração e isso quer dizer que sou madura o suficiente para dar esse coração a alguém, se eu escolher assim."

Grandmère disse algo sobre como então eu devia me preparar para um coração partido, mas eu a ignorei. Só porque sua vida romântica vem sendo totalmente insatisfatória desde que Vovô morreu, não é razão para ela ser tão cínica com a minha. Quer dizer, isso é o que ela consegue por ficar saindo com poderosos da imprensa e ditadores, ou coisas assim.

Michael e eu, ao contrário, estamos a caminho de viver um grande amor, exatamente como Jane e o Sr. Rochester. Ou Jennifer Aniston e Brad Pitt.

Ou pelo menos estaremos, se um dia conseguirmos ter um encontro de verdade.

* Um dia, catorze horas até vê-lo novamente.

Segunda, 19 de janeiro, Dia de Martin Luther King, finalmente em casa

Estou tão feliz que parece que vou explodir, tipo aquela berinjela que uma vez eu joguei pela janela do quarto da Lilly no décimo sexto andar.

Estou em casa!!!!!!! Finalmente em casa!!!!!!!!

Não consigo descrever como é bom olhar pela janela do avião e ver as luzes brilhantes de Manhattan abaixo. Isso me deixou com lágrimas nos olhos, sabendo que eu estava de volta ao espaço aéreo sobre minha amada cidade. Lá embaixo, eu sabia, motoristas de táxi estavam quase atropelando velhinhas (infelizmente, não Grandmère), donos de delicatéssen estavam dando troco a menos para seus clientes, investidores não estavam limpando o cocô de seus cachorros e as pessoas pela cidade toda estavam sonhando em se tornar cantores, atores, músicos, escritores ou dançarinos completamente esmagados por produtores, diretores, agentes, editores e coreógrafos sem alma.

Sim, eu estava de volta a minha bela Nova York. Finalmente eu estava de volta ao lar.

Eu tive certeza disso quando saí do avião e lá estava Lars esperando por mim, pronto para assumir a função de François como guarda-costas, o cara que tinha cuidado de mim em Genovia e me ensinado todos os palavrões franceses. Ele parecia ainda mais ameaçador depois de passar as férias de inverno com o guarda-costas de Tina Hakim Baba, Wahim, mergulhando e caçando javalis em Belize. Ele me deu um pedaço de mandíbula como lembrança de sua viagem, mesmo que, obviamente, eu não aprove a matança de animais por recreação, nem mesmo javalis, que realmente não podem evitar o fato de serem tão feios e maus.

Aí, depois de um atraso de 65 minutos, graças a um engavetamento na Belt Parkway, eu estava em casa.

Foi tão bom ver minha mãe!!!!! A barriga dela está começando a aparecer agora. Eu não quis dizer nada, porque mesmo que minha mãe diga que não acredita no padrão ocidental de beleza ideal e que não há nada errado com uma mulher que veste um número maior do que 46, tenho certeza de que se eu tivesse dito alguma coisa tipo "mãe, você está enorme", mesmo de maneira lisonjeira, ela começaria a chorar. Afinal de contas, ela ainda tem uns bons meses pela frente.

Então, em vez disso, eu só falei: "Esse bebê deve ser menino. Ou, se não for, deve ser uma menina tão grande quanto eu."

"Ah, eu espero que sim", disse mamãe, enquanto enxugava as lágrimas de alegria do rosto — ou talvez ela estivesse chorando porque Fat Louie estava mordendo seus tornozelos com muita força em um esforço para chegar perto de mim. "Eu poderia ter outra de você para poder usar quando você não estiver por perto. Senti tantas saudades! Não tinha ninguém para me repreender por pedir carne de porco assada e sopa chinesa de *wonton* do Number One Noodle Son."

"Eu tentei", garantiu o Sr. Gianini.

O Sr. G parece ótimo também. Ele está deixando crescer uma barbicha. Eu fingi que gostei.

Aí eu me abaixei e peguei Fat Louie, que estava miando agoniado para chamar minha atenção, e dei nele um enorme abraço apertado. Posso estar errada, mas acho que ele perdeu peso enquanto estive fora. Não quero acusar ninguém de deixá-lo passar fome propositadamente, mas notei que sua tigela de comida seca não estava completamente cheia. Na verdade, estava perigosamente perto da metade. Eu sempre mantive a tigela do Fat Louie cheia até a borda, porque você nunca sabe quando pode haver uma calamidade súbita, matando todo mundo em Manhattan menos os gatos. Fat Louie não pode colocar a própria comida, já que não tem polegares, então ele precisa de um pouco mais para o caso de todos nós morrermos e não haver ninguém por perto para abrir o saco para ele.

Mas o apartamento está tão legal!!!!!!! O Sr. Gianini fez muitas coisas nele enquanto eu estava fora. Ele se livrou da árvore de Natal — a primeira vez na história da família Thermopolis em que a árvore de Natal estaria fora do apartamento na Páscoa — e colocou internet banda larga no apartamento. Então agora você pode entrar na internet a qualquer hora sem ocupar o telefone.

É como um milagre de Natal.

E isso não é tudo. O Sr. G também refez completamente o quarto escuro de quando minha mãe estava passando por sua fase Ansel Adams. Ele puxou as bordas das janelas para fora e se livrou de todas as químicas nocivas que haviam estado por ali desde sempre porque minha mãe e eu tínhamos muito medo de tocar nelas. Agora o quarto escuro vai ser o quarto do bebê! É tão ensolarado e bacana lá dentro. Ou pelo menos *era*, até minha mãe começar a pintar as paredes (com tinta atóxica, lógico, para não colocar em risco o bem-estar de sua criança que ainda nem nasceu!) com cenas de importante significado histórico, como o julgamento de Winona Ryder e o casamento de J. Lo e Ben Affleck, para que, ela diz, o bebê tenha uma compreensão de todos os problemas enfrentados por nossa nação (o Sr. G me assegurou, em particular, que ele vai pintar tudo de novo assim que minha mãe for para a maternidade. Ela jamais vai notar a diferença depois que as endorfinas baterem. Tudo o que posso fazer é dar graças a Deus que mamãe tenha escolhido um cara com tanto bom senso para ser seu reprodutor dessa vez).

Mas a melhor coisa de todas foi o que estava esperando por mim na secretária eletrônica. Minha mãe colocou para eu ouvir orgulhosamente quase no minuto em que entrei pela porta.

ERA UM RECADO DO MICHAEL!!!! MINHA PRIMEIRA MENSAGEM GRAVADA DO MICHAEL DESDE QUE COMECEI A NAMORAR COM ELE!!!!!!!!!!!

O que, obviamente, quer dizer que funcionou. A história de eu-não-ligar-para-ele, quer dizer.

A mensagem é assim:

"Hum, oi, Mia? Aí, é o Michael. Eu estava pensando se você podia, hm, me ligar quando você receber este recado. Porque não tive mais notícias suas há um tempo. E só quero saber se você está, hm, legal. E ter certeza de que você chegou bem em casa. E que não há nada errado. Beleza. É isso. Bem. Tchau. Aqui é o Michael, por sinal. Talvez eu já tenha dito isso. Não lembro. Oi, Sra. Thermopolis. Oi, Sr. G. Beleza. Bom. Me liga, Mia. Tchau."

Eu tirei a fita da secretária eletrônica e estou guardando na gaveta de minha cabeceira junto com:

1. Alguns grãos de arroz do saco em que Michael e eu nos sentamos no Baile da Diversidade Cultural, em memória da primeira vez em que dançamos juntos uma música lenta
2. Um pedaço de torrada totalmente seca do *Rocky Horror Show*, que é onde Michael e eu fomos em nosso primeiro encontro, embora não tenha sido realmente um encontro, porque Kenny foi também
3. E um floco de neve roubado do Baile Inominável de Inverno, em memória da primeira vez em que Michael e eu nos beijamos

Esse recado foi o melhor presente de Natal que eu poderia ganhar. Melhor ainda que a internet banda larga.

Aí então eu entrei no meu quarto e desfiz as malas e toquei a mensagem direto umas 50 vezes no meu gravador, e minha mãe ficava entrando para me dar mais abraços e me perguntar se eu queria escutar o novo CD da Liz Phair e querendo me mostrar suas estrias. Então lá pela trigésima vez que ela entrou e eu estava tocando a mensagem do Michael de novo, ela falou "Você ainda não ligou para ele, querida?" e eu respondi "Não", e ela perguntou "Bem, por que não?" e eu confessei "Porque estou tentando ser Jane Eyre".

E aí minha mãe ficou toda de olhos arregalados, como ela fica sempre que estão debatendo financiamento para as artes no canal público.

"Jane Eyre?", repetiu. "Você quer dizer o livro?"

"Exatamente", falei, tirando de perto do Fat Louie os pequenos seguradores de guardanapos de diamantes napoleônicos que o primeiro-ministro da França havia me dado de Natal, porque ele havia se deitado dentro da minha mala, acho que acreditando erradamente que eu estava fazendo as malas e não desfazendo as malas, e ele queria tentar, assim, me impedir de partir novamente. "Olha, Jane não corria atrás do Sr. Rochester, ela deixava que ele corresse atrás dela. E Tina e eu também, nós duas fizemos votos solenes de que vamos ser exatamente como Jane."

Ao contrário de Grandmère, minha mãe não pareceu feliz ao ouvir isso.

"Mas Jane Eyre era tão má com o pobre Sr. Rochester!", gritou.

Eu não mencionei que isso era o que eu tinha pensado também... a princípio.

"Mãe", falei, muito firmemente. "E aquela coisa toda de manter Bertha trancada no sótão?"

"Porque ela era insana", apontou mamãe. "Eles não tinham psicotrópicos naquela época. Manter Bertha trancada no sótão, na verdade, era melhor do que mandá-la para um hospital psiquiátrico, considerando como eles eram naquela época, com as pessoas acorrentadas às paredes. Fala sério, Mia. Eu juro que não sei de onde você tira metade das suas ideias. Jane Eyre? Quem falou a você sobre Jane Eyre?"

"Hum", murmurei, encurralada porque eu sabia que ela não ia gostar da resposta. "Grandmère."

Os lábios da mamãe ficaram tão estreitos que desapareceram completamente.

"Eu devia ter adivinhado", disse ela. "Bem, Mia, acho que é recomendável que você e suas amigas tenham decidido não correr atrás de rapazes. Entretanto, se um rapaz deixa uma mensagem legal na secretária eletrônica, como Michael fez, seria muito difícil ser considerado assédio você fazer essa coisa educada de retornar a ligação dele."

Pensei sobre isso. Minha mãe provavelmente estava certa. Quer dizer, não é como se Michael tivesse uma mulher insana trancada no sótão. O apartamento da Quinta Avenida onde os Moscovitz moram nem tem sótão, até onde eu saiba.

"Beleza", concordei, deixando as roupas que eu estava tirando da mala. "Acho que eu posso retornar a ligação dele." Meu coração estava inflando só de pensar. Em um minuto — menos de um minuto, se eu conseguisse tirar minha mãe do quarto rápido o suficiente — eu estaria falando com Michael! E não teria aquele som estranho que sempre tem quando você liga do outro lado do oceano. Porque não haveria mais um oceano entre nós! Só o Washington Square Park. E eu não teria que me preocupar com ele desejando que eu fosse a Kate Bosworth em vez de Mia Thermopolis, porque não há Kate Bosworth em Manhattan... ou pelo menos se há, elas têm de ficar vestidas, pelo menos no inverno.

"Retornar ligações provavelmente não conta como correr atrás", disse. "Isso provavelmente seria ok."

Minha mãe, que estava sentada na ponta da minha cama, só sacudiu a cabeça.

"É sério, Mia", disse ela. "Você sabe que não gosto de contradizer sua avó" — esta era a maior mentira que eu já tinha ouvido desde que René me disse que eu valsava divinamente, mas eu deixei rolar, por conta da condição da mamãe, "mas eu realmente não acho que você devia ficar fazendo jogos com garotos. Particularmente um garoto de quem você gosta. Particularmente um garoto como Michael."

"Mãe, se eu quiser passar o resto da minha vida com ele, eu tenho de fazer jogos com Michael", expliquei a ela, pacientemente. "Eu certamente não posso dizer a ele a verdade. Se ele jamais souber das profundezas de minha paixão por ele, ele vai sair correndo como um cervo assustado."

Minha mãe pareceu assombrada. "Um o quê?"

"Um cervo assustado", expliquei. "Veja, Tina disse ao namorado dela, Dave Farouq El-Abar, o que ela realmente sente por ele e ele deu uma de David Caruso para cima dela."

Minha mãe piscou. "De quem?"

"David Caruso", falei. Eu fiquei com pena da minha mãe. Claramente ela só tinha conseguido conquistar o Sr. Gianini pelos seus belos dentes. Não dava para acreditar que ela não sabia dessas coisas. "Sabe, ele desapareceu por bastante tempo. Dave só ressurgiu quando Tina conseguiu arranjar ingressos da Wrestlemania para o Madison Square Garden. E desde então, Tina diz que as coisas ficaram realmente complicadas." Desfeita a mala, eu empurrei Fat Louie para fora dela, fechei-a e coloquei-a no chão. Depois me sentei perto da minha mãe na cama. "Mãe", disse. "Eu *não* quero que aconteça isso comigo e Michael. Eu amo Michael mais do que qualquer outra coisa no mundo, a não ser você e Fat Louie."

Eu só disse a parte do você para ser educada. Acho que amo Michael mais do que amo minha mãe. Parece terrível dizer isso, mas não consigo evitar, só sei que me sinto assim.

Mas eu jamais vou amar ninguém nem nada mais do que amo Fat Louie.

"Então você não vê?", disse a ela. "O que Michael e eu temos, eu não quero estragar. Ele é meu Romeu de black jeans." Mesmo que eu jamais tenha visto Michael de black jeans. Mas tenho certeza de que ele tem algum. É só que a gente usa uniforme na escola, então normalmente quando o vejo ele está com calças de flanela cinza. "E a verdade é que Michael é melhor do que eu, de toda forma. Então tenho que ser especialmente cuidadosa."

Minha mãe piscou para mim meio que confusa. "Melhor que você? Do que, afinal de contas, você está falando, Mia?"

"Bem, você sabe", falei. "Quer dizer, mãe, não sou exatamente um achado. Não sou realmente bonita nem nada, e acho que nós duas sabemos como eu tive que dar duro para passar no meu primeiro semestre de caloura em álgebra. E não sou realmente boa em nada."

"Mia!" Minha mãe parecia totalmente chocada. "Do que você está falando? Você é boa num monte de coisas! Bom, você sabe tudo sobre o meio ambiente e a Islândia e o que está passando no canal Lifetime..."

Eu tentei sorrir encorajadoramente para ela, como se eu realmente acreditasse que essas coisas fossem talentos. Eu não queria fazer minha mãe se sentir mal por não ter passado nenhum de seus talentos artísticos para mim. Isso realmente não é culpa dela, só de alguma fita de DNA que falhou em algum lugar.

"É", eu disse. "Mas olha, mãe, esses não são talentos de verdade. Michael é brilhante e inteligente e ele pode tocar um monte de instrumentos e escrever músicas e é bom em tudo o que faz, e é realmente uma questão de tempo até que ele fique caído por alguma garota totalmente linda que pode surfar, ou qualquer coisa assim..."

"Não sei por que", disse minha mãe, "você acha que só porque você teve que se esforçar mais em álgebra do que outras pessoas na sua turma você não é boa em nada, ou que Michael vai ficar com uma garota que surfa. Mas acho que se você não vê um garoto há um mês e ele deixa um recado para você, a coisa mais decente a se fazer é ligar de volta para ele. Se você não fizer isso, acho que pode ter certeza de que ele vai cair fora. E não vai ser como um cervo assustado".

Eu pestanejei para minha mãe. Ela estava certa. Eu vi então que o plano da Grandmère — sabe, de sempre manter o homem que você ama imaginando se você o ama ou não de volta — tinha algumas armadilhas. Tipo assim, ele podia simplesmente decidir que você não gosta dele e cair fora, e talvez se apaixonar por outra garota de cuja afeição ele pode ter certeza, tipo Judith Gershner, presidente do Clube de Computação e menina-prodígio, mesmo que supostamente ela esteja namorando um garoto da Trinity, mas nunca se sabe, isso poderia ser uma armadilha para me dar uma falsa sensação de segurança com Michael e baixei a guarda, achando que ele está a salvo do poder de clonagem-de-mosca-das-frutas de Judith...

"Mia", mamãe disse, olhando para mim toda preocupada. "Você está bem?"

Tentei sorrir, mas não consegui. Como, me perguntei, Tina e eu podíamos ter negligenciado essa falha tão séria em nosso plano? Mesmo agora, Michael poderia estar ao telefone com Judith ou alguma outra garota igualmente intelectual, falando sobre quasares ou fótons ou o que quer que seja que as pessoas inteligentes falam. Pior, ele podia estar ao telefone com Kate Bosworth, falando sobre as superfícies das ondas.

"Mãe", falei, ficando de pé. "Você tem que sair. Eu preciso ligar para ele."

Fiquei feliz porque o pânico que estava fechando minha garganta não era audível em minha voz.

"Ah, Mia", mamãe se animou, parecendo satisfeita. "Realmente acho que você devia ligar. Charlotte Brontë é, obviamente, uma autora brilhante, mas você tem que lembrar que ela escreveu *Jane Eyre* em 1840, e as coisas eram um pouco diferentes naquela época..."

"Mãe", falei. Os pais da Lilly e do Michael, os Drs. Moscovitz, têm essa regra totalmente rígida sobre ligar depois das onze da noite durante a semana. É proibido. E eram praticamente onze horas. E minha mãe ainda estava ali de pé, me impedindo de ter a privacidade de que eu precisaria se fosse fazer essa ligação tão importante.

"Ah", disse, sorrindo. Mesmo grávida, minha mãe ainda é totalmente gata, com todos aqueles cabelos longos escuros com uns cachos totalmente perfeitos. Eu nitidamente herdei os cabelos do meu pai, o que eu, na verdade, nunca vi, já que ele sempre foi careca desde que o conheço.

O DNA é tão injusto.

Enfim, FINALMENTE ela saiu — mulheres grávidas se movem *tão* vagarosamente, eu juro que a gente poderia pensar que a evolução devia tê-las feito mais rápidas para que pudessem escapar de predadores ou o que quer que seja, mas acho que não — e eu corri para o telefone, o coração disparado porque finalmente, FINALMENTE, eu ia falar com Michael, e minha mãe tinha até dito que estava tudo bem, que eu ligar para ele não contaria como assédio, já que ele tinha ligado primeiro...

E bem na hora que eu estava prestes a pegar o telefone, ele tocou. Meu coração realmente deu uma cambalhota dentro do peito, como ele faz sempre que vejo Michael. Era Michael ligando, eu tinha certeza. Eu atendi depois do segundo toque — mesmo que eu não quisesse que ele me trocasse por uma garota mais atenciosa, eu também não queria que ele pensasse que eu estava sentada perto do telefone esperando ele ligar — e disse, em meu tom mais sofisticado: "Alô?"

A voz rouca de cigarro da Grandmère encheu meus ouvidos. "Amelia?", rugiu. "Por que você está com essa voz? Está chateada com alguma coisa?"

"Grandmère." Eu não conseguia acreditar. Eram dez e cinquenta e nove! Eu tinha exatamente um minuto para ligar para Michael sem me arriscar a incorrer na ira dos pais dele. "Não posso falar agora. Tenho que fazer outra ligação."

"*Pfuit!*" Grandmère fez aquele seu ruído de desaprovação. "E para quem você ligaria a essa hora, como se eu já não soubesse?"

"Grandmère." Dez e cinquenta e nove e meio. "Tudo bem. Ele me ligou primeiro. Estou retornando a ligação. É uma coisa educada a se fazer."

"É muito tarde para você ligar para *aquele rapaz*", disse Grandmère.

Onze horas. Eu tinha perdido minha oportunidade. Graças a Grandmère.

"Você vai vê-lo amanhã na escola, de qualquer maneira", continuou. "Agora, deixe-me falar com sua mãe."

"Minha mãe?" Eu estava chocada com aquilo. Grandmère nunca fala com minha mãe se puder evitar. Elas não se dão bem desde que minha mãe se recusou a se casar com meu pai depois que ficou grávida de mim, por não querer que a filha fosse submetida às vicissitudes da aristocracia de seu progenitor.

"Sim, sua mãe", disse Grandmère. "Certamente você sabe quem é."

Então eu saí e passei o telefone para minha mãe, que estava sentada na sala de estar com o Sr. Gianini, assistindo a *Law & Order*. Eu não contei a ela quem estava ao telefone, porque se eu tivesse contado minha mãe teria me dito para dizer a Grandmère que ela estava no banho, e aí eu teria que falar com ela mais um pouco.

"Alô?", mamãe atendeu, toda feliz, pensando que era alguma de suas amigas ligando para comentar os pitis de Howard K. Stern e Bobby Trendy. Eu vazei o mais rápido que pude. Havia muitos objetos pesados ali por perto do sofá e que minha mãe poderia ter atirado na minha direção se eu tivesse ficado na área de alcance dos mísseis.

De volta ao quarto, pensei tristemente em Michael. O que eu ia dizer a ele amanhã, quando Lars e eu aparecêssemos na limusine para pegar ele e Lilly antes da escola? Que eu tinha chegado muito tarde para ligar? E se ele notasse minhas narinas dilatando quando eu falasse? Não sei se ele percebeu que elas fazem isso quando eu minto, mas acho que meio que mencionei isso a Lilly, já que eu tenho uma completa inabilidade para manter minha boca fechada sobre coisas que eu realmente deveria guardar para mim mesma, e vamos supor que ela tenha contado a ele?

Aí, enquanto fiquei sentada lá, prostrada na cama, com muito sono, porque em Genovia eram cinco da manhã e eu estava em total jet lag, eu tive uma ideia brilhante. Eu podia ver se Michael estava on-line e mandar mensagem para ele! Eu podia fazer isso mesmo que minha mãe estivesse no telefone com Grandmère, porque agora a gente tinha internet banda larga!

Então me arrastei até meu computador e fiz exatamente isso. E ele estava conectado!

> **Michael**, escrevi. *Oi, sou eu! Cheguei! Queria ligar para você, mas já passa das onze e eu não queria que sua mãe e seu pai ficassem zangados.*

Michael havia trocado seu apelido desde o fim da *Crackhead*. Ele não é mais **CracKing**. Ele é **LinuxRulz**, em protesto ao monopólio da Microsoft na indústria de softwares.

> **LinuxRulz:** Bem-vinda ao lar! É bom ter notícias suas. Fiquei preocupado que você tivesse morrido ou algo assim.

Então ele notou que eu tinha parado de ligar! O que significa que o plano que Tina e eu tínhamos bolado estava funcionando perfeitamente. Pelo menos até agora.

> **FtLouie:** Não, morta, não. Só muito ocupada. Sabe, o destino da aristocracia pesando sobre meus ombros e coisa e tal. Então Lars

e eu podemos passar para pegar você e Lily amanhã para ir à escola?

LinuxRulz: Isso seria bom. O que você vai fazer na sexta?

O que vou fazer na sexta? Ele estava me convidando para SAIR? Michael e eu realmente íamos ter um encontro? Finalmente????

Tentei responder casualmente para que ele não soubesse que eu estava tão animada (eu já tinha assustado Fat Louie pulando para cima e para baixo na cadeira do computador e quase rolando por cima do rabo dele).

FtLouie: Nada, que eu saiba. Por quê?

LinuxRulz: Quer ir jantar no Screening Room? Eles estão passando o primeiro *Guerra nas estrelas*.

AI, MEU DEUS!!!!!!!! ELE *ESTAVA* ME CONVIDANDO PARA SAIR!!!!!!!! Jantar e cinema. Ao mesmo tempo. Porque no Screening Room você se senta a uma mesa e janta enquanto o filme está passando. E *Guerra nas estrelas* é apenas meu filme favorito de todos os tempos, depois de *Dirty Dancing*. Poderia HAVER uma garota mais sortuda do que eu? Não, acho que não. Se liga, Miley.

Meus dedos estavam tremendo quando digitei:

FtLouie: Acho que seria legal. Tenho que ver com minha mãe. Posso responder amanhã?

LinuxRulz: Tudo bem. Então a gente se vê amanhã? Lá pelas 8h15?

FtLouie: Amanhã, 8h15.

Eu queria acrescentar alguma coisa tipo eu senti saudades ou eu te amo, mas não sei, aquilo pareceu tão estranho, e não consegui. Quer dizer, é constrangedor dizer à pessoa que você ama que você a ama. Não devia ser, mas é. E também não parecia algo que Jane Eyre faria. A menos, sabe, que ela tivesse acabado de descobrir que o homem que ela ama tinha perdido a visão numa tentativa heroica de salvar sua mulher louca e incendiária de um inferno no qual ela mesma tinha se enfiado.

Me chamar para sair para jantar e ver um filme de alguma maneira não me parecia realmente a mesma coisa.

Aí Michael escreveu

LinuxRulz: Garoto, eu tenho ido de um lado a outro desta galáxia —

que é uma das minhas frases favoritas do primeiro *Guerra nas estrelas*. Aí eu escrevi

FtLouie: Acontece que eu gosto de homens legais.

— pulando direto para *O império contra-ataca*, ao que Michael replicou

LinuxRulz: Eu sou legal.

O que é melhor do que dizer eu te amo, porque logo depois que Han Solo diz isso, ele beija a princesa Leia. AI, MEU DEUS!!! Parece realmente que Michael é Han Solo e eu a princesa Leia, porque Michael é bom em consertar coisas como hiperdrives, e, bem, eu sou uma princesa, e eu sou muito socialmente consciente como Leia e tal.

Além do mais, o cachorro do Michael, Pavlov, meio que parece com o Chewbacca. Se Chewbacca fosse um *sheltie*.

Eu não poderia imaginar um encontro mais perfeito nem se tentasse. Mamãe vai me deixar ir, até porque o Screening Room não é tão longe, e é *Michael*, afinal de contas. Até o Sr. Gianini gosta do Michael, e ele não gosta de muitos dos garotos que estudam na Albert Einstein — ele diz que eles são quase todos um bando de testosterona ambulante.

Imagino se a princesa Leia já leu *Jane Eyre*. Mas talvez *Jane Eyre* não exista na galáxia dela.

Não vou conseguir dormir nunca agora, estou muito ligada. *Vou vê-lo em oito horas e quinze minutos.*

E na sexta vou estar sentada perto dele numa sala escura. Sozinhos. Sem ninguém mais por perto. A não ser todas as garçonetes e as outras pessoas no cinema.

A Força está *muito* comigo.

Terça, 20 de janeiro
Primeiro dia de aula depois das férias de inverno, meu quarto

Eu mal consegui sair da cama hoje de manhã. Na verdade, a única razão pela qual fui capaz de me arrastar para fora dos cobertores — e do Fat Louie, que ficou deitado no meu peito ronronando como um cortador de grama a noite inteira — foi a possibilidade de ver Michael pela primeira vez em trinta e dois dias.

É completamente cruel forçar uma pessoa jovem como eu, quando devia estar tendo pelo menos nove horas de sono por noite, a viajar para cima e para baixo entre dois fusos horários tão drasticamente diferentes, sem nem um único dia de descanso nos intervalos. Ainda estou completamente fora de fuso e tenho certeza de que isso vai prejudicar não apenas meu crescimento físico (não no departamento altura porque já sou alta o suficiente, obrigada, mas na divisão de glândulas mamárias, sendo as glândulas muito sensíveis a coisas como ciclos de sono interrompidos), mas também meu crescimento intelectual.

E agora que estou entrando no segundo semestre do meu ano de caloura, minhas notas vão realmente começar a ter importância. Não que eu tenha intenção de ir para a faculdade nem nada. Pelo menos não direto. Eu, como o príncipe William, quero tirar um ano de folga entre a escola e a faculdade. Mas espero passá-lo desenvolvendo algum tipo de dom ou talento, ou, se eu não conseguir encontrar nenhum, sendo voluntária do Greenpeace, de preferência num daqueles barcos que ficam no caminho entre os navios japoneses e russos e as baleias. Não acho que o Greenpeace aceite voluntários que não tenham pelo menos média 8.

Enfim, foi a morte levantar essa manhã, especialmente quando, depois que eu peguei meu uniforme, me dei conta de que minhas calcinhas da rainha Amidala não estavam na gaveta. Eu tenho que usar minha calcinha da rainha Amidala no primeiro dia de cada semestre, ou terei má sorte pelo resto do ano. Eu *sempre* tenho boa sorte quando uso minhas calcinhas da rainha Amidala. Por exemplo, eu estava com elas na noite do Baile Inominável de Inverno, quando Michael finalmente disse que me amava.

Tudo bem que ele não disse que estava APAIXONADO por mim. Mas que ele me amava. Espero que não como amigo.

Tenho que usar minhas calcinhas da rainha Amidala no primeiro dia do segundo semestre, e também terei que mandá-las para a lavanderia a peso e pegá-las limpas antes de sexta para que possa usá-las no meu encontro com Michael. Porque vou precisar de sorte extra nessa noite, se vou ter que competir com as Kate Bosworth do mundo pela atenção dele... (e também porque planejo dar ao Michael o presente de aniversário dele nessa noite). O presente de aniversário do qual espero que ele vá gostar muito e também que ele vá ficar totalmente apaixonado por mim, se é que já não está.

Então eu tenho que entrar no quarto da minha mãe, que ela divide com o Sr. Gianini, e acordá-la (graças a Deus o Sr. G estava no banho, eu juro por Deus que se tivesse que vê-los na cama juntos na condição em que eu estava naquela hora, eu teria ficado completamente Anne Heche) e dizer: "Mãe, onde é que está minha calcinha da rainha Amidala?"

Minha mãe, que dorme feito um urso mesmo quando não está grávida, só respondeu "shurnowog", o que não é nem mesmo uma palavra.

"Mãe", falei. "Preciso de minha calcinha da rainha Amidala. Onde está?"

Mas tudo o que minha mãe disse foi "capukin".

Aí então tive uma ideia. Não que eu realmente tenha pensado que haveria alguma possibilidade de minha mãe não me deixar sair com Michael, ainda mais depois daquela fala em defesa dele na noite passada. Mas só para ter certeza de que ela não poderia voltar atrás eu falei: "Mãe, posso ir ao cinema e jantar com Michael no Screening Room sexta à noite?"

E ela falou, rolando pela cama: "Tá, tá, escuniper."

Então esse assunto já estava resolvido.

Mas eu ainda teria que ir para a escola com uma calcinha normal, o que me deixou um pouco chateada, porque não há nada especial nela, só é branca e sem graça.

Mas aí eu meio que me recuperei quando entrei na limusine, pela perspectiva de ver Michael e tal.

Mas aí eu fiquei toda assim, Ai, meu Deus, o que vai acontecer quando eu vir Michael? Porque quando você não vê seu namorado há 32 dias, você não pode simplesmente ficar toda "Oi, e aí" quando o vir. Você tem que, tipo assim, dar um abraço nele ou *algo assim*.

Mas como eu ia abraçá-lo no carro? Com todo mundo olhando? Quer dizer, pelo menos eu não ia ter que me preocupar com meu padrasto, já que o Sr. G se recusa totalmente a pegar a limusine pra escola comigo, Lars, Lilly e Michael todas as manhãs, mesmo que estejamos todos indo para o mesmo lugar. Mas o Sr. Gianini diz que gosta do metrô. Ele diz que é a única hora em que ele consegue escutar a música que ele gosta (mamãe e eu não vamos deixá-lo tocar Blood, Sweat and Tears no apartamento, então ele tem que escutar isso no iPod).

Mas e Lilly? Quer dizer, Lilly ia estar lá com certeza. Como eu posso abraçar Michael na frente da Lilly? Tudo bem, em parte foi por causa da Lilly que Michael e eu ficamos pela primeira vez. Mas isso não significa que eu me sinta perfeitamente confortável participando de, sabe, demonstrações públicas de afeto com ele *bem na frente dela*.

Se aqui fosse Genovia seria suficiente beijá-lo na bochecha, porque esta é a forma normal de cumprimentar as pessoas lá.

Mas aqui estamos nos Estados Unidos da América, onde você mal consegue apertar a mão das pessoas, a menos que você seja, tipo assim, o prefeito.

Além do mais, tinha toda a história de Jane Eyre. Quer dizer, Tina e eu tínhamos resolvido que não íamos correr atrás dos nossos namorados, mas não tínhamos falado nada sobre como cumprimentá-los de novo depois de 32 dias sem se ver.

Eu estava quase perguntando ao Lars o que ele achava que eu devia fazer quando tive uma ideia genial bem na hora em que estávamos estacionando na frente do prédio dos Moscovitz. Hans, o motorista, estava prestes a descer e abrir a porta pra Lilly e Michael, mas eu falei "Consegui", e depois *eu* desci.

E lá estava Michael, de pé na lama da neve derretida, parecendo todo grandão, bonito e másculo, o vento soprando seus cabelos pretos. Só o fato de o ver fez meu coração chegar a mais ou menos mil batidas por minuto. Parecia que eu ia derreter...

Especialmente quando ele sorriu quando me viu, um sorriso que alcançou seus olhos, que eram tão profundamente castanhos quanto eu me lembrava e cheios da mesma inteligência e do bom humor que estavam lá da última vez em que eu havia olhado dentro deles, 32 dias atrás.

O que eu não podia dizer era se eles estavam ou não cheios de amor. Tina dissera que eu seria capaz, só de olhar dentro dos olhos dele, de saber se Michael me amava ou não. Mas a verdade era que tudo o que eu podia dizer olhando para os olhos dele era que Michael não me achava horrivelmente repulsiva. Se ele achasse, teria desviado os olhos, da maneira que faço quando vejo aquele garoto no refeitório da escola que sempre tira o milho do *chili*.

"Oi", falei, minha voz subitamente superesganiçada.

"Oi", respondeu Michael, a voz dele nem um pouco esganiçada, mas realmente muito profunda e excitante e parecendo a do Wolverine.

Aí então a gente ficou ali com os olhares presos um no outro e nossa respiração saindo em pequenas baforadas de fumaça branca, e as pessoas passando apressadas pela Quinta Avenida na calçada em volta de nós, pessoas que eu mal notei. Eu mal consegui notar até mesmo Lilly falar "Ah, pelo amor de Pete" e marchar passando por mim para entrar na limusine.

Então Michael disse: "É realmente muito bom te ver."

E eu falei: "É realmente muito bom te ver também."

De dentro da limusine, Lilly falou: "Ei, está fazendo tipo dois graus do lado de fora, vocês dois podem se apressar e entrar aqui, já?"

E então eu disse: "Acho que é melhor a gente..."

E Michael falou: "É." E colocou a mão na porta da limusine para mantê-la aberta para mim. Mas quando eu comecei a entrar, ele colocou a outra mão no meu braço e, quando me virei para ver o que ele queria (mesmo que eu meio que já soubesse), ele falou: "Então você vai poder ir, na sexta à noite?"

E eu concordei: "Uhum."

E aí ele meio que puxou meu braço de um jeito muito tipo Sr. Rochester, fazendo com que eu desse um passo mais pra perto e, mais rapidamente do que eu jamais o tinha visto se movimentar antes, ele se curvou e me beijou, bem na boca, na frente do porteiro dele e de todo o resto da Quinta Avenida!

Tenho que admitir, o porteiro do Michael e todas as pessoas que passavam, incluindo todo mundo no ônibus M1 que estava circulando pela rua naquele exato momento, não pareceram prestar muita atenção no fato de que a princesa de Genovia estava sendo beijada bem ali na frente deles.

Mas *eu* notei. *Eu* notei, e achei maravilhoso. Me fez sentir como se talvez todas as minhas preocupações sobre se Michael me amava como uma potencial parceira de vida ou apenas como amiga tivessem talvez sido algo estúpido.

Porque não se beija uma amiga assim.

Eu não acho.

Então deslizei para trás da limusine com Lilly, um grande sorriso bobo no rosto, e eu estava totalmente com medo de que ela pudesse me zoar, mas não pude evitar, eu estava tão feliz porque, apesar de não estar com minha calcinha da rainha Amidala, já estava tendo um bom semestre, e ele não tinha começado nem há quinze minutos!

Aí Michael entrou ao meu lado e fechou a porta, e Hans começou a dirigir e Lars disse "Bom dia" para Lilly e Michael e eles disseram bom dia de volta e eu nem notei que Lars estava rindo por trás do seu café com leite, até que Lilly me contou quando saímos da limusine na escola.

"Como" anunciou, "se todos nós não soubéssemos o que vocês estavam fazendo lá fora."

Mas ela disse isso de uma maneira legal.

Eu estava tão feliz que mal consegui escutar o que Lilly estava falando no caminho para a escola, que era toda a história do filme. Ela disse que tinha mandado uma carta registrada para os produtores do documentário sobre mim e não recebeu resposta, apesar de eles já terem recebido há mais de uma semana.

"Isso é", disse Lilly, "apenas outro exemplo de como essa gente de Hollywood pensa que pode fazer qualquer coisa que quiser. Bem, estou aqui para dizer a eles que não podem. Se eu não receber notícias deles até amanhã, vou pra a imprensa."

Isso chamou minha atenção. Eu pisquei. "Você quer dizer que vai convocar uma entrevista coletiva?"

"Por que não?" Lilly deu de ombros. "Você fez isso, e até pouco tempo atrás você mal conseguia formular uma frase coerente na frente de uma câmera. Então isso não deve ser difícil."

Uau. Lilly está realmente com raiva dessa história do cinema. Acho que vou ter que ver o filme para ver quanto isso é ruim. O resto da galera na escola não parece ter pensado muito sobre isso. Mas na época em que o filme foi lançado eles estavam todos em St. Moritz ou em suas casas de inverno em Ojai. Eles estavam muito ocupados esquiando ou se divertindo ao sol para assistir a qualquer documentário idiota sobre a vida de uma de suas colegas.

Pela quantidade de gesso que as pessoas estão usando — Tina de longe não foi a única a quebrar alguma coisa nas férias —, todo mundo se divertiu muito mais nas férias do que eu. Até Michael diz que passou a maior parte do tempo no condomínio de seus avós sentado na varanda e escrevendo músicas para sua nova banda.

Acho que sou a única que passou todas as férias sentada em sessões do Parlamento, tentando negociar taxas de estacionamento para garagens de cassinos no centro de Genovia.

Mesmo assim, é bom estar de volta. É bom estar de volta porque pela primeira vez em toda a minha carreira acadêmica o cara de quem eu gosto realmente também gosta de mim — talvez até me ame. E eu posso vê-lo no intervalo entre as aulas e na aula de S&T do quinto tempo...

Ai, meu Deus! Eu esqueci totalmente! É um novo semestre! Eles estão montando novos horários para todos nós! E vão nos entregar na sala, depois dos pronunciamentos. E se Michael e eu não estivermos mais na mesma turma de S&T? Eu nem mesmo deveria estar em S&T, já que não sou nem um nem outro. Eles apenas me colocaram lá quando ficou evidente que eu ia reprovar em álgebra, então eu ganhei um horário extra para estudar sozinha. Eu deveria estar em educação tecnológica naquele horário. EDUCAÇÃO TECNOLÓGICA! ONDE ELES FAZEM VOCÊ CONSTRUIR PRATELEIRAS PARA TEMPEROS!

No segundo semestre é artes domésticas. SE EU FOR COLOCADA EM ARTES DOMÉSTICAS ESTE SEMESTRE EM VEZ DE SUPERDOTADOS & TALENTOSOS EU VOU MORRER!!!!!!!!!!!!

Porque eu acabei tirando um 8 em álgebra no último semestre. Eles não dão tempo extra pra você estudar sozinha se está tirando 8. Oito é considerado bom. Exceto, óbvio, para pessoas tipo Judith Gershner.

Ai, Deus, eu sabia. Eu simplesmente SABIA que alguma coisa ruim ia acontecer se eu não usasse minha calcinha da rainha Amidala.

Então, se eu não estiver em S&T, aí a única hora em que vou ver Michael será no almoço e entre as aulas. Porque ele é veterano e eu sou apenas uma caloura, então eu não estarei em cálculo avançado com ele nem ele estará em francês II comigo. E eu posso até nem conseguir vê-lo no almoço! Nós podemos perfeitamente não ter os mesmos horários de almoço!

E mesmo que a gente tenha, o que garante que Michael e eu vamos realmente nos sentar juntos no almoço? Tradicionalmente eu sempre me sentei com Lilly e Tina e Michael sempre se sentou com o Clube de Computação e garotos veteranos. Será que ele vai se sentar perto de mim agora? Sem chance de eu poder sentar à mesa *dele*. Todos aqueles caras lá sempre falam sobre coisas que não entendo, tipo como Steve Jobs é péssimo e quanto é fácil invadir o sistema de defesa de mísseis da Índia...

Ai, meu Deus, eles estão passando os novos horários de aulas agora. Por favor, não deixe que eu esteja em artes domésticas. POR FAVOR

Terça, 20 de janeiro, Álgebra

HA! Posso ter perdido minha calcinha da rainha Amidala, mas o poder da Força está comigo apesar de tudo. Meu horário de aulas é EXATAMENTE o mesmo do último semestre, a não ser que, por algum milagre, eu agora estou em biologia no terceiro período, em vez de civilizações mundiais (Ai, Deus, por favor não deixe que Kenny, meu antigo parceiro de biologia e ex-namorado, também tenha sido passado para o terceiro tempo de biologia). civilizações mundiais agora é no sétimo. E em vez de educação física no quarto período, todos teremos saúde e segurança.

E nada de educação tecnológica ou artes domésticas, graças a DEUS!!!!!!! Não sei quem disse à administração que sou superdotada e talentosa, mas quem quer que tenha sido, ficarei eternamente grata, e definitivamente vou tentar merecer isso.

E acabo de saber que não apenas Michael ainda está em S&T no quinto tempo, mas também tem a mesma hora de almoço que eu. Sei disso porque depois que cheguei aqui na aula de álgebra e sentei e tirei meu caderno e meu livro de álgebra I-II, Michael entrou!

É, ele veio bem aqui na sala de calouros no segundo semestre do Sr. G, como se fosse daqui ou algo assim, e todo mundo ficou olhando para ele, incluindo Lana Weinberger, porque você sabe que veteranos não costumam simplesmente entrar em salas de calouros, a menos que sejam monitores fazendo vistoria, ou algo assim.

Mas Michael não é monitor. Ele apareceu na sala do Sr. G só para *me* ver. Eu sei disso porque veio direto para a minha carteira com o horário de aulas na mão e falou "Em que hora de almoço você está?" e eu respondi, "A", e ele disse "A mesma que eu. Você está em S&T depois?" confirmei "É", e ele, "Beleza, te vejo no almoço".

Aí ele se virou e saiu andando de novo, parecendo todo grande e universitário com sua mochila JanSport e os tênis New Balance.

E o jeito com que ele falou "E aí, Sr. G", todo casual, para o Sr. Gianini — que estava sentado à mesa dele com uma xícara de café nas mãos e as sobrancelhas levantadas — enquanto ele saía...

Bem, não dá para ser mais descolado do que isso.

E ele tinha entrado ali para me ver. A MIM. MIA THERMOPOLIS. Antigamente a pessoa menos popular na escola inteira, com exceção daquele cara que não gosta de milho no chili.

Então agora todo mundo que não tinha visto Michael e eu nos beijando no Baile Inominável de Inverno sabe que a gente está namorando, porque você não entra na classe de outra pessoa no intervalo para conferir horários a não ser que esteja namorando.

Eu podia sentir todos os olhares de meus colegas sofredores de álgebra dirigidos a mim até a hora do sinal tocar, incluindo o de Lana Weinberger. Dava praticamente para ouvir todo mundo falando "*Ele* está saindo com *ela*?".

Acho que *é* um pouco difícil de acreditar. Quer dizer, mesmo *eu* mal consigo acreditar que é verdade. Porque é evidente que todos sabem que Michael é o terceiro garoto mais bonito da escola inteira, depois de Josh Richter e Justin Baxendale (embora, se você me perguntar, tendo visto Michael um monte de vezes sem camisa, ele faça esses outros caras parecerem aquele sujeito Quasimodo), então o que ele está fazendo *comigo*, uma aberração sem talento, com pés do tamanho de esquis e sem seios para serem comentados e narinas que dilatam quando eu minto?

Além do mais, sou uma humilde caloura, e Michael é um veterano que já foi aceito por antecipação em uma faculdade da Ivy League bem aqui em Manhattan. Além do mais, Michael é um dos oradores de sua turma e é um estudante nota 10, enquanto eu mal consegui passar em álgebra I. E Michael é meio que envolvido com atividades extracurriculares, incluindo o Clube de Computação, o Clube de Xadrez e o Clube de Ginástica. Ele projetou o site da escola. Ele consegue tocar, tipo, uns dez instrumentos. E agora está começando sua própria banda.

Eu? Sou uma princesa. Só isso.

E isso só *recentemente*. Antes de descobrir que era princesa, eu era apenas aquele lixo que estava reprovando em álgebra e sempre teve pelo de gato cor de laranja espalhado pelo uniforme.

Então, sim, acho que dá para dizer que um monte de gente ficou meio surpresa ao ver Michael Moscovitz vir direto até a minha carteira na aula de álgebra para comparar nossos horários. Deu pra sentir todos me encarando depois que ele saiu e o sinal tocou, e eu pude ouvi-los cochichando sobre isso entre si. O Sr. G tentou trazer todo mundo à ordem, falando "Certo, certo, o intervalo acabou. Sei que já faz muito tempo desde que vocês se viram uns aos outros, mas temos muito para fazer nas próximas nove semanas", só que obviamente ninguém prestou nenhuma atenção nele, além de mim.

Na carteira em frente a minha, Lana Weinberger já estava ao celular — o novo, que eu tinha pagado, por ter pisado no velho até despedaçá-lo num quase surto psicótico no mês passado — falando "Shel? Você não vai *acreditar* no que acaba de acontecer. Sabe aquela garota horrorosa da sua turma de latim, aquela que tem o programa de TV e o rosto largo? É, pois é, o irmão dela estava aqui agora mesmo comparando o horário com Mia Thermopo…"

Infelizmente para Lana, o Sr. Gianini tem uma implicância com o uso de celulares durante a aula. Ele foi direto até ela, tomou o telefone, levou-o ao ouvido e disse "A Srta. Weinberger não pode falar com você agora porque ela está ocupada escrevendo uma redação de mil palavras sobre como é pouco educado fazer ligações do celular durante o horário da aula", depois do que ele jogou o telefone dela na gaveta da mesa e disse a ela que o teria de volta no fim do dia, assim que tivesse entregado o trabalho.

Mas eu queria mesmo é que o Sr. G me desse o telefone da Lana. Eu certamente o usaria de uma forma mais responsável do que ela.

Mas acho que, mesmo quando o professor é seu padrasto, ele não pode simplesmente confiscar coisas de outros alunos e dá-las a você.

O que é péssimo, porque eu realmente poderia usar um celular exatamente agora. Eu simplesmente me lembrei de que não tinha perguntado à minha mãe o que Grandmère queria quando ligou na noite passada.

Ai, não. Números inteiros. Tenho que ir.

* $B = (x: x$ é um tal número inteiro que $x > 0)$

Defin.: quando um número inteiro é elevado ao quadrado, o resultado é chamado de quadrado perfeito.

Terça, 20 de janeiro, Saúde e Segurança

Isso é tão chato — MT

Nem me fale. Quantas vezes em nossas carreiras acadêmicas eles vão dizer pra gente que fazer sexo sem proteção pode resultar em gravidez indesejada e aids? Eles acham que isso não é absorvido nas primeiras cinco mil vezes ou o quê? — LM.

Parece que sim. Aí, você viu o Sr. Wheeton abrir a porta da sala dos professores, olhar para Mademoiselle Klein e depois sair? Ele está tão obviamente apaixonado por ela.

Eu sei, tá na cara, ele está sempre trazendo café com leite do Ho's pra ela. O que é ISSO, se não amor? Wahim vai ficar arrasado se eles começarem a sair.

É, mas por que ela escolheria o Sr. Wheeton em vez do Wahim? Wahim tem todos aqueles músculos. Sem mencionar a arma.

Quem pode explicar os caminhos do coração humano? Não eu. Ai, meu Deus, olha, ele está passando para segurança no trânsito. Será que isso pode SER mais chato? Vamos fazer uma lista. Você começa.

OK.

LISTA *NOVA E MELHORADA* DOS CARAS MAIS GATOS

DE MIA THERMOPOLIS, COM COMENTÁRIOS DE LILLY MOSCOVITZ

1. Michael Moscovitz. *(Obviamente não posso concordar devido à ligação genética com o citado indivíduo. Mas faço a concessão de que ele não é horrivelmente deformado.)*
2. Ioan Griffud dos filmes do *Quarteto Fantástico*. *(Concordo.)*
3. O cara de *Smallville*. *(Dã — só que eles deviam fazê-lo entrar para o*

time de natação da escola porque ele tem que tirar a camisa mais vezes por episódio.)
4. Hayden Christensen. *(De novo, dã — mesma equipe de natação. Devia haver uma para Jedis. Até para aqueles que aderiram ao Lado Sombrio.)*
5. Sr. Rochester. *(Personagem ficcional, mas concordo que ele exala uma certa masculinidade rude.)*
6. Patrick Swayze. *(Hm, tudo bem, talvez em* Dirty Dancing, *mas você o viu ultimamente? O cara é mais velho que seu pai!)*
7. O capitão Von Trapp de *A noviça rebelde*. *(Christopher Plummer era um gato extraordinário. Eu o esconderia das tropas nazistas a qualquer momento.)*
8. Justin Baxendale. *(Concordo. Ouvi dizer que uma aluna do penúltimo ano ficou tão hipnotizada pelos olhos dele que tentou se matar porque ele olhou para ela. Ela está fazendo terapia agora.)*
9. Heath Ledger. *(Ah, no filme do cavaleiro rock'n'roll, total. Mas não muito em* Honra e coragem. *Achei a performance dele naquele filme meio artificial. Além do mais, ele não tira a camisa o suficiente.)*
10. A Fera de *A Bela e a Fera*. *(Acho que conheço mais alguém que precisa fazer terapia.)*

Terça, 20 de janeiro, S&T

Estou tão deprimida.
Sei que não devia estar. Quer dizer, tudo em minha vida está indo tão maravilhosamente bem.

Coisa Maravilhosa Número Um:

O cara por quem eu fui apaixonada a vida inteira, de fato, me ama — ou pelo menos realmente gosta de mim também, e nós vamos sair juntos em nosso primeiro encontro de verdade na sexta.

Coisa Maravilhosa Número Dois:
Sei que é só o primeiro dia do novo semestre, mas mesmo assim não estou indo mal em nada, inclusive álgebra.

Coisa Maravilhosa Número Três:
Não estou mais em Genovia, o lugar mais chato de todo o planeta, com a possível exceção da aula de álgebra e das aulas de princesa da Grandmère.

Coisa Maravilhosa Número Quatro:
Kenny não é mais meu parceiro em biologia. Minha nova parceira é Shameeka. Que alívio. Sei que é covardia (sentir alívio por não ter mais que me sentar perto do Kenny), mas tenho muita certeza de que Kenny pensa que eu sou uma pessoa horrível por ter ficado com ele daquele jeito, todos aqueles meses, quando na verdade eu gostava de outra pessoa (embora não da pessoa que ele achou que eu gostasse). Enfim, o fato de eu não ter que lidar com nenhum olhar hostil vindo do Kenny (mesmo que ele já esteja com uma namorada nova, uma garota da nossa turma de biologia, por sinal — *ele* não perdeu tempo) vai provavelmente e realmente aumentar minhas notas naquela matéria. Além do mais, Shameeka é muito boa em ciências. Na verdade, Shameeka é muito boa em muitas coisas por ser pisciana. Mas, como eu, Shameeka não tem *nenhum talento especial*, o que a torna minha irmã de alma, se você pensar no assunto.

Coisa Maravilhosa Número Cinco:
Eu tenho amigos realmente legais que parecem de verdade querer ficar comigo por aí, e não só porque eu sou uma princesa também.

Mas este, veja, é o problema. Eu tenho todas essas coisas maravilhosas acontecendo comigo e devia estar totalmente feliz. Eu devia estar indo até a lua de alegria.

E talvez seja apenas o jet lag se manifestando (estou tão cansada que mal consigo manter os olhos abertos), ou talvez seja TPM (tenho certeza de que meu relógio interno está meio bagunçado por todos esses voos intercontinentais), mas eu não consigo eliminar essa sensação de que eu sou...

Bem, um lixo total.

Comecei a me dar conta disso hoje na hora do almoço. Eu estava sentada lá como sempre, com Lilly e Boris e Tina e Shameeka e Ling Su, e aí Michael veio e se sentou com a gente, o que obviamente causou toda uma comoção no refeitório, já que normalmente ele se senta com o Clube de Computação, e todo mundo na escola inteira sabe disso.

E eu fiquei totalmente envergonhada, mas é óbvio que fiquei orgulhosa e feliz também, porque Michael *nunca* se sentou com a gente quando nós dois éramos apenas amigos, então esse ato de se sentar lá *deve* significar que ele está pelo menos levemente apaixonado por mim, porque é um sacrifício e tanto desistir da conversa intelectual da mesa onde ele normalmente se senta em troca do tipo de conversa que temos na minha, que são geralmente, tipo assim, análises profundas sobre o último episódio noturno de *Charmed* e como a blusa frente única de Rose McGowan era bonitinha, ou qualquer coisa assim.

Mas Michael levou tudo de boa, mesmo que ele ache *Charmed* superficial. E eu realmente tentei manter a conversa em torno de coisas que um cara gosta, tipo *Buffy, a Caça-Vampiros* ou Milla Jovovich.

Só que acabou que eu nem precisei fazer isso, porque Michael é como um daqueles bichinhos de líquen sobre os quais a gente aprende em biologia. Sabe, aqueles que ficaram pretinhos quando o musgo dos quais eles se alimentavam ficou todo preto durante a Revolução Industrial? Ele consegue se adaptar totalmente a qualquer situação e se sentir bem. Esse é um talento incrível que eu gostaria de ter. Talvez, se eu o tivesse, não me sentiria tão deslocada nas reuniões da Associação dos Plantadores de Oliveiras Genovianos.

Enfim, hoje à mesa do almoço alguém começou a falar de clonagem, e todo mundo estava falando sobre quem você clonaria se pudesse clonar alguém, e as pessoas estavam dizendo tipo Albert Einstein, para que ele pudesse voltar e contar o significado da vida e essas coisas, ou Jonas Salk, para que ele pudesse descobrir uma cura para o câncer, e Mozart, para ele terminar seu último

Réquiem (tudo bem, essa foi do Boris, quem mais?), ou Madame Pompadour, para que ela pudesse nos dar dicas sobre romances (Tina), ou Jane Austen, para que ela pudesse escrever de maneira fulminante sobre a atual política climática e nós pudéssemos todos nos beneficiar de sua inteligência afiada (Lilly).

E aí Michael disse que ele clonaria Kurt Cobain, porque ele era um gênio da música que morreu muito jovem. E aí ele me perguntou quem *eu* clonaria, e eu não consegui pensar em ninguém, porque realmente não há ninguém morto que eu quisesse trazer de volta, exceto talvez Grandpère, mas isso seria muito esquisito. E Grandmère provavelmente ia pirar. Então eu disse apenas Fat Louie, porque eu amo Fat Louie e não ia me importar de ter dois dele perto de mim.

Só que ninguém pareceu muito impressionado com isso, exceto Michael, que disse "que legal", o que ele provavelmente só disse porque é meu namorado.

Mas, enfim, eu consegui encarar isso. Estou totalmente acostumada a ser a única pessoa que conheço que se senta para ver *Sexo, rock e confusão* toda vez que passa no TBS e que pensa que esse é um dos melhores filmes já feitos — depois de *Guerra nas estrelas* e *Dirty Dancing* e *Digam o que quiserem* e *Uma linda mulher*, óbvio. Ah, e *O ataque dos vermes malditos* e *Twister*.

Fico contente de assumir que assisto ao concurso de beleza Miss América todo ano sem guardar segredo, mesmo sabendo que é degradante para a mulher e *não é* um fundo para bolsas de estudos, considerando que ninguém que vista mais do que tamanho 38 jamais entra lá.

Quer dizer, sei essas coisas sobre mim. É só o meu jeito de ser, e embora eu tenha tentado melhorar assistindo a filmes premiados como *O tigre e o dragão* e *Gladiador*, não sei, mas não gosto deles. Todo mundo morre no fim e, além do mais, se não há dança ou explosões, para mim é muito difícil prestar atenção.

Então tudo bem, estou tentando aceitar essas coisas sobre mim mesma. É apenas o meu jeito de ser. Tipo assim, sou boa na aula de inglês e não tão boa em álgebra. E tudo bem.

Mas foi quando entramos na superdotados & talentosos hoje, depois do almoço, e Lilly começou a trabalhar no roteiro do episódio desta semana do

Lilly manda a real, e Boris pegou seu violino e começou a tocar um concerto (infelizmente, não no armário do almoxarifado, porque eles ainda não colocaram a porta de volta), e Michael colocou seus fones de ouvido e começou a trabalhar em uma nova música para a banda, que finalmente percebi: não há nem uma coisa na qual eu seja particularmente boa. Na verdade, não fosse pelo fato de eu ser uma princesa, eu seria a pessoa mais comum do mundo. Não é só porque eu não consigo surfar ou trançar uma pulseira da amizade. Eu não consigo fazer *nada*.

Quer dizer, todos os meus amigos têm essas coisas incríveis que eles fazem: Lilly sabe tudo o que há para se saber e não tem a menor vergonha de dizer isso diante de uma câmera. Michael não só toca violão e mais ou menos outros 50 instrumentos, incluindo piano e bateria, mas também consegue criar programas inteiros de computador. Boris toca seu violino nos concertos lotados do Carnegie Hall desde que ele tinha, tipo, 11 anos, ou algo assim. Tina Hakim Baba consegue ler, tipo, um livro por dia e se lembrar do que leu e repetir quase que literalmente, e Ling Su é uma artista extremamente talentosa. A única pessoa à nossa mesa de almoço além de mim que não tem nenhum talento especial discernível é Shameeka, e isso me fez me sentir melhor por mais ou menos um minuto, antes de lembrar que Shameeka é totalmente inteligente e bonita e tira 10 em tudo e as pessoas que trabalham em agências de modelos estão sempre chegando para ela, tipo na Bloomingdale's, quando ela está fazendo compras com a mãe, e pedindo a ela para deixá-los agenciá-la (apesar de o pai de Shameeka dizer que só por cima de seu cadáver uma filha sua vai ser modelo).

Mas eu? Não sei nem mesmo por que Michael gosta de mim. Sou tão sem talento e chata. Quer dizer, acho que é uma coisa boa que meu destino como monarca de uma nação esteja selado, porque se eu tivesse que me candidatar a um emprego em algum lugar, eu realmente não conseguiria, porque não sou boa em nada.

Então aqui estou eu, sentada na aula de Superdotados & Talentosos, e realmente não tem nada que mude este fato básico:

Eu, Mia Thermopolis, não sou nem superdotada nem talentosa.

O QUE ESTOU FAZENDO AQUI???????? NÃO PERTENÇO A ESTE LUGAR!!!!! DEVIA ESTAR EM EDUCAÇÃO TECNOLÓGICA!!! OU ARTES DOMÉSTICAS!!!!! EU DEVIA ESTAR FAZENDO UMA CASA DE PASSARINHOS OU UMA TORTA!!!!

Bem na hora em que eu estava escrevendo isso, Lilly se inclinou para mim e falou, "Ai, meu Deus, o que há de *errado* com você? Parece que simplesmente acabou de engolir uma meia", que é o que dizemos sempre que alguém parece superdeprimido, porque é assim que Fat Louie sempre fica quando come acidentalmente uma das minhas meias e tem que ir ao veterinário passar por uma cirurgia para removê-la.

Felizmente Michael não ouviu o que ela disse, graças aos fones de ouvido. Eu nunca seria capaz de confessar na frente dele o que confessei ali para a irmã dele, que é o fato de que eu sou uma enorme falsificação sem talento, porque aí ele saberia que não sou nada parecida com Kate Bosworth e ia me dar um fora.

"E eles só me colocaram nessa turma no início porque eu ia reprovar em álgebra", falei.

Aí Lilly disse a coisa mais surpreendente. Sem piscar os olhos, ela disse: "Você tem um talento."

Eu a encarei, os olhos arregalados e, temo, cheios de lágrimas. "Ah, é? Qual?" Eu estava realmente assustada com o fato de que ia começar a chorar. Realmente devia ser TPM ou algo assim, porque eu estava praticamente pronta para começar a me debulhar em lágrimas.

Mas para meu desapontamento tudo o que Lilly disse foi "Bem, se você não consegue descobrir, não sou eu que vou contar a você". Quando eu protestei, ela falou: "Parte da jornada para se alcançar a autorrealização é que você tem de alcançá-la por conta própria, sem ajuda ou orientação de outros. Caso contrário, você não vai sentir a sensação de conquista afiada. Mas está bem na sua frente, olhando para você."

Eu olhei em torno, mas não consegui descobrir do que ela estava falando. Não havia nada me olhando bem na minha frente que eu pudesse ver. Ninguém estava olhando para mim. Boris estava ocupado com seu violino e Michael estava dedilhando seu teclado furiosamente (e silenciosamente), mas isso era tudo. Todo mundo estava debruçado sobre seus livros Kaplan de revisão ou rabiscando distraidamente ou fazendo esculturas de vaselina ou algo assim.

Ainda não faço ideia do que Lilly estava falando. Não há nada em que eu seja talentosa — exceto talvez distinguir um talher de peixe de um talher comum.

Não consigo acreditar que tudo o que pensei que precisava para alcançar a autorrealização tenha sido o amor do homem para quem eu havia entregado meu coração. Saber que Michael me ama — ou pelo menos realmente gosta de mim — só torna isso tudo pior. Porque seu talento incrível torna o fato de que eu não sou boa em nada ainda mais óbvio.

Queria poder ir à enfermaria e tirar um cochilo. Mas eles não deixam você fazer isso a não ser que esteja com febre, e tenho certeza de que tudo o que tenho é cansaço por causa do fuso horário.

Eu sabia que ia ser um dia ruim. Se eu tivesse colocado minha calcinha da rainha Amidala eu nunca teria ficado cara a cara com a verdade sobre mim mesma.

Terça, 20 de janeiro, Civilizações Mundiais

Inventor	Invenção	Benefícios para a sociedade	Custos para a sociedade
Samuel F. B. Morse	Telégrafo	Maior facilidade de comunicação	Visão interrompida (cabos)
Thomas. A. Edison	Luz elétrica	Facilidade para acender luzes; menos caras do que velas	A sociedade não acreditou nela; não teve sucesso a princípio

Inventor	Invenção	Benefícios para a sociedade	Custos para a sociedade
Ben Franklin	Para-raios	Menos chance de a casa ser destruída	Horrível
Eli Whitney	Descaroçador	Menos trabalho	Menos emprego de algodão
A. Graham Bell	Telefone	Comunicação mais fácil	Visão interrompida (cabos)
Elias Howe	Máquina de costura	Menos trabalho	Menos emprego
Chris. Sholes	Máquina de escrever	Trabalho mais fácil	Menos emprego
Henry Ford	Automóvel	Transporte mais rápido	Poluição

Eu nunca vou inventar nada, nem para benefício nem para custo de qualquer sociedade, porque sou um lixo sem talento. Eu nem mesmo consegui fazer com que o país que vou governar um dia instale PARQUÍMETROS!!!!!!!!!!

* **DEVER DE CASA**

<u>Álgebra</u>: Probls. no início do capítulo 11 (sem aula de revisão, o Sr. G tem reuniões — e, também, acabou de começar o semestre, então nada ainda para rever. Também não vou mais reprovar!!!!!!)

<u>Inglês</u>: Atualizar diário (Como Passei Minhas Férias de Inverno — 500 palavras)

<u>Biologia</u>: Ler capítulo 13

<u>Saúde e Segurança</u>: Ler capítulo 1, Você e seu ambiente

<u>S&T</u>: descobrir talento oculto

Francês: *Chapitre Dix*
Civilizações Mundiais: Capítulo 13: Admirável Mundo Novo

Terça, 20 de janeiro, na limusine a caminho da aula de princesa com Grandmère

COISAS PRA FAZER

1. Encontrar a calcinha da rainha Amidala.
2. Parar de ficar obcecada se Michael ama você ou não *versus* estar apaixonado por você. Ficar feliz com o que você tem. Lembre-se: muitas garotas não têm nem namorado. Ou têm uns realmente nojentos, sem os dentes da frente, tipo em Maury Povich.
3. Ligar pra Tina e comparar anotações sobre como está funcionando a história de não-correr-atrás-dos-garotos.
4. Fazer todo o dever de casa. Não ficar para trás no primeiro dia!!!!!!
5. Embrulhar o presente do Michael.
6. Descobrir o que Grandmère falou com mamãe na noite passada. Ai, Deus, por favor não deixe ser algo estranho tipo querer que eu faça tiro ao alvo. Não quero atirar em nenhum alvo. Nem em qualquer outra coisa, por sinal.
7. Parar de roer as unhas.
8. Comprar areia de gato.
9. Descobrir talento oculto. Se Lilly sabe, deve ser muito óbvio, já que ela ainda não descobriu a história das narinas.
10. DORMIR UM POUCO!!!!!!!!! Garotos não gostam de garotas que têm olheiras enormes, ao contrário de Kate Bosworth. Nem garotos perfeitos como Michael.

Terça, 20 de janeiro, ainda na limusine a caminho da aula de princesa com Grandmère

Rascunho para o Diário de Inglês:

COMO PASSEI MINHAS FÉRIAS DE INVERNO

Passei minhas férias de inverno em Genovia, população de 50 mil habitantes. Genovia é um principado localizado na Côte d'Azur, entre a Itália e a França. A principal exportação de Genovia é o azeite de oliva. Sua principal importação são turistas. Recentemente, entretanto, Genovia começou a sofrer de consideráveis danos a sua infraestrutura devido ao tráfego de pedestres vindos dos muitos navios de cruzeiro que chegam a seu porto e

—

—

—

Quarta, 21 de janeiro, Sala de Estudos

Ai, meu Deus. Ontem eu devia estar ainda mais cansada do que achei. Parece que adormeci na limusine a caminho da suíte da Grandmère no Plaza e Lars não conseguiu me acordar para a aula de princesa! Ele diz que, quando tentou, eu o afastei com um tapa e soltei um palavrão em francês (o que é culpa de François, não minha).

Então ele fez Hans dar meia-volta e me levar pra casa, aí me carregou pelos três lances de escada até meu quarto (o que não é fácil, eu peso mais ou menos uns cinco Fat Louie) e minha mãe me colocou na cama.

Nem acordei para jantar. Dormi até as sete da manhã! Isso são quinze horas direto.

Uau. Eu devia estar morta por toda a excitação de voltar para casa e ver Michael, ou algo assim.

Ou talvez eu realmente tenha sofrido com o fuso horário e toda aquela coisa de eu-sou-uma-pessoa-inferior-e-sem-talento de ontem não estava baseada na minha baixa autoestima, mas era devida a um desequilíbrio químico por privação de sono. Dizem que pessoas privadas do sono começam a sofrer de alucinações depois de um tempo. Houve um DJ que ficou acordado onze dias direto, o período mais longo registrado que qualquer pessoa tenha conseguido ficar sem dormir, e ele começou a tocar só Phil Collins o tempo todo, e foi assim que souberam que era hora de chamar a ambulância.

Acontece que, mesmo depois de quinze horas de sono, eu ainda me acho inferior e sem talento. Mas pelo menos hoje eu não sinto como se isso fosse uma grande tragédia. Acho que dormir por quinze horas direto me deu alguma perspectiva. Quer dizer, nem todo mundo pode ser supergênio como Lilly e Michael. Bem como nem todo mundo pode ser um virtuose do violino como Boris. Eu tenho que ser boa em *alguma coisa*. Só preciso descobrir em quê. Perguntei ao Sr. G hoje no café da manhã em que ele acha que eu sou boa, e ele disse que acha que eu faço algumas combinações interessantes com moda, às vezes.

Mas isso não deve ser o que Lilly estava falando, já que eu estava usando meu uniforme escolar na hora em que ela mencionou meu talento misterioso, o que quase não deixa espaço para expressão criativa.

A opinião do Sr. G me lembrou de que eu ainda não tinha encontrado minha calcinha da rainha Amidala. Mas eu não ia perguntar ao meu padrasto se ele tinha visto. ARGH! Tento não olhar para as cuecas do Sr. Gianini quando elas chegam dobradas da lavanderia, e graças a Deus ele estende a mesma cortesia a mim.

E eu não podia perguntar à mamãe, porque mais uma vez ela estava dormindo. Acho que mulheres grávidas precisam de tanto sono quanto adolescentes e DJs.

Mas, sério, seria melhor que eu as encontrasse antes de sexta, ou meu primeiro encontro com Michael será um enorme desastre, tenho certeza disso. Tipo, ele provavelmente vai abrir seu presente e ficar todo "Ah... o que importa é a intenção".

Eu provavelmente deveria ter só seguido as regras da Sra. Hakim Baba e comprado um suéter para ele.

Mas Michael não faz o nem um pouco o tipo suéter! Eu me dei conta disso quando paramos em frente ao prédio dele hoje. Ele estava de pé lá, parecendo todo grande e másculo, tipo o Heath Ledger... (só que ele tem cabelos pretos, não louros).

E o cachecol dele estava meio que flutuando ao vento, e eu pude ver parte da garganta dele, sabe, bem embaixo do pomo de adão e logo acima de onde se abre o colarinho da camisa, a parte que Lars uma vez me disse que, se você bater em alguém ali com força suficiente, pode paralisar a pessoa. A garganta do Michael estava tão bonita, tão lisa e côncava, que tudo em que eu pude pensar foi no Sr. Rochester em Mesrour, em seu cavalo, refletindo sobre seu grande amor por Jane...

E eu sabia, simplesmente sabia, que estava certa de não ter comprado um suéter para Michael. Quer dizer, Kate Bosworth nunca teria dado um *suéter* àquele namorado zagueiro dela. Eca.

Enfim, aí Michael me viu e sorriu e ele não se parecia mais com o Sr. Rochester, porque o Sr. Rochester nunca sorria.

Ele só parecia Michael. E meu coração se revirou no peito como sempre acontece quando o vejo.

"Tudo bem com você?", perguntou, assim que entrou na limusine. Seus olhos, tão castanhos que são quase pretos como os pântanos que o Sr. Rochester estava sempre contornando lá fora no campo, porque se você pisar num pântano você pode afundar até a cabeça e nunca mais ser encontrado... o que de certa forma é meio como o que acontece toda vez que olho dentro dos olhos do Michael: eu caio e caio e tenho certeza de que nunca serei capaz de sair deles novamente, mas tudo bem, porque eu adoro estar lá — e ele está olhando profundamente dentro dos meus. Meus olhos são apenas acinzentados, a cor das calçadas de Nova York. Ou de um parquímetro.

"Liguei para você ontem à noite", continuou, enquanto sua irmã o empurrava no banco para que ela pudesse entrar na limusine também. "Mas sua mãe disse que você tinha apagado..."

"Eu estava muito, muito cansada", falei, deliciada pelo fato de que ele parecia ter ficado preocupado comigo. "Dormi quinze horas direto."

"Adivinha?", disse Lilly. Ela claramente não estava interessada nos detalhes do meu ciclo de sono. "Recebi notícias dos produtores do seu filme."

Eu fiquei surpresa. "Verdade? O que eles disseram?"

"Eles me convidaram para tomar café da manhã com eles", Lilly disse, tentando fingir que não estava querendo fazer alarde. Só que ela não estava fingindo muito bem. Dava totalmente para ouvir o orgulho em sua voz. "Sexta de manhã. Então não vou precisar atacar."

"Uau", exclamei, impressionada. "Uma reunião no café da manhã? Sério? Eles vão servir bagels?"

"Provavelmente", disse Lilly.

Eu fiquei impressionada. Nunca tinha sido convidada para uma reunião com produtores no café da manhã. Só com o embaixador da Espanha em Genovia.

Perguntei a Lilly se ela havia feito uma lista de exigências para os produtores e ela disse que tinha, mas que não ia me contar quais eram.

Acho que vou ter que assistir a esse filme e ver o que está deixando Lilly tão furiosa. Minha mãe gravou. Ela disse que foi uma das coisas mais engraçadas que já viu.

Mas não tem nada a ver, porque minha mãe ri durante *Dirty Dancing* inteiro, mesmo nas partes que não deveriam ser consideradas engraçadas, então não sei se ela é o melhor juiz.

Ai, ai. Uma das líderes de torcida (infelizmente, não Lana) distendeu o tendão de Aquiles fazendo pilates além do limite, então simplesmente anunciaram que estão aceitando inscrições para substituição, já que as substitutas do time foram transferidas para uma escola de meninas em Massachusetts porque andaram exagerando numa festa enquanto os pais estavam na Martinica.

Eu sinceramente espero que Lilly esteja muito ocupada protestando contra o documentário sobre mim para protestar contra a seleção das novas líderes de torcida. No último semestre ela me fez sair por aí com uma grande placa que dizia ANIMAR TORCIDAS É MACHISMO, NÃO É ESPORTE, o que eu nem mesmo tenho certeza se é tecnicamente verdade, já que existem campeonatos de líderes de torcida na ESPN. Mas é fato que não há líderes de torcida para esportes femininos na nossa escola. Tipo, Lana e sua turma nunca aparecem para torcer para o time de basquete feminino ou para o time de vôlei feminino, mas elas nunca perdem um jogo de meninos. Então talvez a parte de ser machista seja verdade.

Ai, Deus, um cara esquisito acaba de entrar aqui me avisando que a diretora Gupta quer me ver. Estou sendo chamada à diretoria! E eu nem fiz nada! Bem, não desta vez, de qualquer forma.

Quarta, 21 de janeiro, Sala da diretora Gupta

Não acredito que é só o segundo dia do segundo semestre e já estou na sala da diretora. Posso não ter terminado meu dever de casa, mas certamente tenho um bilhete do meu padrasto. A primeira coisa que fiz foi levá-lo até a secretaria. Ele diz assim:

Por favor, desculpem Mia por não ter terminado seu dever de casa para a terça-feira, 20 de janeiro. Ela foi prejudicada pelo fuso horário e não conseguiu cumprir suas responsabilidades acadêmicas na noite passada. Ela vai, certamente, terminar o trabalho esta noite.

— *Frank Gianini*

É meio ruim quando seu padrasto também é seu professor.

Mas por que a diretora Gupta faria objeção a isso? Quer dizer, tô vendo que é apenas o segundo dia do segundo semestre e já me ferrei. Mas não estou *tão* ferrada assim.

E eu nem vi Lana hoje ainda, então também não fiz nada a ela ou a seus pertences.

AI, MEU DEUS. Acabou de passar pela minha cabeça. E se eles perceberam que cometeram um erro me colocando de novo em S&T? Quer dizer, porque eu não tenho dotes nem talentos? E se eu só fui colocada lá no início devido a alguma falha no sistema e agora eles corrigiram isso e vão me colocar em educação tecnológica ou artes domésticas, onde eu devia estar? Vou ter que fazer uma prateleira para temperos!!! Ou pior: uma omelete à moda do Oeste!!!

E nunca mais vou ver Michael! Tudo bem, vou vê-lo a caminho da escola e durante o almoço e depois da escola e nos fins de semana e feriados, mas só isso. Sair da aula de S&T é ser privada de cinco horas inteiras com Michael por semana! E é verdade que durante a aula a gente não se fala tanto assim, porque Michael realmente é superdotado e talentoso, ao contrário de mim, e precisa usar aquele tempo de aula para desenvolver suas habilidades musicais em vez de me dar aulas, que é o que ele geralmente acaba fazendo devido à minha inutilidade em álgebra.

Mas ainda assim, pelo menos a gente *fica junto*.

Ai, Deus, isso é horrível! Se realmente é verdade que eu tenho um talento — o que eu duvido —, POR QUE Lilly simplesmente não me conta qual é? Aí eu poderia jogar na cara da diretora Gupta quando ela tentar me deportar para educação tecnológica.

Espera aí... de quem é essa voz? Essa que está saindo da sala da diretora Gupta? Parece meio familiar. Parece meio, tipo...

Quarta, 21 de janeiro, limusine da Grandmère

Não acredito que Grandmère fez isso. Quer dizer, que tipo de pessoa FAZ isso? Simplesmente arrancar uma adolescente da escola assim?

Ela é que devia ser a adulta. Ela é que devia me dar um bom exemplo.

E o que ela faz em vez disso?

Bem, primeiro ela conta uma grande MENTIRA, e *depois* me tira do espaço escolar sob falsos argumentos.

Vou te dizer uma coisa, se minha mãe ou meu pai descobrirem isso, Clarisse Renaldo será uma mulher morta.

Sem contar que ela quase praticamente me fez ter um ataque do coração, sabe? Ainda bem que meu colesterol e tudo o mais está tão baixo, graças a minha dieta vegetariana, senão eu podia ter sofrido um sério infarto cardíaco, porque ela me assustou tanto saindo da sala da diretora Gupta daquele jeito e falando: "Bem, sim, nós estamos, obviamente, rezando para que ele se recupere rápido, mas você sabe como essas coisas podem ser..."

Eu senti todo o sangue escapar do meu rosto quando a vi. Não apenas porque, sabe, era Grandmère falando com a diretora Gupta entre todas as pessoas, mas pelo que ela estava dizendo.

Eu me levantei rápido, o coração batendo tão forte que achei que podia saltar para fora do peito.

"Que foi?", perguntei, totalmente em pânico. "É meu pai? O câncer voltou? É isso? Pode falar, eu aguento."

Tinha certeza, pelo jeito com que Grandmère estava falando com a diretora Gupta, que o câncer de próstata do papai tinha voltado e ele ia ter que passar por um tratamento de novo.

"Eu conto a você no carro", disse Grandmère, com rigor. "Venha."

"Não, é sério", repeti, na cola dela, com Lars na minha cola. "Pode falar agora. Posso encarar, juro que posso. Papai está bem?"

"Não se preocupe com seu dever de casa, Mia", disse a diretora Gupta enquanto saíamos do seu escritório. "Você apenas se concentre em estar ao lado de seu pai."

Então era verdade! Papai *estava* doente!

"É o câncer de novo?", perguntei para Grandmère enquanto saíamos da escola e nos dirigíamos à limusine dela, que estava estacionada em frente ao leão de pedra que guarda a entrada da Escola Albert Einstein. "Os médicos acham que tem tratamento? Será que ele precisa de um transplante de medula? Porque, sabe, nós provavelmente somos compatíveis, já que tenho o mesmo tipo de cabelo dele. Pelo menos o que o cabelo dele deve ter sido quando ele ainda tinha algum."

Só quando estávamos seguros dentro da limusine foi que Grandmère me lançou um olhar muito desgostoso e disse: "Realmente, Amelia. Não há nada de errado com seu pai. Há, entretanto, algo de errado com essa sua escola. Imagine, não deixar seus alunos terem nenhum tipo de ausência a não ser em caso de doença. Ridículo! Às vezes, sabe, as pessoas precisam tirar um dia. Um dia de folga, acho que chamam assim. Bem, hoje, Amelia, é seu dia de folga."

Eu pisquei para ela ao meu lado na limusine. Não podia acreditar no que estava escutando.

"Espera aí", interrompi. "Você está querendo dizer... papai não está doente?"

"*Pfuit!*", Grandmère disse, suas sobrancelhas desenhadas a lápis se erguendo. "Ele certamente pareceu bastante saudável quando falei com ele hoje de manhã."

"Então o que…". Eu a encarei. "Por que você disse à diretora Gupta..."

"Porque de outra forma ela não teria deixado você sair da aula", Grandmère afirmou, olhando para seu relógio de ouro e diamantes. "E estamos atrasadas, de fato. Realmente, não há nada pior do que um educador cuidadoso demais. Eles acham que estão ajudando, quando na verdade, sabe, há muitas maneiras diferentes de aprendizado. Nem todas elas acontecem numa sala de aula."

A ficha estava começando a cair. Grandmère não tinha me tirado da escola no meio do dia porque alguém da minha família estava doente. Não, Grandmère tinha me tirado da escola porque queria me ensinar alguma coisa.

"Grandmère", gritei, totalmente incapaz de acreditar no que estava ouvindo. "Você não pode simplesmente chegar e me arrancar da escola na hora que quiser. E você certamente não pode dizer à diretora Gupta que meu pai está doente quando ele não está! Como você foi *capaz* de dizer algo assim? Você não sabe nada sobre profecias autorrealizáveis? Quer dizer, se você sai por aí mentindo sobre coisas assim o tempo todo, elas podem realmente acabar virando realidade."

"Não seja ridícula, Amelia", reclamou Grandmère. "Seu pai não vai ter que voltar ao hospital só porque eu contei uma mentirinha a uma administradora acadêmica."

"Não sei como você pode ter tanta certeza disso", falei, enfurecida. "E além do mais, aonde você acha que está me levando? Não posso simplesmente sair da escola no meio do dia, sabe, Grandmère. Quer dizer, não sou tão inteligente quanto a maior parte dos outros alunos e tenho um monte de coisas para fazer, graças ao fato de que fui para a cama muito cedo ontem..."

"Ah, eu *sinto muito*", disse Grandmère, muito sarcasticamente. "Eu sei quanto você gosta da sua aula de álgebra. Tenho certeza de que é uma grande privação para você, perdê-la hoje..."

Eu não consegui negar que ela estava certa. Pelo menos em parte. Se eu não estivesse tão abalada com o método pelo qual ela havia feito aquilo, o fato de Grandmère ter me tirado da aula de álgebra não era exatamente algo que ia me fazer chorar. Quer dizer, fala sério. Números inteiros não são a coisa de que mais gosto.

"Bem, aonde quer que estejamos indo", reclamei, severamente, "é melhor que a gente volte a tempo para o almoço. Porque Michael vai ficar se perguntando onde eu estou..."

"Não, *aquele rapaz* de novo, não...", disse Grandmère, revirando os olhos para o teto solar da limusine com um suspiro.

"Sim, *aquele rapaz*", afirmei. "Aquele rapaz que eu amo com todo meu coração e minha alma. E, Grandmère, se você pudesse apenas conhecê-lo, você saberia..."

"Ah, chegamos", Grandmère anunciou, com algum alívio, enquanto seu motorista estacionava. "Finalmente. Saia, Amelia."

Eu saí da limusine, olhei ao redor para ver aonde Grandmère tinha me levado. Mas tudo o que vi foi a grande loja da Chanel na rua 57. Mas ali não podia ser o lugar para onde a gente ia. Podia?

Mas quando Grandmère desembaraçou Rommel de sua coleira Louis Vuitton, colocou-o no chão e começou a caminhar firmemente na direção daquelas grandes portas de vidro, eu vi que a Chanel era exatamente aonde estávamos indo.

"Grandmère", gritei, correndo atrás dela. "Chanel? Você me tirou da aula para *fazer compras*?"

"Você precisa de um vestido", Grandmère disse, torcendo o nariz. "Para o Baile Preto & Branco da condessa Trevanni na sexta-feira. Este foi o horário mais cedo que consegui marcar."

"Baile Preto & Branco?", perguntei enquanto Lars nos escoltava até o silencioso ambiente branco da Chanel, a grife mais exclusiva do mundo, o tipo de loja em que, antes de descobrir que era princesa, eu teria ficado aterrorizada até de pisar lá dentro (embora não possa dizer o mesmo das minhas amigas, já que Lilly uma vez filmou um episódio inteiro de seu programa de TV ali dentro, experimentando as últimas criações de Karl Lagerfeld, e não teria saído se o segurança não tivesse entrado porta adentro e a escoltado até a rua. Tinha sido um programa sobre como os designers de alta costura são totalmente preconceituosos com tamanho, mostrando como é impossível encontrar calças de couro em qualquer número maior do que um tamanho 38 de miss.) "Que Baile Preto & Branco?"

"Certamente sua mãe lhe falou", Grandmère disse, enquanto uma mulher alta e esguia se aproximava de nós com gritinhos de "Sua Alteza Real! Como é maravilhoso vê-la!"

"Minha mãe não me disse nada sobre nenhum baile", falei. "Quando você disse que era?"

"Sexta-feira à noite", Grandmère respondeu. Para a vendedora ela disse, "Sim, acredito que você tenha separado alguns vestidos para minha neta. Eu requisitei especificamente vestidos brancos." Grandmère piscou com seriedade para mim. "Você é muito jovem para usar preto. Não quero ouvir qualquer questionamento a respeito disso."

Questionamento sobre isso? Como eu poderia questionar a respeito de algo que eu nem tinha começado a entender?

"Certamente", dizia a vendedora, com um grande sorriso. "Venha comigo, Sua Alteza."

"Sexta à noite?" Gritei, sentindo que pelo menos esta parte do que estava acontecendo tinha começado a se encaixar. "Sexta à noite? Grandmère, não posso ir a nenhum baile sexta à noite. Eu já tinha planos com..."

Mas Grandmère simplesmente colocou a mão nas minhas costas e me empurrou.

E aí eu já estava tropeçando atrás da vendedora, que nem piscava os olhos, como se princesas com coturnos tropeçassem atrás dela o tempo todo.

E agora estou sentada na limusine de Grandmère no caminho de volta para a escola e tudo em que consigo pensar é no número de pessoas a quem eu gostaria de agradecer por minha atual situação, a principal delas sendo minha mãe, por esquecer de me dizer que ela já tinha dado permissão a Grandmère para me carregar para esse negócio; a condessa Trevanni, simplesmente por fazer um Baile Preto & Branco; os vendedores da Chanel, que, embora sejam muito legais, são realmente todos um bando de puxa-sacos, já que ajudaram minha avó a me vestir com um traje de baile branco diamante e me arrastar para um lugar onde eu, aliás, não tenho desejo de comparecer; meu pai, por deixar a mãe dele solta sobre a indefesa cidade de Manhattan sem ninguém para supervisioná-la; e, obviamente, a própria Grandmère, por arruinar totalmente a minha vida.

Porque quando eu disse a ela, enquanto as pessoas da Chanel estavam jogando metros e metros de tecido em cima de mim, que eu realmente não posso ir ao Baile Preto & Branco da condessa Trevanni nessa sexta, já que essa é a noite em que Michael e eu vamos ter nosso primeiro encontro, ela respondeu com uma grande lição de moral sobre como a primeira obrigação de uma princesa é com seu povo. O coração, diz Grandmère, deve sempre vir em segundo lugar.

Eu tentei explicar como esse encontro não poderia ser adiado ou remarcado, já que *Guerra nas estrelas* seria exibido no Screening Room só naquela noite, e que depois disso eles iam voltar a exibir *Moulin Rouge*, que eu não vou ver porque ouvi dizer que alguém morre no final.

Mas Grandmère se recusou a entender que meu encontro com Michael era muito mais importante que o Baile Preto & Branco da condessa Trevanni. Aparentemente a condessa Trevanni é um membro muito socialmente proeminente da família real de Mônaco, além de ser algum tipo de prima distante (e quem não é?) de nós. O fato de eu não comparecer ao seu Baile Preto & Branco aqui na cidade, com todas as outras debutantes, seria uma desfeita da qual a Casa Real de Grimaldi poderia jamais se recuperar.

Eu lembrei que o fato de eu não comparecer à sessão de *Guerra nas estrelas* com Michael seria uma desfeita do qual meu relacionamento com meu namorado poderia jamais se recuperar. Mas Grandmère disse apenas que, se Michael realmente me ama, ele vai entender quando eu precisar cancelar com ele.

"E se ele não amar", Grandmère prosseguiu, exalando uma pluma de fumaça cinza de um dos Gitanes que estava fumando, "então ele não é um consorte apropriado para você."

O que é muito fácil para Grandmère dizer. *Ela* não ficou apaixonada por Michael desde o primeiro ano. *Ela* não passou horas e horas tentando escrever poemas adequados à sua grandiosidade. *Ela* não sabe o que é amar, já que a única pessoa que Grandmère amou em sua vida inteira foi ela mesma.

Bem, é verdade.

E agora estamos voltando para a escola. É hora do almoço. Em um minuto eu vou ter que entrar e explicar a Michael que não posso comparecer ao nosso primeiro encontro porque posso causar um incidente internacional do qual o país, sobre o qual um dia eu vou reinar, pode jamais se recuperar.

Por que Grandmère simplesmente não me mandou para um colégio interno em Massachusetts?

Quarta, 21 de janeiro, S&T

Não consegui contar a ele.

Quer dizer, como poderia? Especialmente quando ele estava sendo tão legal comigo durante o almoço. Parecia que todo mundo na escola inteira sabia que Grandmère tinha vindo e me tirado da escola no meio da aula. Com sua bengala de chinchila, aquelas sobrancelhas pintadas e Rommel a tiracolo, como ela poderia passar despercebida para qualquer pessoa? Ela chama tanta atenção quanto Cher.

Todo mundo ficou preocupado, sabe, com a suposta doença na minha família. Especialmente Michael. Ele ficou todo "Tem alguma coisa que eu possa fazer? Seu dever de casa de álgebra, ou algo assim? Sei que não é muito, mas pelo menos é algo que posso fazer…".

Como eu podia contar a verdade a ele — que meu pai não estava doente; que minha avó tinha me tirado da escola no meio da aula pra me levar para *fazer compras*? Para comprar um vestido para usar num baile para o qual ele não havia sido convidado, e que ia acontecer durante a exata hora em que nós deveríamos estar curtindo um jantar e um cenário de fantasia espacial numa galáxia muito, muito distante?

Não consegui. Não consegui contar a ele. Não consegui contar a ninguém. Só fiquei lá sentada toda calada durante o almoço. As pessoas interpretaram meu silêncio como extremo sofrimento mental. E era mesmo, na verdade, só que não pelas razões que elas achavam. Basicamente tudo em que eu estava pensando enquanto estava sentada ali era EU ODEIO A Grandmère. EU ODEIO A Grandmère. EU ODEIO A Grandmère. EU ODEIO A Grandmère.

Eu realmente, realmente odeio ela.

Assim que o almoço acabou, eu me enfiei em um dos telefones públicos do lado de fora das portas do auditório e liguei para casa. Eu sabia que minha mãe estaria lá e não no estúdio, porque ela ainda está trabalhando nas paredes do quarto do bebê. Ela havia chegado à terceira parede, na qual estava pintando um retrato altamente realista da queda de Saigon.

"Ah, Mia", suspirou, quando eu perguntei se não havia alguma coisa que ela poderia ter esquecido de mencionar para mim. "Mil desculpas. Sua avó ligou durante *Law & Order*. Você sabe como eu fico durante *Law & Order*."

"Mãe", resmunguei, com os dentes cerrados. "Por que você disse a ela que eu poderia ir a essa coisa estúpida? Você me disse que eu podia sair com Michael nessa noite!"

"Eu disse?" Minha mãe parecia confusa. E por que não estaria? Ela claramente não se lembrava da conversa que tivera comigo sobre meu encontro com Michael. Em primeiro lugar, óbvio, porque ela estava sonolenta durante a conversa. Mesmo assim, ela não precisava saber disso. O importante é que ela devia se sentir o mais culpada possível pelo crime hediondo que havia cometido. "Ai, querida. Me desculpe. Bem, você simplesmente vai ter que cancelar com Michael. Ele vai entender."

"Mãe", gritei. "Ele não vai! Esse era para ser o nosso primeiro encontro de verdade! Você tem que fazer alguma coisa!"

"Bem", minha mãe disse, parecendo meio irônica. "Estou um pouco surpresa de ouvir que você está tão infeliz com isso, querida. Sabe, considerando toda essa sua história de não querer correr atrás do Michael. Cancelar seu primeiro encontro com ele definitivamente se encaixaria nessa categoria."

"Muito engraçado, mãe", eu disse. "Mas Jane não cancelaria seu primeiro encontro com o Sr. Rochester. Ela simplesmente não ligaria para ele antes, de jeito nenhum, ou então não daria muita atenção a ele durante o encontro."

"Ah", disse minha mãe.

"Olha", falei. "Isso é sério. Você tem que me tirar desse baile idiota!"

Mas tudo o que minha mãe disse foi que ela ia falar com meu pai. Eu sabia o que aquilo significava, óbvio. Sem chance de me livrarem desse baile. Meu pai nunca na vida havia abandonado o dever pelo amor. Ele é totalmente princesa Margaret nesse sentido.

Então agora estou sentada aqui (tentando fazer meu dever de casa de álgebra, como sempre, porque não sou nem superdotada nem talentosa), sabendo que em algum momento vou ter que contar ao Michael que nosso encontro está cancelado. Mas como? Como vou fazer isso? E se ele ficar com tanta raiva e nunca mais me chamar para sair?

Pior, e se ele chamar outra garota para ver *Guerra nas estrelas* com ele? Quer dizer, alguma garota que saiba todas as falas que se deve gritar para a tela durante o filme. Tipo assim, quando Ben Kenobi fala "Obi-Wan. Este é um nome que não escuto há muito tempo", você deve gritar "Quanto tempo?" e aí Ben diz "Há muito tempo".

Deve haver um milhão de garotas além de mim que sabe isso. Michael podia chamar qualquer uma delas em vez de mim e passar momentos perfeitamente maravilhosos. Sem mim.

Lilly está me enchendo o saco para descobrir o que tá rolando. Ela fica me passando bilhetes, porque estão dedetizando a sala dos professores e a Sra. Hill está aqui hoje, fingindo estar corrigindo provas da turma de computação do quarto tempo. Mas na verdade ela está fazendo pedidos num catálogo da Garnet Hill. Eu o vi embaixo das provas.

Seu pai está mal? Dizia o último bilhete de Lilly. *Você vai ter que voltar para Genovia?*

Não, escrevi de volta.

É o câncer? Lilly perguntou. *Ele teve uma reincidência?*

Não, escrevi outra vez.

Bem, então o que é? A letra da Lilly está ficando pontuda, sinal de que ela está ficando impaciente comigo. *Por que você não me conta?*

Porque, quis rabiscar de volta, em grandes letras maiúsculas, *a verdade vai levar ao iminente fim do meu relacionamento romântico com seu irmão, e eu não poderia suportar isso! Você não vê que não posso viver sem ele?*

Mas não posso escrever isso, porque não estou pronta para desistir ainda. Quer dizer, não sou uma princesa da Casa Real de Renaldo? Princesas da Casa Real de Renaldo simplesmente desistem, assim, quando algo que elas querem tão carinhosamente quanto eu quero Michael está em risco?

Não, elas não desistem. Veja minhas ancestrais, Agnes e Rosagunde. Agnes pulou de uma ponte para conseguir o que queria (não ser freira). E Rosagunde estrangulou um cara com os próprios cabelos (para não ter que dormir com ele). Iria eu, Mia Thermopolis, deixar uma coisinha pequena como o Baile Preto & Branco da condessa Trevanni se colocar no caminho do meu primeiro encontro com o homem que amo?

Não, eu não ia.

Talvez esse, enfim, seja meu talento. A indomabilidade que herdei das princesas Renaldo antes de mim.

Tomada por essa constatação, escrevi um bilhete apressado para Lilly.

Meu talento é que, como minhas ancestrais, eu sou indomável?

Prendi a respiração enquanto esperava sua resposta. Embora não estivesse nítido para mim o que eu ia fazer se ela respondesse positivamente. Porque que tipo de talento é ser indomável? Quer dizer, você não pode ser paga por isso, da maneira que pode ser se seu talento é tocar violino ou escrever músicas ou produzir programas de TV.

Mesmo assim, seria bom saber que eu tinha descoberto meu talento por conta própria. Sabe, no sentido de escalar a árvore junguiana da autorrealização.

Mas a resposta da Lilly foi desapontadora:

Não, seu talento não é que você é indomável, sua tonta. Meu Deus, Vc é tão fechada às vezes. O QUE HÁ DE ERRADO COM SEU PAI??????

Suspirando, me dei conta de que não tinha escolha a não ser escrever de volta: *Nada. Grandmère simplesmente queria me levar à Chanel, aí ela inventou essa história de o meu pai estar doente.*

Meu Deus, Lilly escreveu de volta. *Não é de estranhar que você pareça ter comido uma meia de novo. Sua avó é horrível.*

Eu não poderia concordar mais. Se Lilly soubesse o quanto...

Quarta, 21 de janeiro, sexto tempo, escadaria do terceiro andar

Reunião de emergência das seguidoras da técnica de Jane Eyre de lidar-com-o-namorado. Estamos claramente em risco de sermos descobertas a qualquer momento, já que estamos matando a aula de francês para nos reunir aqui na escada que leva ao telhado (cuja porta está fechada, óbvio: Lilly diz que, no documentário sobre mim, a galera fica indo para o telhado da escola o tempo todo. Só outro exemplo de como a arte nem sempre imita a vida), para que possamos socorrer uma de nossas irmãs em sofrimento.

É isso mesmo. Acontece que não sou a única para quem o semestre está tendo um começo de mau agouro. Não apenas Tina torceu o tornozelo nas pistas de esqui de Aspen, como também recebeu uma mensagem de Dave Farouq El-Abar durante o quinto tempo em seu novo celular. Dizia, VC NUNCA MAIS ME LIGOU. VOU LEVAR JASMINE AO JOGO DOS RANGERS. TENHA UMA VIDA LEGAL.

Nunca na vida vi algo tão insensível como aquela mensagem. Eu juro, meu sangue ferveu quando li aquilo.

"Porco machista", disse Lilly, quando viu a mensagem. "Nem se preocupe com isso, Tina. Você vai encontrar alguém melhor."

"Eu n-não quero alguém me-melhor", soluçou Tina. "Eu só quero D-Dave!"

Parte meu coração vê-la sofrendo tanto — não apenas o sofrimento emocional, não foi fácil tentar chegar de muletas à escada do terceiro andar. Eu prometi fielmente me sentar com ela enquanto ela trabalha sua angústia (Lilly a está conduzindo pelos cinco estágios do sofrimento descritos por Elisabeth Kübler-Ross: Negação — não acredito que ele faria isso comigo; Raiva — não acredito que ele já arranjou outra; Barganha — talvez se eu disser a ele que telefonarei fielmente todas as noites ele me queira de volta; Depressão — Nunca mais vou amar outro homem; Aceitação — bem, acho que ele *era mesmo* meio egoísta). É óbvio que estar aqui com Tina, em vez de na aula de francês, significa que estou arriscando uma possível suspensão, que é a pena por matar aula aqui na Albert Einstein.

Mas o que é mais importante, minha ficha disciplinar ou minha amiga?

Além do mais, Lars está vigiando ao pé da escada. Se o Sr. Kreblutz, o inspetor, aparecer, Lars vai assobiar o hino de Genovia e nós vamos nos espremer contra as paredes perto das velhas esteiras de ginástica (que são muito fedorentas, por sinal, e sem dúvida um risco de incêndio).

Embora eu esteja profundamente triste por ela, não consigo evitar sentir que a situação de Tina me ensinou uma valiosa lição: que a técnica de Jane Eyre de lidar-com-o-namorado não é necessariamente o método mais confiável para manter seu relacionamento.

Só que, de acordo com Grandmère, que realmente conseguiu segurar um marido durante quarenta anos, o meio mais rápido de fazer um garoto cair fora é correr atrás dele.

E certamente Lilly, que tem o relacionamento mais longo de todas nós, não persegue Boris. Na verdade, por sinal, *ele* é quem fica atrás dela. Mas isso é provavelmente porque Lilly é muito ocupada com seus vários processos e projetos para prestar uma atenção mais do que superficial nele.

Em algum lugar entre as duas — Grandmère e Lilly — deve estar a verdade para se manter um relacionamento bem-sucedido com um garoto. De qualquer forma, eu tenho que conseguir descobrir isso, porque vou te dizer uma coisa: se um dia eu receber uma mensagem do Michael como essa que Tina acaba de receber do Dave, eu certamente vou dar um mergulho do alto da Tappan Zee. E duvido muito que algum guarda costeiro bonitão vá aparecer e me resgatar — pelo menos, não inteira. A Ponte Tappan Zee é *bem* mais alta do que a Ponte das Virgens.

E certamente você sabe o que isso significa — toda essa história com Tina e Dave, quer dizer. Quer dizer que não posso cancelar meu encontro com Michael. Sem chance, de jeito nenhum. Não ligo se Mônaco começar a jogar mísseis SCUD na Casa do Parlamento Genoviano: não vou a esse Baile Preto & Branco. Grandmère e a condessa Trevanni simplesmente vão ter que aprender a conviver com o desapontamento.

Porque quando se trata dos nossos homens, nós mulheres Renaldo não vacilamos. Nós jogamos para ganhar.

* DEVER DE CASA

Álgebra: Probls. no início do cap. 11, + Não sei, graças a Grandmère

Inglês: Atualizar diário (Como Passei Minhas Férias de Inverno — 500 palavras) + Não sei, graças a Grandmère

Bio: Ler capítulo 12 + Não sei, graças a Grandmère

Saúde e Segurança: Capítulo 1, Você e Seu Ambiente + Não sei, graças a Grandmère

S&T: Descobrir meu talento oculto

Francês: *Chapitre Dix* + Não sei, porque matei aula!!!

Civ. Mundiais: Capítulo 13: Admirável Mundo Novo; ilustrar por meio de eventos atuais quanto a tecnologia pode custar à sociedade

Quarta, 21 de janeiro, na limusine a caminho de casa depois da aula de princesa com Grandmère

Enquanto eu talvez nunca descubra qual seja o meu talento — se é que eu tenho um —, o de Grandmère é dolorosamente óbvio. Clarisse Renaldo tem um dom total de destruir por completo minha vida. Está evidente para mim agora que este vem sendo o seu objetivo o tempo todo. O fato é que Grandmère não consegue suportar Michael. Óbvio que não é porque ele já tenha feito alguma coisa a ela. Nunca fez nada a não ser fazer sua neta super, sublimemente feliz. Ela nem mesmo o conhece.

Não, Grandmère não gosta do Michael porque Michael é plebeu.

Como eu sei disso? Bem, ficou muito óbvio quando entrei na suíte dela para a aula de princesa de hoje, e quem simplesmente estava chegando de seu jogo de raquetebol no New York Athletic Club, balançando a raquete, dando uma de Andre Agassi? Ah, só o príncipe René.

"O que VOCÊ está fazendo aqui?", perguntei, de um jeito que Grandmère mais tarde me reprovou (ela disse naquele seu tom acusador que minha pergunta não era adequada a uma dama, como se eu suspeitasse que René estava tramando alguma coisa, o que eu já desconfiava, é óbvio. Eu praticamente tive que bater na cabeça dele em Genovia para conseguir meu cetro de volta).

"Curtindo sua bela cidade", foi o que René respondeu. E aí ele pediu licença para ir tomar banho, porque, como ele disse, estava um tanto suado da quadra.

"Realmente, Amelia", Grandmère disse, com desaprovação. "Isso é maneira de cumprimentar seu primo?"

"Por que ele não voltou para a escola?", perguntei.

"Para sua informação", informou Grandmère, "ele está de férias".

"Ainda?" Isso me pareceu bem suspeito. Quer dizer, que tipo de escola de administração — mesmo uma francesa — tem férias de Natal que duram praticamente até fevereiro?

"Escolas como a de René", explicou Grandmère, "tradicionalmente têm férias de inverno mais longas do que as americanas, para que seus pupilos possam fazer pleno uso da estação de esqui."

"Não vi nenhum esqui com ele", apontei, ardilosamente.

"*Pfuit!*". Foi tudo o que Grandmère teve para dizer sobre isso, entretanto. "René já aproveitou as pistas o suficiente este ano. Além do mais, ele adora Manhattan."

Bem, acho que dava para entender aquilo. Quer dizer, Nova York *é* a melhor cidade do mundo, afinal de contas. Porque outro dia mesmo um trabalhador de construção civil na rua 42 encontrou uma ratazana de nove quilos. Uma ratazana que simplesmente é dois quilos e meio mais leve que meu gato! Você não encontra nenhuma ratazana de nove quilos em Paris ou Hong Kong, isso é certo.

Então, enfim, estávamos seguindo com a história da aula de princesa — sabe, Grandmère estava me instruindo sobre as personalidades que eu ia encontrar nesse Baile Preto & Branco, incluindo o grupo de debutantes deste ano, as filhas de socialites e outras pessoas da assim chamada realeza americana, que estavam "apresentando-se" para a Sociedade, com S maiúsculo, e procurando maridos (se bem que elas deveriam estar procurando é uma boa faculdade, se quer saber minha opinião, e talvez um trabalho de meio expediente ensinando analfabetos sem teto a ler. Mas essa é só minha opinião), quando de repente me ocorreu a solução para meu problema:

Por que Michael não poderia ser meu acompanhante para o Baile Preto & Branco da condessa Trevanni?

Tudo bem, não era nenhum *Guerra nas estrelas*. E ele teria com certeza que se enfiar num fraque e tal. Mas pelo menos a gente estaria junto. Pelo menos eu ainda poderia dar a ele o presente de aniversário num local que ficava do lado de fora das paredes de concreto da Escola Albert Einstein. Pelo menos eu não teria que cancelar tudo com ele totalmente. Pelo menos as relações diplomáticas entre Genovia e Mônaco ficariam mantidas em Estado de Defesa Cinco.

Mas como, me perguntei, eu conseguiria que Grandmère concordasse com isso? Quer dizer, ela não tinha dito nada sobre a condessa me deixar levar um namorado.

Mas e daí, e todas aquelas debutantes? Elas não iam levar acompanhantes? Não era pra isso que servia a Academia Militar de West Point? Fornecer acompanhantes para bailes de debutantes? E se essas garotas podiam levar seus acompanhantes, e elas nem mesmo eram princesas, por que eu não poderia?

Fazer Grandmère me deixar levar Michael ao Baile Preto & Branco, depois de todas aquelas nossas longas discussões sobre como não se deve deixar o objeto de sua afeição nem mesmo saber que você gosta dele, ia ser um grande obstáculo. Eu decidi que teria que exercitar algumas das táticas diplomáticas que Grandmère tinha se esforçado tanto para me ensinar.

"E por favor, Amelia, o que quer que você faça", Grandmère estava dizendo, enquanto ficava sentada ali passando um pente no pelo ralo de Rommel, como o veterinário real genoviano havia instruído, "não fique olhando muito para a cirurgia plástica no rosto da condessa. Sei que será difícil — parece que o cirurgião fez um estrago horrível. Mas na verdade é exatamente assim que Elena queria que ficasse. Aparentemente ela sempre quis parecer um pouco estrábica...".

"Olha, sobre esse baile, Grandmère", comecei, de repente. "Você acha que a condessa se importaria se eu, sabe... levasse alguém?"

Grandmère olhou para mim, confusa, por sobre o corpo rosado e trêmulo de Rommel. "O que você quer dizer? Amelia, eu duvido muitíssimo que sua mãe possa se divertir no Baile Preto & Branco da condessa Trevanni. Em primeiro lugar, não haverá nenhum outro hippie radical lá..."

"Não é minha mãe", falei, me dando conta de que talvez tivesse sido muito brusca. "Eu estava pensando mais em tipo... um acompanhante."

"Mas você já tem um acompanhante." Grandmère ajustou a coleira incrustada de diamantes de Rommel.

"Tenho?". Eu não me lembrava de ter pedido a ninguém que conseguisse um cara da West Point para mim.

"Certamente", anunciou Grandmère, ainda sem me encarar, eu notei. "O príncipe René generosamente se ofereceu para servir de acompanhante para você no baile. Agora, onde estávamos? Ah, sim. Sobre o gosto da condessa para roupas. Acho que você já aprendeu o suficiente agora para saber que não deve comentar — pelo menos na frente dela — o que qualquer uma de suas anfitriãs esteja vestindo. Mas acho que é necessário alertar você para o fato de que a condessa tem uma tendência a usar roupas que são de alguma maneira muito jovens para ela, e que revelam..."

"*René* vai ser meu acompanhante?" Eu fiquei de pé, quase derrubando o Sidecar da Grandmère. "*René* vai me levar ao Baile Preto & Branco?"

"Bem, sim", Grandmère confirmou, parecendo suavemente inocente, se você quer saber. "Ele é, afinal de contas, um convidado nesta cidade — neste país, por sinal. Eu achei que você, Amelia, ficaria simplesmente muito feliz de fazê-lo sentir-se bem-vindo e querido..."

Eu estreitei os olhos na direção dela. "O que está acontecendo aqui?", perguntei. "Grandmère, você está tentando juntar René comigo?"

"Certamente não", Grandmère disse, parecendo genuinamente apavorada com a sugestão. Só que eu já havia sido enganada pelas expressões de Grandmère antes. Especialmente aquela que ela usa quando quer que você pense que ela é apenas uma velhinha indefesa. "Sua imaginação deve definitivamente vir do lado da sua família materna. Seu pai nunca foi tão fantasioso quanto você, Amelia, motivo pelo qual eu devo apenas agradecer a Deus. Ele teria me levado para o túmulo mais cedo, estou convencida disso, se tivesse tido metade dos caprichos que você tende a ter, senhorita."

"Bem, o que mais eu deveria pensar?", perguntei, me sentindo um pouco sem graça com minha explosão. Afinal de contas, a ideia de que Grandmère poderia, mesmo que eu tivesse apenas 14 anos, estar tentando me juntar com algum príncipe com quem ela queria que eu me casasse *era* um pouco excêntrica. Quer dizer, mesmo para Grandmère. "Você fez a gente dançar juntos..."

"Para uma fotografia de revista", fungou Grandmère.

"... e você não gosta do Michael..."

"Eu nunca disse que não gostava dele. Pelo que conheço dele, acho que é um garoto perfeitamente charmoso. Só quero que você seja realista com o fato de que você, Amelia, não é como as outras garotas. Você é uma princesa, e tem que pensar no bem do seu país."

"... e aí René aparecendo assim, e você anunciando que ele vai me levar ao Baile Preto & Branco..."

"É errado da minha parte querer ver o pobre garoto se divertir um pouco enquanto está aqui? Ele sofreu tantas provações, perdendo a casa de seus ancestrais, sem mencionar seu próprio reino..."

"Grandmère", falei. "René nem era nascido quando expulsaram a família dele..."

"Mais uma razão", Grandmère disse, "para você ser sensível à condição dele."

Ótimo. O que devo fazer agora? Com Michael, quero dizer? Não posso levar ele *e* o príncipe René ao baile. Quer dizer, já me sinto estranha o suficiente (embora, julgando pela descrição de Grandmère, a condessa deva ser ainda mais estranha do que eu) sem arrastar dois acompanhantes e um guarda-costas comigo.

Eu queria ser a princesa Leia em vez da princesa Mia. Seria melhor entrar na Estrela da Morte do que no Baile Preto & Branco.

Quarta, 21 de janeiro, em casa

Bem, minha mãe tentar falar com meu pai sobre o baile da condessa foi um fracasso total. Aparentemente toda aquela história do debate sobre os parquímetros tinha meio que saído de controle. O ministro do Turismo está conduzindo um pronunciamento por conta própria, em resposta àquele do ministro da Economia, e não pode haver nenhuma votação até que ele pare de falar e se sente. Até agora ele está falando há doze horas e 48 minutos. Não sei por que meu pai simplesmente não manda prendê-lo e colocá-lo nas masmorras.

Estou realmente começando a ficar com medo de que não vou ser capaz de me livrar dessa história do baile.

"É melhor você contar ao Michael." Minha mãe acaba de enfiar a cabeça pela porta para dizer, tentando ajudar. "Que você não vai poder comparecer na sexta. Ei, você está escrevendo no diário de novo? Você não devia estar fazendo seu dever de casa?"

Tentando desviar o assunto do meu dever de casa (pô, eu realmente estou, só fiz uma pausa), falei, "Mãe, não vou dizer nada ao Michael até que tenhamos notícias do papai. Porque não faz sentido eu correr o risco de Michael terminar comigo se papai simplesmente se virar e falar que não tenho que ir a esse baile idiota."

"Mia", mamãe tentou. "Michael não vai terminar com você só porque você tem um compromisso familiar do qual não pode se livrar."

"Eu não teria tanta certeza", eu disse, sombriamente. "Dave Farouq El-Abar terminou com Tina hoje porque ela não retornou as ligações dele."

"Isso é diferente", mamãe afirmou. "É muita falta de educação não retornar as ligações de alguém."

"Mas, mãe...", falei. Já estava ficando cansada de ter que explicar essas coisas para minha mãe o tempo todo. É surpreendente que ela tenha conseguido fisgar um cara solteiro e ainda mais agora, com o segundo, quando ela claramente sabe tão pouco sobre a arte de namorar. "Se você estiver muito disponível, o cara pode pensar que a caça perdeu a graça."

Minha mãe parecia duvidar. "Não diga. Deixe-me adivinhar. Foi sua avó quem disse isso a você?"

"Hum", disse eu. "Foi."

"Bem, deixe-me dar a você um pequeno conselho que minha mãe uma vez me deu", disse mamãe. Eu fiquei surpresa. Ela não se dá muito bem com seus pais, então é raro que mencione qualquer um deles dando qualquer conselho que merecesse ser passado adiante para a própria filha.

"Se você acha que há um risco de você ter que cancelar o encontro com Michael na sexta à noite", falou, "é melhor começar a preparar o terreno".

Eu fiquei compreensivelmente perplexa com isso. "Que terreno?"

"Preparar o terreno", repetiu. "Você precisa começar a prepará-lo mentalmente para o desapontamento. Por exemplo, se algo tivesse acontecido com Fat Louie enquanto você estava em Genovia..." Minha boca deve ter se escancarado, já que minha mãe falou: "Não se preocupe, não aconteceu nada. Mas estou apenas dizendo, se algo tivesse acontecido, eu não teria simplesmente soltado isso em cima de você pelo telefone. Eu teria preparado você gentilmente para a surpresa desagradável no final. Por exemplo, eu iria dizer:

"Mia, Fat Louie escapou pela janela e agora subiu no telhado, e não estamos conseguindo fazê-lo descer."

"É óbvio que você conseguiria fazê-lo descer", protestei. "Você podia subir pela escada de incêndio, pegar uma fronha e, quando chegasse perto dele, você podia jogar a fronha sobre ele e agarrá-lo e carregá-lo de volta para baixo."

"Sim", disse minha mãe. "Mas suponha que eu dissesse a você que ia tentar isso. No dia seguinte eu ligaria para você e diria que não tinha funcionado, que Fat Louie tinha escapado para o telhado vizinho…"

"Eu diria a você para ir até o prédio ao lado e pedir a alguém para deixá-la entrar e aí subir no telhado deles." Eu realmente não estava vendo aonde é que ela queria chegar com aquilo. "Mãe, como você poderia ser tão irresponsável e deixar Fat Louie sair, em primeiro lugar? Eu disse a você muitas e muitas vezes para manter fechada a janela do meu quarto. Você sabe como ele gosta de olhar os pombos. Louie não tem nenhuma técnica de sobrevivência para o lado de fora…"

"Então, naturalmente", minha mãe falou, "você não esperaria que ele sobrevivesse duas noites do lado de fora".

"Não", eu praticamente gemi. "Eu não esperaria."

"Bem. Veja. Então você estaria mentalmente preparada quando eu ligasse para você no terceiro dia dizendo que, apesar de tudo o que fizemos, Louie estava morto."

"AI, MEU DEUS!", agarrei Fat Louie de onde ele estava, deitado ao meu lado na cama. "E você acha que eu faria isso com o pobre Michael? Ele tem um cachorro, não um gato! Pavlov nunca vai subir no telhado!"

"Não", mamãe disse, parecendo cansada. Bem, e por que não estaria? A essência de sua vida estava sendo vagarosamente sugada pelo feto insaciável crescendo dentro dela. "Estou dizendo que você devia começar a preparar Michael mentalmente para o desapontamento que ele vai sentir se de fato você precisar cancelar com ele na sexta à noite. Ligue para ele e diga que você talvez não consiga ir. Isso é tudo."

Soltei Fat Louie, não apenas porque eu finalmente me dei conta do que minha mãe estava querendo dizer, mas porque ele estava tentando me morder para me fazer afrouxar o abraço sufocante que eu estava dando nele.

"Ah", murmurei. "Você acha que se eu fizer isso, começar a prepará-lo mentalmente para o fato de que eu talvez não consiga sair com ele na sexta, ele não vai terminar comigo quando eu chegar e der a notícia de verdade?"

"Mia", disse minha mãe, "nenhum cara vai terminar com você porque você tem de cancelar um encontro. Se algum garoto fizer isso, então não merece sair com você, de qualquer maneira. Tipo esse Dave, da Tina. Eu me arriscaria a dizer que ela provavelmente está melhor sem ele. Agora, faça seu dever de casa."

Só que como alguém poderia esperar que eu fizesse meu dever de casa depois de receber uma informação como aquela?

Em vez disso, entrei na internet. Eu queria mandar mensagem para o Michael, mas em vez disso descobri que Tina estava me mandando mensagens insistentemente.

Iluvromance: Oi, Mia. O q vc está fazendo?

Ela parecia tão triste! Ela estava até usando uma fonte azul!

FtLouie: Só estou fazendo o dever de Biologia. Como você está?

Iluvromance: Bem, eu acho. Só sinto muito a falta dele!!!!!!!!!! Queria nunca ter ouvido falar daquela Jane Eyre estúpida.

Lembrando do que minha mãe tinha dito, escrevi:

FtLouie: Tina, se Dave estava querendo terminar com você só porque você não retornou as ligações dele, então ele não te merece. Você vai encontrar outro cara, um que te aprecie.

Iluvromance: Vc acha mesmo?

FtLouie: Totalmente.

Iluvromance: Mas onde vou encontrar um cara q me aprecie na Albert Einstein? Todos os alunos lá são estúpidos. A não ser o MM, claro.

FtLouie: Não se preocupe, a gente vai encontrar alguém pra você. Eu tenho que mandar msg para o meu pai agora...

Eu não queria dizer a ela que a pessoa para quem eu realmente tinha que mandar msg era Michael. Eu não queria ressaltar que eu tinha um namorado e ela não. E eu também esperava que ela não se lembrasse de que em Genovia, onde meu pai estava, eram quatro da manhã. E nem que o Palácio de Genovia não é exatamente de última geração, tecnologicamente falando.

FtLouie: Então a gente se fala depois.

Iluvromance: Ok, tchau. Se vc quiser conversar mais tarde, vou estar aqui. Não tenho mais nenhum lugar pra ir.

Pobre doce Tina! Ela está claramente mergulhada na dor. Realmente, se você pensar bem, foi bom ela se livrar do Dave. Se ele queria tanto trocá-la por essa Jasmine, podia se separar dela gentilmente, *preparando o terreno*. Se fosse um cavalheiro, teria feito isso. Mas estava evidente agora que Dave não era cavalheiro coisa nenhuma.

Estou feliz que *meu* namorado seja diferente. Ou pelo menos eu espero que seja. Não, espera — é óbvio que ele é. É o MICHAEL.

FtLouie: Oi!

LinuxRulz: E aí? Onde você estava?

FtLouie: Aula de princesa.

LinuxRulz: Você ainda não sabe tudo que se precisa saber para ser uma princesa?

FtLouie: Aparentemente, não. Grandmère está meio que me dando uma afinada. Falando nisso, será que tem, tipo assim, uma sessão mais tarde de *Guerra nas estrelas* do que sete da noite?

LinuxRulz: Tem, às onze. Por quê?

FtLouie: Ah, nada.

LinuxRulz: POR QUÊ?

Mas tá vendo? Aqui estava o motivo de eu não poder fazer isso. Talvez por causa das letras maiúsculas, ou talvez porque minha conversa com Tina ainda estivesse muito fresca na minha mente. A tristeza inigualável nos "vcs" azuis dela eram simplesmente demais para mim. Eu sei que devia simplesmente contar a ele tudo sobre a história do baile bem ali naquele instante, só que não consegui. Tudo em que conseguia pensar era no quanto Michael era incrivelmente inteligente e talentoso e na esquisitona patética e sem talento que eu sou, e como seria fácil para ele sair e encontrar alguém que merecesse mais sua atenção.

Então, em vez disso, escrevi:

FtLouie: Estava pensando em alguns nomes para sua banda.

LinuxRulz: O que isso tem a ver com ter ou não ter uma sessão mais tarde de *Guerra nas estrelas* na sexta à noite?

FtLouie: Bem, nada, eu acho. A não ser... o que você acha de "Michael e os Wookiees"?

LinuxRulz: Acho que talvez você tenha brincado de novo com o rato de erva-de-gato do Fat Louie.

FtLouie: Hahaha. OK, e que tal "Os Ewoks"?

LinuxRulz: Os EWOKS? Aonde sua avó levou você hoje quando ela te tirou da escola? Terapia de choque?

FtLouie: Só estou tentando ajudar.

LinuxRulz: Eu sei, desculpe. Só que não acho que os caras vão realmente gostar de ser comparados a bonequinhos cabeludos do planeta Endor. Quer dizer, até Boris faria objeção a Ewoks, acho...

FtLouie: Boris Pelkowski ESTÁ NA SUA BANDA????

LinuxRulz: Está. Por quê?

FtLouie: Nada.

Só posso dizer que, se eu tivesse uma banda, não deixaria Boris entrar nela. Quer dizer, sei que ele é um músico talentoso e tal, mas também respira pela boca. Acho que é ótimo que ele e Lilly fiquem tão bem juntos, e por poucos períodos de tempo eu até consigo suportá-lo e passar bons momentos com ele e tal. Mas não deixaria que ele entrasse na minha banda. Não a menos que parasse de enfiar os suéteres para dentro das calças.

LinuxRulz: Boris não é tão ruim quando você o conhece melhor.

FtLouie: Eu sei. Ele só não parece fazer o tipo banda. Todo aquele Bartók.

LinuxRulz: Ele toca um *bluegrass* irado, sabe. Não que a gente vá tocar nenhum *bluegrass* na banda.

Isso era reconfortante.

LinuxRulz: Então sua avó vai deixar você sair a tempo?

Eu realmente não tinha ideia do que ele estava falando.

FtLouie: O quê????

LinuxRulz: Na sexta. Você tem aula de princesa, certo? Por isso você estava perguntando sobre sessões mais tarde do filme, não é? Você está preocupada com que sua avó não deixe você sair a tempo?

Foi aí que dei mole. Quer dizer, ele tinha me oferecido a saída perfeita — eu podia ter dito "Sim, estou", e havia a chance de que ele tivesse dito, tipo, "Beleza, então vamos marcar para outra vez".

MAS E SE NÃO HOUVESSE OUTRA VEZ????

E se Michael, como Dave, simplesmente terminasse comigo e encontrasse outra garota com quem ver o filme????

Então em vez de falar isso, só falei

FtLouie: Não, vai dar tudo certo. Acho que vou conseguir sair mais cedo.

POR QUE EU SOU TÃO BURRA???? POR QUE ESCREVI AQUILO???? Porque é ÓBVIO que não vou conseguir sair mais cedo, eu estarei no estúpido Baile Preto & Branco A NOITE TODA!!!!!

Juro, sou tão idiota que nem mereço ter um namorado.

Quinta, 22 de janeiro, Sala de Estudos

Hoje de manhã, no café, o Sr. G ficou falando "Alguém viu minhas calças de veludo cotelê marrom?" e minha mãe, que havia ligado o despertador para acordar cedo o suficiente para tentar pegar meu pai num intervalo entre as sessões do Parlamento (mas não teve tanta sorte) falou: "Não, mas alguém viu minha camiseta Liberte Winona?"

E aí eu falei: "Bem, eu ainda não encontrei minha calcinha da rainha Amidala."

E foi aí que todos nós percebemos: alguém havia roubado nossa roupa lavada.

É realmente a única explicação para isso. Quer dizer, mandamos nossa roupa para a lavanderia na Thompson Street, e aí eles lavam e entregam toda dobrada e tal. Já que não temos porteiro, normalmente a bolsa simplesmente fica na portaria até que um de nós a pegue e a arraste três andares de escadas acima para o apartamento.

Só que aparentemente ninguém viu a bolsa de roupas que mandamos no dia anterior à minha partida para Genovia! (Acho que sou a única na família que presta atenção em coisas como roupa para lavar — obviamente porque sou aquela sem talento e não tenho nada mais profundo pra pensar do que em calcinhas limpas.)

O que só pode significar que um daqueles repórteres stalkers (que regularmente reviram nosso lixo, para desgosto do Sr. Molina, o síndico do nosso prédio) descobriu nossa bolsa de roupa limpa, e a qualquer minuto podemos esperar uma notícia bombástica na capa do *Post*: FORA DO ARMÁRIO: O QUE A PRINCESA MIA USA, E O QUE SIGNIFICA, DE ACORDO COM NOSSOS ESPECIALISTAS.

E AÍ O MUNDO INTEIRO VAI DESCOBRIR QUE EU USO CALCINHAS DA RAINHA AMIDALA!

Quer dizer, não é como se eu saísse por aí *anunciando* que tenho calcinhas de *Guerra nas estrelas*, ou mesmo que eu tenha algum tipo de calcinha da sorte, de jeito nenhum. Eu devia ter levado minha calcinha da rainha Amidala comigo pra Genovia, para ter sorte em meu pronunciamento de véspera de Natal ao meu povo. Se eu tivesse levado, talvez não tivesse saído por aquela tangente do parquímetro.

Mas, enfim, eu tinha ficado tão preocupada com toda aquela história do Michael que tinha esquecido completamente.

E agora parece que alguém tomou posse da minha calcinha especial da sorte, e a próxima coisa que vai acontecer, você sabe, é que ela será leiloada na internet! Sério! Quem diria que minhas calcinhas venderiam como água? Especialmente pelo fato de que são calcinhas da rainha Amidala.

É o meu fim.

Minha mãe já ligou pra delegacia para relatar o furto, mas aqueles caras estão muito ocupados perseguindo criminosos de verdade para ir atrás de um ladrãozinho de roupas limpas. Eles praticamente riram dela pelo telefone.

Está tudo bem para ela e o Sr. G; só o que eles perderam foram roupas normais. Eu sou a única que perdeu calcinha. Pior, minha calcinha da sorte. Eu entendo totalmente que os homens e mulheres que combatem o crime nesta cidade têm coisas mais importantes para fazer do que procurar minhas calcinhas.

Mas da maneira que as coisas têm ido, eu realmente preciso de toda a boa sorte que puder conseguir.

Quinta, 22 de janeiro, Álgebra

COISAS PRA FAZER

1. Fazer o embaixador de Genovia na ONU ligar para a CIA. Ver se eles podem despachar alguns agentes para rastrear minhas calcinhas (se elas caírem em mãos erradas, pode haver um incidente internacional!)
2. Comprar comida de gato!!!!!
3. Conferir o consumo de ácido fólico da minha mãe
4. Contar ao Michael que não poderei ir ao primeiro encontro com ele
5. Me preparar para ser dispensada por ele

Quinta, 22 de janeiro, Saúde e Segurança

Você viu isso? Eles vão se encontrar no Cosi para almoçar!

É. Eles estão tão apaixonados!

É tão bonitinho quando os professores estão apaixonados.

Então você está nervosa com a reunião no café da manhã amanhã?

Até parece. ELES é que devem estar nervosos.

Você vai sozinha? Seus pais não vão com você?

Por favor. Eu consigo lidar com um monte de executivos do cinema sozinha, obrigada. Como eles podem ficar enfiando esses detritos infantis pelas nossas gargantas, ano após ano? Eles não acham que a gente já sabe que tabaco mata? Ei, você fez o dever de casa todo ou ficou a noite inteira mandando msgs para o meu irmão?

As duas coisas.

Vocês dois são tão fofos que fico com vontade de vomitar. Quase tão fofos quanto o Sr. Wheeton e Mademoiselle Klein.

Cala a boca.

Meu Deus, que chatice! Quer fazer outra lista?

Tudo bem, você começa.

GUIA DE LILLY MOSCOVITZ SOBRE O QUE É LEGAL E O QUE NÃO É EM REPRISES NA TV

(COM COMENTÁRIOS DE MIA THERMOPOLIS)

Sétimo céu

Lilly: Uma visão complexa sobre a luta de uma família para manter costumes cristãos na sociedade evoluída dos dias modernos. Muito bem interpretado e ocasionalmente comovente, esse programa pode se tornar "um sermão", mas realmente retrata os problemas encarados pelas famílias normais com surpreendente realismo, e só ocasionalmente resvala para o banal.

Mia: Mesmo que o pai seja um pastor e todo mundo tenha que aprender uma lição no fim de cada episódio, esse programa é muito bom.

Ponto alto: Quando as gêmeas Olsen foram as artistas convidadas. Ponto baixo: Quando o maquiador do programa alisou o cabelo da irmã mais nova.

Popstars

Lilly: Uma ridícula tentativa de explorar o denominador comum dos mais baixos, esse programa coloca seus jovens atores em um "teste" público humilhante, depois zera tudo enquanto os perdedores choram e os vencedores vibram.

Mia: Eles pegam um monte de pessoas atraentes que podem cantar e dançar e fazem audições com eles por uma vaga num grupo pop, e alguns deles conseguem e outros não, e aqueles que conseguem são celebridades instantâneas que aí têm um ataque, sempre usando, enquanto isso, roupas interessantes, geralmente de umbigo de fora. Como esse programa poderia ser ruim?

Sabrina, a aprendiz de feiticeira

Lilly: Embora baseado em personagens de quadrinhos, esse programa é surpreendentemente legal e até ocasionalmente divertido. Embora, infelizmente, as práticas Wicca de verdade não sejam descritas. O programa poderia se beneficiar com alguma pesquisa sobre as religiões antigas que têm, através dos séculos, empoderado milhões de pessoas, principalmente mulheres. O gato que fala é um tanto suspeito: não li nenhuma documentação confiável que apoiasse a possibilidade de transfiguração.

Mia: Totalmente incrível durante os anos de escola e quando tinha o Harvey. Adeus, Harvey = adeus, programa.

S.O.S. Malibu

Lilly: Lixo pueril.

Mia: O mais excelente programa de todos os tempos. Todo mundo é bonito: dá pra entender tudo que tá rolando mesmo se você estiver ao celular e há vários cenários de praia, o que é ótimo quando você está na triste e nublada Manhattan de fevereiro. Melhor episódio: Quando Pamela Anderson é sequestrada por aquele homem metade monstro, que depois da cirurgia plástica se torna um professor na UCLA. Pior episódio: Qualquer um em que Mitch adota um filho.

Meninas Superpoderosas

Lilly: Melhor programa da televisão.

Mia: Idem. Suficiente.

Roswell

Lilly: Agora infelizmente cancelado, esse programa oferecia um olhar intrigante sobre a possibilidade de aliens viverem entre nós. O fato de que eles possam ser adolescentes, e extraordinariamente atraentes, aumenta a credibilidade do programa, de certa forma.

Mia: Caras muito gatos com poderes extraterrestres. O que mais se pode pedir? Ponto alto: Future Max; sempre que qualquer um deles se beija na Eraser Room. Ponto baixo: Quando aquela Tess horrorosa aparece. Ah, e quando foi cancelado.

Buffy, a Caça-Vampiros

Lilly: Crescimento do poder feminista em seu ápice; entretenimento dos melhores. A heroína é uma máquina de matar vampiros esbelta e malvada, que se preocupa tanto com sua alma imortal quanto com desarrumar seu cabelo. Um forte exemplo para jovens que negam sua feminilidade, e pessoas de ambos os sexos e todas as idades podem se beneficiar do ponto de vista desse programa. Tudo na televisão devia ser bom assim. O fato de ele ter sido ignorado por tanto tempo pelo Emmy é uma vergonha.

Mia: Se pelo menos a Buffy conseguisse encontrar um namorado que não precisasse beber jarros de sangue para sobreviver... Ponto alto: Sempre que há beijos. Ponto baixo: Nenhum.

Gilmore Girls

Lilly: Retrato bem pensado de mãe solteira lutando para criar filha adolescente numa pequena cidade do noroeste.

Mia: Muitos, muitos, muitos, muitos, muitos, muitos caras gatos. Além do mais, é legal ver mães solteiras que dormem com o professor dos filhos e recebem apoio em vez de sermões de moralidade.

Charmed

Lilly: Enquanto esse programa pelo menos retrata primorosamente ALGUMAS típicas práticas Wicca, as falas que essas garotas dizem rotineiramente são completamente irreais. Você não pode, por exemplo, viajar no tempo ou entre dimensões sem criar fendas na continuidade espaço-tempo. Se essas garotas estivessem realmente se transportando para a América puritana do século XVII, elas iriam chegar lá com o esôfago rompido e não ordenadamente enfiadas num espartilho, já que ninguém pode viajar através de um buraco de minhoca e manter a integridade corporal. É uma simples questão de física. Albert Einstein deve estar se revirando no túmulo.

Mia: Alô? Bruxas em roupas bacanas. Tipo Sabrina, que só é melhor porque os caras são mais gatos, e às vezes estão em perigo e as garotas têm de salvá-los.

Quinta, 22 de janeiro, S&T

Tina está com tanta raiva de Charlotte Brontë. Ela diz que *Jane Eyre* arruinou sua vida.

Ela anunciou isso na hora do almoço. Bem na frente de Michael, que não deveria saber sobre toda a história da técnica de Jane Eyre de não-correr-atrás-de-garotos. Enfim, ele garantiu que nunca leu esse livro, então acho que realmente não sabia do que Tina estava falando.

Mesmo assim, foi meio triste. Tina disse que está desistindo de seus livros. Desistindo deles porque eles levaram ao fim do seu romance com Dave!

Ficamos muito aborrecidas por ouvir isso. Tina *ama* ler romances. Ela lê mais ou menos um por dia.

Mas agora ela diz que, se não fosse pelos romances, ela, e não Jasmine, ia ao jogo dos Rangers com Dave Farouq El-Abar no sábado.

E o fato de eu mencionar que ela nem gosta de hóquei não pareceu ajudar muito.

Lilly e eu nos demos conta de que este era um momento crucial de crescimento na adolescência de Tina. Precisava ser mostrado a ela que Dave, e não Jane Eyre, era aquele que havia apertado o botão de ejetar em seu relacionamento e que, quando analisada com objetividade, toda a situação era provavelmente para o melhor. Era ridículo Tina culpar os romances pela sua infelicidade.

Então Lilly e eu rapidamente rabiscamos a seguinte lista, e presenteamos Tina com ela, na esperança de que ela veja o erro que está cometendo:

LISTA DE MIA E LILLY DE HEROÍNAS ROMÂNTICAS E AS LIÇÕES VÁLIDAS QUE CADA UMA NOS ENSINOU

1. Jane Eyre, de *Jane Eyre*:
   Mantenha suas convicções e você vencerá.

2. Lorna Doone, de *Lorna Doone*:
   Provavelmente você pertence secretamente à realeza e é herdeira de uma fortuna, só que ninguém contou a você ainda (isso se aplica a Mia Thermopolis também).
3. Elizabeth Bennet, de *Orgulho e preconceito*:
   Garotos gostam de você quando você faz o tipo inteligente chata.
4. Scarlett O'Hara, de *...E o vento levou*:
   Idem.
5. Lady Marian, de *Robin Hood*:
   É uma boa ideia aprender a usar arco e flecha.
6. Jo March, de *Mulherzinhas*:
   Sempre mantenha uma segunda cópia de seus manuscritos para o caso de sua vingativa irmã mais nova jogar seu primeiro rascunho no fogo.
7. Anne Shirley, de *Anne of Green Gables*:
   Uma palavra: Clairol.
8. Marguerite St. Just, de *O pimpinela escarlate*:
   Confira os anéis do seu marido antes de se casar com ele.
9. Catherine, de *O morro dos ventos uivantes*:
   Não fique bancando a superior, ou você também terá de vagar pelos pântanos depois de morta, solitária e com o coração partido.
10. Tess, de *Tess d'Ubervilles*:
    Idem.

Tina, depois de ler a lista, admitiu em lágrimas que nós estávamos certas, que as heroínas românticas da literatura realmente eram amigas dela, e que ela não podia, em sã consciência, culpá-las. Nós estávamos simplesmente respirando aliviadas (exceto Michael e Boris, que estavam jogando no Nintendo DS do Michael) quando Shameeka fez um anúncio súbito, ainda mais chocante do que o de Tina:

"Vou me candidatar a líder de torcida."

Nós ficamos totalmente abaladas. Não porque Shameeka daria uma líder de torcida ruim — ela é a mais atlética de todas nós e sabe quase tanto quanto Tina sobre moda e maquiagem.

Foi só que, como Lilly colocou tão diretamente: "Por que você ia querer fazer uma coisa *dessas*?"

"Porque", explicou Shameeka, "estou cansada de deixar Lana e as amigas dela me intimidarem. Sou tão boa quanto qualquer uma delas. Por que eu não deveria me candidatar para a equipe, mesmo que não faça parte daquela galera? Eu tenho tanta chance de entrar quanto qualquer outra pessoa."

Lilly disse: "Apesar desta ser uma verdade incontestável, eu acho que devia alertar você: Shameeka, se você se candidatar a líder de torcida, você pode realmente conseguir entrar na equipe. Você está preparada para se sujeitar à humilhação de bater palmas para Josh Richter enquanto ele persegue uma bola?"

"A equipe de líderes de torcida tem sofrido, durante muitos anos, o estigma de ser inerentemente machista", Shameeka disse. "Mas acho que a comunidade das líderes de torcida em geral está marcando pontos em se afirmar como um esporte em crescimento, tanto para homens quanto para mulheres. É uma boa maneira de se manter ativa e saudável, combina duas coisas que amo demais: dança e ginástica, e vai parecer excelente em meus requerimentos para a universidade. Esta é, obviamente, a única razão por que meu pai está me deixando me candidatar. Isso e o fato de que George W. Bush foi líder de torcida. E que eu não poderei comparecer a nenhuma festa pós-jogo."

Eu não duvidei dessa última parte. O Sr. Taylor, pai de Shameeka, era meio rígido.

Mas sobre o resto, bem, eu não tinha tanta certeza. Além do mais, sua fala parecia um pouco planejada e, bem, na defensiva.

"Isso significa que se você entrar na equipe", perguntei, "vai parar de almoçar com a gente e vai se sentar lá?"

Eu apontei para a longa mesa do outro lado do refeitório, na qual Lana e Josh e todos os seus seguidores de cabelos bem penteados se sentavam. A ideia de perder Shameeka, que foi sempre tão elegante e ao mesmo tempo sensível, para o Lado Sombrio fez meu coração doer.

"De jeito nenhum", Shameeka disse com desprezo. "Entrar na equipe de líderes de torcida da Escola Albert Einstein não vai mudar em nada minha amizade com todas vocês. Ainda estarei por trás da câmera do seu programa de TV..." ela acenou para Lilly "... e sua parceira em biologia..." para mim "—

e sua consultora de batons —" para Tina "... e sua modelo de retrato" para Ling Su. "Talvez eu só não esteja tão presente quanto antes se entrar na equipe."

Nós todos ficamos sentados lá, refletindo sobre essa grande mudança que pode cair sobre nós. Se Shameeka entrasse para a equipe, seria, claro, um feito para todas as garotas nerds de todo o mundo. Mas também iria necessariamente nos roubar Shameeka, que seria forçada a passar todo o seu tempo livre praticando saltos e pegando o ônibus até Westchester para jogos com o Rye Country Day.

Mas havia ainda mais do que isso. Se Shameeka entrasse para a equipe de líderes de torcida, significaria que ela é boa em alguma coisa — MUITO, MUITO boa em alguma coisa, não apenas um pouco boa em tudo, o que nós já sabíamos sobre ela. Se Shameeka se revelasse ser MUITO, MUITO boa em algo, então eu seria a ÚNICA pessoa no grupo do almoço sem um talento reconhecível.

E juro que essa não foi a única razão pela qual desejei tão fervorosamente que Shameeka não entrasse para a equipe. Quer dizer, eu queria de verdade que conseguisse, se fosse realmente o que ela queria.

Só que... só que eu não quero MESMO ser a única que não tem um talento!!!! Eu REALMENTE, REALMENTE não quero!!!!!!

O silêncio na mesa era palpável... bem, exceto pelo som do jogo dos garotos. Até mesmo garotos aparentemente perfeitos como Michael são alheios à vibe do momento.

Mas posso dizer que a vibe deste ano até agora vem sendo muito ruim. Na verdade, se as coisas não começarem a acontecer logo, eu posso ter de reescrever este ano inteiro.

Ainda não tenho pistas para o que pode ser meu talento oculto. Uma coisa que tenho muita certeza é de que *não* é psicologia. Foi um trabalho difícil fazer Tina desistir de desistir de seus livros! E nós não conseguimos convencer Shameeka a não tentar entrar na equipe de líderes de torcida. Acho que entendo por que ela quer fazer isso — quer dizer, pode ser um *pouco* divertido.

Embora o motivo pelo qual qualquer pessoa de bom coração desejaria passar tanto tempo com Lana Weinberger esteja além da minha compreensão.

Quinta, 22 de janeiro, Francês

Mademoiselle Klein *não* está feliz nem com Tina nem comigo por termos matado aula ontem.

Eu obviamente disse a ela que não matamos, que tivemos uma emergência médica que necessitou uma viagem até a Ho's em busca de absorventes, mas não tenho certeza de que Mademoiselle Klein acreditou em mim. Você poderia pensar que ela mostraria alguma solidariedade feminina com toda essa coisa de surfar-na-onda-vermelha, mas aparentemente não. Pelo menos ela não nos deu uma advertência. Ela nos deixou sair depois de um sermão e nos mandou fazer um ensaio de 500 palavras cada (em francês, claro) sobre a Linha Maginot.

Mas isso não é nem mesmo o tema sobre o qual quero escrever. O que eu quero escrever é isto:

MEU PAI É O CARA!!!!!!

E não apenas o cara à frente de Genovia. Ele conseguiu me livrar do Baile Preto & Branco da condessa!!!!!

O que aconteceu foi que — pelo menos de acordo com o Sr. G, que simplesmente me pegou lá fora no hall e me informou — a discussão sobre os parquímetros finalmente havia sido interrompida (depois de 36 horas) e minha mãe finalmente conseguiu chegar até meu pai (aqueles a favor de instalar os parquímetros ganharam. É uma vitória para o meio ambiente, bem como para mim. Mas eu não posso me sentir totalmente vingada da ridicularização pós-apresentação-da-fala-para-meu-povo que eu aturei da Grandmère, devido ao fato de que o verdadeiro vencedor em tudo isso é a infraestrutura genoviana).

Enfim, meu pai disse que eu não tinha que ir à festa da condessa. Não apenas isso, mas ele disse que jamais tinha ouvido nada tão ridículo na vida, e que a única tensão que existia entre nossa família e a família real de Mônaco é Grandmère. Aparentemente ela e a condessa vêm competindo entre si desde a Escola para Moças, e Grandmère só queria exibir sua neta, sobre quem livros haviam sido escritos e filmes haviam sido feitos. Aparentemente a única neta da condessa vai também estar no baile, mas nunca fizeram um documentário sobre ela, e na verdade é tipo uma incompetente que foi expulsa da Escola para Moças por nunca ter aprendido a esquiar direito, ou algo assim.

Então estou livre! Livre para passar a noite de amanhã com meu único amor! Preparei o terreno com Michael à toa! Tudo vai ficar bem, apesar do sumiço da minha calcinha da sorte. Tenho a mais absoluta certeza!

Estou tão feliz que preciso escrever um poema, mas vou escondê-lo de Tina, porque é inadequado mostrar felicidade com sua boa sorte quando a sorte dos outros está tão excessivamente desgraçada (Tina descobriu quem é Jasmine: uma garota que vai estudar na Trinity com Dave. O pai é um xeque do petróleo também. Ela usa aparelho azul-claro e seu user na internet é EuamoJustin2345).

Poema para Michael

Ah, Michael
Logo vamos estacionar
Na frente do Grand Moff Tarkin
Curtindo um moo shu vegetariano
Aos bips do R2-D2
E talvez até de mãos dadas
Enquanto olhamos as areias de Tatooine
E sabendo que nosso amor de longe
Tem mais poder de fogo que a Estrela da Morte
E embora eles possam explodir nosso planeta
E matar todas as criaturas nele
Como Leia e Han, nas estrelas acima,
Eles não poderão jamais destruir nosso amor
Como a Millenium Falcon na velocidade da luz
Nosso amor vai continuar a florescer e florescer.

* DEVER DE CASA

<u>Álgebra</u>: Probls. No fim do cap. 11

<u>Inglês</u>: No diário, descrever sentimentos ligados à leitura de *The Bait*, de John Donne

<u>Bio</u>: Não sei, Shameeka está fazendo pra mim

<u>Saúde e Segurança</u>: Capítulo 2, Perigos Ambientais e Você

<u>S&T</u>: Descobrir talento oculto

<u>Francês</u>: *Chapitre Onze, écrivez une narratif*, 300 palavras, espaço dois, mais 500 plvs. de enrolação

<u>Civ. Mundiais</u>: 500 palavras, descrever as origens do conflito armênio

Quinta, 22 de janeiro, na limusine a caminho de casa voltando da suíte da Grandmère

É preciso ser uma pessoa evoluída para se admitir que está errado — Grandmère foi quem me ensinou isso.

E se for verdade, então eu devo ser ainda mais evoluída do que meu quase 1,80 metro. Porque eu estava errada. Eu estava errada a respeito da Grandmère. Todo esse tempo, quando pensei que ela era desumana e talvez até enviada de alguma nave-mãe alienígena para observar a vida neste planeta e depois reportá-la aos seus superiores. É, mas acontece que Grandmère é realmente humana, exatamente como eu.

Como descobri isso? Como descobri que a princesa viúva de Genovia não vendeu, afinal de contas, sua alma para o Príncipe das Trevas, como eu sempre supus?

Entendi isso hoje quando entrei na suíte da Grandmère no Plaza, inteiramente preparada para brigar com ela sobre toda a história da condessa Trevanni. Eu ia falar tipo "Grandmère, papai diz que não preciso ir, e adivinhe só, eu não vou".

Era isso o que eu ia dizer, de qualquer jeito.

Acontece que quando entrei e a vi, as palavras praticamente morreram em meus lábios. Porque Grandmère parecia ter sido atropelada por um caminhão! Sério. Ela estava sentada lá no escuro — havia jogado uns lenços vermelhos sobre os abajures, porque disse que a luz estava incomodando seus olhos — e nem estava vestida adequadamente. Estava com um robe de veludo, calçava chinelos e tinha um cobertor de cashmere jogado sobre o colo, e era só isso, e seu cabelo estava todo cacheado, e se seus olhos não fossem tatuados, juro que estariam totalmente borrados. Ela nem estava tomando um Sidecar, seu drinque favorito, nem nada. Ela só estava sentada ali, com Rommel tremendo em seu colo, parecendo que a morte estava pairando acima. Da Grandmère, não do cão.

"Grandmère." Não consegui evitar o grito quando a vi. "Você está bem? Você está doente, ou algo assim?"

Mas tudo o que Grandmère disse foi, numa voz tão diferente da dela, que normalmente é bem estridente, que eu mal pude acreditar que pertencia à mesma mulher. "Não, estou bem. Pelo menos vou ficar. Assim que conseguir superar a humilhação."

"Humilhação? Que humilhação?" Eu me aproximei para me ajoelhar perto da poltrona. "Grandmère, você tem certeza de que não está doente? Você nem está fumando!"

"Vou ficar bem", sussurrou. "Vai demorar semanas antes que eu seja capaz de mostrar o rosto em público. Mas sou uma Renaldo. Sou forte. Vou me recuperar."

Na verdade, Grandmère tecnicamente só é uma Renaldo por casamento, mas naquela hora eu não ia discutir isso com ela, porque achei que havia algo muito errado, como se seu útero tivesse caído durante o banho, ou algo assim (isso aconteceu com uma das mulheres do condomínio em Boca onde a avó do Michael e da Lilly mora. Também aconteceu bastante com as vacas em *Criaturas grandes e pequenas*).

"Grandmère", falei, meio que olhando em volta, para o caso de seu útero estar largado no chão em algum lugar, ou algo assim. "Você quer que eu chame um médico?"

"Nenhum médico pode curar o que eu tenho", me assegurou Grandmère. "Só estou sofrendo da mortificação de ter uma neta que não me ama."

Eu não fazia a menor ideia do que ela estava falando. É verdade que não gosto muito da Grandmère, às vezes. Às vezes até acho que a odeio. Mas não é que eu não a ame. Eu acho. Pelo menos eu nunca tinha dito isso a ela.

"Grandmère, do que você está falando? Claro que eu a amo..."

"Então por que você não vem comigo ao Baile Preto & Branco da condessa Trevanni?", gemeu Grandmère.

Piscando rapidamente, só consegui balbuciar: "O q-quê?"

"Seu pai diz que você não vai ao baile", Grandmère disse. "Ele diz que você não quer ir!"

"Grandmère", falei. "Você sabe que eu não quero ir. Você sabe que Michael e eu..."

"*Aquele rapaz!*" Grandmère gritou. "*Aquele rapaz* de novo!"

"Grandmère, pare de chamá-lo assim", reclamei. "Você sabe muito bem o nome dele."

"E eu suponho que esse Michael...", fungou Grandmère, "...seja mais importante para você do que *eu*. Suponho que você considere que os sentimentos *dele* estão acima dos meus neste caso."

A resposta para isso era, claro, um ressonante *sim*. Mas eu não queria ser grosseira. Falei: "Grandmère, amanhã à noite é o nosso primeiro encontro. Meu e do Michael, quero dizer. É importante, de verdade, para mim."

"E eu suponho que o fato de que era importante de verdade para *mim* que você comparecesse a esse baile não importe, não é mesmo?" Grandmère realmente olhou para mim por um instante de forma tão triste que parecia até que estava com lágrimas nos olhos. Mas talvez fosse apenas uma ilusão de ótica por causa da luz que não estava muito clara. "O fato de que Elena Trevanni vive, desde que eu era uma garotinha, se mostrando superior a mim, porque ela nasceu numa família mais respeitável e aristocrática do que a minha? De que até eu me casar com seu Grandpère ela sempre teve roupas e sapatos e bolsas melhores do que meus pais podiam me dar? Que ela ainda acha que é tão melhor do que eu porque se casou com um *fiscal* que não tinha responsabilidades nem propriedades, apenas riqueza ilimitada, enquanto eu tive que sacrificar tudo para fazer Genovia virar o paraíso de férias que é hoje? E que eu estava esperando que só dessa vez, revelando a neta adorável e perfeita que eu tenho, eu poderia me mostrar superior a ela?"

Eu estava chocada. Eu não tinha ideia do motivo pelo qual esse estúpido baile era tão importante para ela. Achei que era só porque ela queria tentar me separar do Michael, ou tentar me juntar com o príncipe René, para que nós dois pudéssemos unir nossas famílias no sagrado matrimônio algum dia e criar uma realeza suprema. Nunca havia me ocorrido que devia haver alguma circunstância secreta e atenuante...

Como essa de que a condessa Trevanni era, em essência, a Lana Weinberger da Grandmère.

Porque era isso que parecia. Como se Elena Trevanni tivesse torturado e provocado Grandmère tão impiedosamente quanto eu tinha sido torturada e provocada por Lana ao longo dos anos.

Eu imaginei se Elena, como Lana, já havia sugerido a Grandmère que ela usasse band-aids nos peitos em vez de sutiã. Se ela tivesse dito isso a Clarisse Renaldo, ela era uma alma muito, muito mais corajosa do que eu.

"E agora", disse Grandmère, muito tristemente, "eu tenho de dizer a ela que minha neta não me ama o suficiente para deixar de lado seu novo namorado nem por uma única noite."

Eu me dei conta, com o coração afundando, do que eu tinha que fazer. Quer dizer, eu sabia como Grandmère se sentia. Se houvesse alguma maneira — qualquer maneira, mesmo — pela qual eu pudesse me mostrar superior a Lana — sabe, além de sair com o namorado dela, o que eu já tinha feito, mas aquilo tinha terminado *me* humilhando mais do que a ela —, eu teria feito alguma coisa. Qualquer coisa.

Porque quando alguém é tão má e cruel e totalmente asquerosa como Lana é — não apenas comigo, mas com todas as garotas da Escola Albert Einstein que não foram abençoadas com beleza e espírito escolar —, ela certamente merece essa afronta.

Era tão estranho pensar em alguém como Grandmère, que parecia tão incrivelmente segura de si mesma, tendo uma Lana Weinberger na vida dela. Quer dizer, eu sempre tinha retratado Grandmère como o tipo de pessoa que, se Lana jogasse seus longos cabelos louros sobre a carteira dela, iria para cima dela tipo *O tigre e o dragão* e daria com um sapato Ferragamo na cara dela.

Mas talvez houvesse alguém de quem até mesmo Grandmère tivesse um pouco de medo. E talvez essa pessoa fosse a condessa Trevanni.

E apesar de não ser verdade que eu amo Grandmère mais do que amo Michael (eu não amo ninguém mais do que amo Michael, a não ser, claro, Fat Louie), eu realmente senti mais pena da Grandmère naquele momento do que de mim mesma. Sabe, se Michael terminasse comigo porque eu cancelei nosso encontro. Parece incrível, mas é verdade.

Então eu falei, mesmo sem acreditar que aquelas palavras estavam saindo da minha boca, "tudo bem, Grandmère, eu vou comparecer ao tal baile".

Uma mudança miraculosa aconteceu com Grandmère. Ela parecia ter se recuperado na hora.

"Verdade, Amelia?", perguntou, estendendo o braço para agarrar uma das minhas mãos. "Você realmente faria isso por mim?"

Eu sabia que ia perder Michael para sempre. Mas como minha mãe tinha dito, se ele não entendesse, então ele provavelmente não era bom para mim, de qualquer forma.

Sou tão ingênua. Mas ela parecia tão feliz. Ela jogou para o lado o cobertor de cashmere (e Rommel) e chamou a empregada para trazer um Sidecar e seus cigarros, e aí nós passamos para a aula do dia — como pedir o número da companhia de táxi mais próxima em cinco línguas diferentes.

Tudo o que eu quero saber é: o quê?

Não o motivo pelo qual eu precisaria chamar um táxi em hindustani, a língua oficial da Índia.

Eu quero dizer o que — O QUÊ????? — eu vou dizer ao Michael? Quer dizer, fala sério. Se ele não me dispensar agora, então tem alguma coisa errada com ele. E já que eu sei que não tem nada de errado com ele, eu sei que estou prestes a ser dispensada.

Motivo pelo qual eu posso dizer que NÃO HÁ JUSTIÇA NO MUNDO. NENHUMA.

Já que Lilly terá sua reunião no café da manhã com os produtores do tal documentário amanhã de manhã, acho que vou contar as novidades para Michael nessa hora. Assim ele pode terminar comigo a tempo da entrada na sala de estudos. Talvez aí eu já tenha parado de chorar antes que Lana me veja no primeiro tempo de álgebra. Não acho que serei capaz de suportar as implicâncias dela depois de já ter tido meu coração arrancado do corpo e jogado no chão.

Eu me odeio.

Quinta, 22 de janeiro, em casa

Eu vi o tal documentário. Minha mãe gravou para mim enquanto eu estava em Genovia. Ela achou que o Sr. G tinha gravado um jogo dos Jets por cima, mas acabou que não.

O cara que interpretou Michael era totalmente gato. No filme, ele e eu terminamos juntos no final.

Muito ruim que na vida real ele vá terminar comigo amanhã, mesmo que Tina não ache isso.

Isso é muito legal da parte dela e tal, mas o fato é que ele totalmente vai fazer isso. Quer dizer, realmente é uma questão de orgulho. Se uma garota com quem você está ficando há 34 dias cancela seu primeiro encontro de verdade, você realmente não tem escolha a não ser terminar com ela. Quer dizer, eu totalmente entendo. *Eu* terminaria comigo. Está claro agora que adolescentes da realeza não podem ser como adolescentes normais. Quer dizer, para pessoas como eu e o príncipe William, o compromisso tem sempre que vir antes. Quem será capaz de entender isso, quanto mais lidar com isso?

Tina diz que Michael pode, e vai. Ela diz que Michael não vai terminar comigo porque ele me ama. Eu disse que sim, ele vai, porque ele só me ama como amiga.

"É claro que Michael ama você mais do que como amiga", diz Tina ao telefone. "Quer dizer, vocês se beijaram!"

"É", falei. "Mas Kenny e eu também nos beijamos e eu não gostava dele mais do que como amigo."

"Essa é uma situação completamente diferente", diz Tina.

"Por quê?"

"Porque você e Michael foram feitos um para o outro!" Tina parecia exasperada. "Seu mapa astral diz isso! Você e Kenny nunca foram feitos um para o outro, ele é canceriano."

Apesar das previsões astrológicas da Tina, não há prova de que Michael sinta algo mais forte por mim do que, por exemplo, por Judith Gershner. Sim, ele me escreveu aquele poema que mencionava a palavra com A. Mas aquilo foi há um mês inteiro, período durante o qual eu estava em outro país. Ele não tinha renovado nenhum desses votos desde a minha volta. Eu realmente acho que amanhã será a gota de água pra ele. Quer dizer, por que Michael iria perder tempo com uma garota como eu, que não pode nem mesmo resistir à própria avó? Tenho certeza de que se a avó do Michael ficasse toda "Michael, você tem que ir ao bingo comigo na sexta à noite, porque Olga Krakowsky, minha rival de infância, estará lá, e eu quero exibir você a ela", ele teria dito "Desculpe, vó, não posso".

Não, eu que não sei me impor.

E sou eu que devo sofrer por isso agora.

Imagino se é muito tarde no ano escolar para me transferir. Porque realmente não acho que posso continuar indo à mesma escola que Michael depois que terminarmos. Vê-lo nos corredores entre as aulas, no almoço e em S&T, sabendo que ele uma vez foi meu, mas que eu o perdi, pode simplesmente me matar.

Mas há outra escola em Manhattan que possa receber um lixo sem personalidade e sem talento como eu? Duvido.

Para Michael

Ah, Michael, meu único e verdadeiro amor
Nós temos tantos novos prazeres ainda para provar
Mas eu perdi você devido a minha personalidade faltar
E agora, através dos anos, me consumir por você eu vou.

Sexta, 23 de janeiro, Sala de Estudos

Bem. É isso. Contei a ele.

Ele não terminou comigo. Ainda. Na verdade, ele foi bem gentil com a coisa toda.

"Não, de verdade, Mia", foi o que ele disse. "Eu entendo. Você é uma princesa. Primeiro o compromisso."

Talvez ele só não quisesse terminar comigo na escola, na frente de todo mundo?

Eu disse a ele que tentaria sair do baile mais cedo, se pudesse. Ele disse que, se eu saísse, eu devia dar uma passada. No apartamento dos Moscovitz, quero dizer.

Sei o que isso significa, claro:

Que ele vai terminar comigo lá.

AI, MEU DEUS, O QUE HÁ DE ERRADO COMIGO????? Eu conheço Michael há anos e anos. Ele NÃO é o tipo de cara que terminaria com uma garota só porque ela tem um compromisso de família que pode ser mais importante do que um encontro com ele. ELE NÃO É ASSIM. É POR ISSO QUE O AMO.

Mas por que não consigo parar de pensar que a única razão pela qual ele não terminou comigo bem ali naquela hora é porque ele não podia fazer isso na minha limusine, na presença do meu guarda-costas e do meu motorista? Quer dizer, por tudo o que Michael sabe, Lars pode ser treinado para bater em garotos que tentam terminar comigo na frente dele.

EU TENHO QUE PARAR COM ISSO. MICHAEL NÃO É DAVE FAROUQ EL--ABAR. Ele NÃO vai terminar comigo por causa disso.

Mas por que eu sinto como se soubesse agora como Jane Eyre deve ter se sentido quando soube a verdade sobre Bertha no dia de seu casamento? Não, Michael não tem uma esposa, não que eu saiba. Mas é inteiramente possível que meu relacionamento com ele, como o de Jane com o Sr. Rochester, vá chegar ao fim. E eu não consigo pensar em nada no mundo que possa jamais reparar isso. Quer dizer, é possível que hoje à noite, quando eu passar na casa dos Moscovitz, o apartamento esteja pegando fogo, e eu seja capaz de provar a mim mesma que mereço o amor do Michael salvando a mãe dele de forma totalmente altruísta, ou talvez seu cachorro, Pavlov, do fogo.

Mas se não for por isso, eu não nos vejo voltando a ficar juntos. É claro que vou dar o presente de aniversário, porque eu passei por toda aquela confusão para roubá-lo para ele.

Mas eu sei que isso não vai adiantar nada.

O que há de ERRADO comigo???? Isso deve ser TPM, porque se é assim que o amor é o tempo todo, eu não quero mais amar ninguém!!!!!!!!!!!!!!!!!!!!!!!!!

Sexta, 23 de janeiro, ainda na Sala de Estudos

Eles acabaram de anunciar o nome da mais nova membra da equipe oficial de líderes de torcida júnior da Escola Albert Einstein. É Shameeka Taylor.

Ótimo. Muito ótimo. Então é isso. Eu sou agora, oficialmente, a única pessoa que conheço que não tem absolutamente nenhum talento discernível.

Sou um lixo completo.

Sexta, 23 de janeiro, Álgebra

Michael não passou aqui entre as aulas. É o primeiro dia em toda a semana que ele não deu uma passada para dizer OI no caminho para a aula avançada de inglês, três salas depois desta.

Estou totalmente tentando não levar para o lado pessoal, mas tem esta pequena voz dentro de mim falando *É isso! Acabou! Ele vai terminar com você!*

Tenho certeza de que Kate Bosworth nem tem uma voz como essa morando dentro dela. POR QUE eu não podia ter nascido Kate Bosworth em vez de mim, Mia Thermopolis?

Para piorar tudo — como se eu pudesse mesmo ligar para coisas tão triviais —, Lana acaba de se virar para sussurrar: "Não pense que só porque sua amiguinha entrou para o time alguma coisa vai mudar entre nós, Mia. Ela é uma esquisitinha tão patética quanto você. Só deixaram que ela entrasse na equipe para preencher nossa cota de esquisitas."

Então ela virou a cabeça de novo — mas não tão rápido quanto devia. Porque um monte de cabelos dela ainda estava espalhado sobre minha mesa.

E quando fechei meu livro de álgebra I-II o mais forte que pude — que foi o que fiz em seguida —, um monte de suas mechas sedosas, cheirando a *awapuhi*, ficou preso entre as páginas 210 e 211.

Lana gritou de dor. O Sr. G se virou do quadro, viu de onde o grito estava vindo e suspirou:

"Mia", chamou, cansado. "Lana. O que foi agora?"

Lana apontou um dedo indicador na minha direção. "Ela fechou o livro no meu cabelo!"

Eu dei de ombros, inocente. "Eu não sabia que o cabelo dela estava no meu livro. Por que ela não consegue manter o cabelo perto dela, por sinal?"

O Sr. Gianini pareceu chateado. "Lana", falou. "Se você não consegue manter seu cabelo sob controle, eu recomendo tranças. Mia, não feche seu livro com força. Ele deveria estar aberto na página 211, onde eu quero que você leia a Seção Dois. Em voz alta."

Eu li em voz alta a Seção Dois, mas não sem uma certa irritação. Para variar, com Lana, a vingança tinha sido minha, e eu NÃO tinha sido mandada para a sala da diretora. Ah, a doce vingança.

Embora eu nem saiba porque eu tenha que aprender essas coisas. Tenho certeza que qualquer pessoa no Palácio de Genovia poderia multiplicar frações para mim.

Em meu triunfo com a dor que tinha causado em minha inimiga, quase esqueci que meu coração está partido. Devo manter em mente que Michael vai terminar comigo depois do Baile Preto & Branco de hoje à noite. Por que eu não consigo ME CONCENTRAR???? Deve ser o amor. Estou doente com isso.

* Polinômios

termo: variável(is) multiplicada(s) por um coeficiente

monômio: polinômio c/ um termo

binômio: polinômio c/ dois termos

trinômio: polinômio c/três termos

Grau de polinômio = grau do termo com o mais alto grau

Sexta, 23 de janeiro, Saúde e Segurança

Por que você está com essa cara de que acabou de comer uma meia?

Não estou. Como foi sua reunião no café da manhã?

Você está, sim. O encontro foi ÓTIMO.

Verdade? Eles concordaram em publicar uma carta de desculpas de página inteira na *Variety*?

Não, melhor. Alguma coisa aconteceu entre você e meu irmão? Porque eu o vi parecendo todo furtivo no corredor bem agora.

FURTIVO? Furtivo, como? Como se estivesse procurando Judith Gershner para convidá-la para sair hoje à noite????

Não, mais como se estivesse procurando um telefone público. Por que ele convidaria Judith Gershner? Quantas vezes tenho que dizer, ele gosta de você, não de J.G.

Ele gostava de mim, você quer dizer. Antes de eu ser forçada a cancelar nosso encontro hoje à noite porque Grandmère está me forçando a ir a um baile.

Um baile? Fala sério. Argh. Mas me desculpe. Michael não vai convidar outra garota para sair com ele hoje à noite só porque você não pode ir. Quer dizer, ele estava realmente esperando para sair com você. Não só por razões concupiscentes, inclusive.

VERDADE????

É, sua tonta. O que você acha? Quer dizer, vocês estão saindo juntos.

Mas é exatamente isso. Nós não estamos. Saindo juntos ainda, quer dizer.

E daí? Vocês vão sair alguma hora quando você não tiver um baile para ir.

Você não acha que ele vai terminar comigo?

Ah, não, a menos que algo pesado tenha caído na cabeça dele entre agora e a última vez que o vi. Caras com perda cerebral geralmente não podem ser responsabilizados por suas ações.

Por que algo pesado cairia na cabeça dele?

Estou sendo chistosa. Você quer saber sobre minha reunião ou não?

Quero. O que aconteceu?

Eles me disseram que querem representar meu programa.

O que isso significa?

Significa que eles vão levar *Lilly manda a real* por aí para as emissoras pra ver se alguém quer comprar. Para ser um programa de verdade. Num canal de verdade. Não tipo canal público. Tipo ABC ou Lifetime ou VH1, ou algo assim.

Lilly!!!! ISSO É TÃO MARAVILHOSO!!!!

Sim, eu sei. Ops, tenho que ir. Wheeton está olhando para cá.

* Anotação pessoal: procurar palavras *concupiscente* e *chistosa*.

Sexta, 23 de janeiro, S&T

O almoço foi simplesmente uma grande celebração hoje. Todo mundo tinha algum motivo para ficar feliz:

- Shameeka, por entrar para a equipe de líderes de torcida e marcar um ponto para todas as garotas consideradas inapropriadas em toda parte (mesmo que, claro, Shameeka pareça uma supermodelo e possa passar as duas coxas em torno da cabeça, mas que seja)
- Lilly, por ter seu programa de TV representado
- Tina, por finalmente decidir desistir de Dave, mas não dos romances em geral e seguir em frente com a vida
- Ling Su, por conseguir colocar seu retrato de Joe, o leão de pedra, na feira de arte da escola
- E Boris por simplesmente, bem, ser Boris. Boris está sempre feliz.

Você pode notar que não mencionei Michael. É porque eu não sei qual era o estado mental do Michael no almoço, se ele estava ou não feliz ou triste ou concupiscente ou o que seja. É porque Michael não apareceu para almoçar. Ele disse, quando passou voando pelo meu armário antes do quarto tempo: "Aí, eu tenho umas coisas pra fazer, vejo você na S&T, valeu?"

Umas coisas pra fazer.

Eu devia, claro, simplesmente perguntar a ele. Eu devia simplesmente falar, tipo "Olha, você vai terminar comigo por causa disso ou o quê?". Porque eu realmente gostaria de saber, de um jeito ou de outro.

Só que eu não posso simplesmente ir lá e perguntar ao Michael o que está rolando entre a gente, porque nesse momento ele está ocupado com Boris, resolvendo coisas da banda. A banda do Michael é composta por (até agora) Michael (baixo), Boris (violino elétrico), aquele cara grande, Paul, do Clube de Computação (teclados), o cara da banda da Associação de Saúde e Ciências Ambientais chamado Trevor (guitarra) e Felix, aquele cara do terceiro ano e sua assustadora barbicha mais espessa do que a do Sr. Gianini (bateria). Eles ainda não têm um nome para a banda, ou um lugar para ensaiar. Mas eles parecem achar que o Sr. Kreblutz, o inspetor, vai deixá-los entrar nas salas de ensaio de música nos fins de semana se eles conseguirem ingressos para a competição canina do mês que vem para ele. O Sr. Kreblutz é um grande fã da raça Bichon Frisé.

O fato de que Michael possa se concentrar em toda essa história da banda enquanto nosso relacionamento está em ruínas é só uma prova a mais de que ele é um verdadeiro músico, totalmente dedicado a sua arte. Eu, sendo a aberração sem talento que sou, não posso, é claro, pensar em nada mais *além* do meu coração partido. A habilidade do Michael de se manter concentrado apesar de qualquer sofrimento pessoal que possa estar passando é evidência de sua genialidade.

Ou isso ou ele nunca ligou tanto assim para mim antes de mais nada.

Prefiro acreditar na primeira hipótese.

Ah, quem me dera ter algum tipo de válvula de escape, como música, na qual pudesse lançar o sofrimento que estou sentindo agora. Mas infelizmente não sou artista. Só tenho que ficar sentada aqui num sofrimento silencioso, enquanto ao meu redor mais almas talentosas expressam sua angústia mais íntima através de música, dança e filmes.

Bem, tudo bem, só através de filmes, já que não há cantores ou dançarinos no quinto tempo de S&T. Em vez disso nós temos apenas Lilly, organizando o que ela está chamando de seu episódio quintessencial de *Lilly manda a real*, um programa que vai explorar a fraqueza degradante daquela instituição estadunidense conhecida como Starbucks. Lilly alega que a Starbucks, através da apresentação do cartão Starbucks (com o qual os viciados em cafeína podem pagar por seu vício eletronicamente), é realmente um braço secreto da CIA que está rastreando os movimentos da inteligência americana — escritores, editores e outros conhecidos agitadores liberais — através do consumo de café.

Enfim. Eu nem gosto de café.

Ai, droga. O sinal.

* DEVER DE CASA

<u>Álgebra</u>: Não estou nem aí

<u>Inglês</u>: Tudo horrível

<u>Bio</u>: Odeio a vida

<u>Saúde e Segurança</u>: O Sr. Wheeton está apaixonado também. Eu devia alertá-lo para cair fora agora, enquanto é tempo

<u>S&T</u>: Eu nem devia estar nessa aula

<u>Francês</u>: Por que esta língua existe? Todo mundo lá fala inglês mesmo

<u>Civ. Mundiais</u>: O que importa? Todos vamos morrer mesmo

Sexta, 23 de janeiro, 18h, Suíte da Grandmère no Plaza

Grandmère me fez vir aqui direto depois da escola para que Paolo pudesse começar a nos preparar para o baile. Eu não sabia que Paolo atendia em domicílio, mas aparentemente atende. Só a realeza, ele me assegurou, e, claro, Madonna.

Eu expliquei a ele que estou deixando meus cabelos crescerem porque garotos gostam mais de cabelos longos do que de curtos, e Paolo fez alguns barulhos tipo tut-tut-tut, fez alguns cachos para tentar se livrar do formato triangular, o que acho que funcionou, porque meu cabelo está ótimo. Eu toda pareço ótima. Por fora, óbvio.

É horrível que por dentro eu esteja completamente destruída.

Estou tentando não demonstrar isso, entretanto. Sabe, porque quero que Grandmère ache que estou me divertindo. Quer dizer, só estou fazendo isso por ela. Porque ela é uma senhora, é minha avó e fez campanha contra os nazistas e tal, motivo pelo qual alguém deve dar a ela algum apoio.

Só espero que algum dia ela aprecie isso. Meu sacrifício supremo, quero dizer. Mas duvido que ela vá fazer isso. Senhoras de setenta e poucos anos — particularmente princesas viúvas — nunca parecem se lembrar de como era ter catorze anos e estar apaixonada.

Bem, acho que é hora de ir. Grandmère está com um vestido justo preto com glitter por toda parte. Ela parece Diana Ross. Só que sem sobrancelhas. E velha. E branca.

Ela diz que pareço um floco de neve. Hmmm, exatamente o que sempre quis, parecer um floco de neve.

Talvez seja esse meu talento oculto. Tenho a habilidade maravilhosa de me parecer com um floco de neve.

Meus pais devem estar tão orgulhosos.

Sexta, 23 de janeiro, 20h, banheiro da mansão da condessa Trevanni na Quinta Avenida

Isso aí. No banheiro. No banheiro mais uma vez, onde eu sempre pareço terminar nos bailes. Por que isso?

O banheiro da condessa é bem exagerado. É bonito e tal, mas não sei se eu teria escolhido castiçais de parede reluzentes como parte da decoração do meu banheiro. Quer dizer, nem no palácio nós temos castiçais de parede reluzentes. Embora pareça muito romântico e com cara de *Ivanhoé* e tal, é realmente uma ameaça muito séria de incêndio, além de ser provavelmente um risco para a saúde, considerando os carcinógenos que devem estar emitindo.

Mas enfim. Nem é essa a questão (por que qualquer pessoa teria castiçais de parede reluzentes no banheiro?) A questão, na verdade, é esta: se eu descendo supostamente de todas aquelas mulheres fortes (sabe, Rosagunde, que estrangulou o militar com suas tranças, e Agnes, que pulou daquela ponte, sem mencionar Grandmère, que teria impedido os nazistas de destruírem Genovia recebendo Hitler e Mussolini para um chá), porque será que sou tão ingênua?

Quer dizer, sério. Eu caí totalmente no papo de Grandmère querer aparecer para Elena Trevanni com sua neta bonita e perfeita (e parecendo um floco de neve). Eu realmente tive pena dela. Eu senti empatia por Grandmère, sem me dar conta então (como me dou agora) de que Grandmère é completamente desprovida de emoção humana, e toda aquela farsa era só me fazer vir ao baile e ela poder me exibir por aí como NOVA NAMORADA DO PRÍNCIPE RENÉ!!!!!!!!!!!!!!!!!!

Em sua defesa, René parece não saber nada sobre isso também. Ele pareceu tão surpreso quanto eu quando Grandmère me apresentou a sua suposta arquirrival, que, graças ao talento de seu cirurgião plástico, parece uns 30 anos mais nova que Grandmère, embora supostamente elas tenham a mesma idade.

Mas acho que a condessa talvez tenha ido um pouco longe demais com essa história de cirurgia (é tão difícil assim saber quando parar?). Quer dizer, veja o coitado do Michael Jackson — porque ela realmente parece, como Grandmère disse, um pouco estrábica. Como se seus olhos estivessem tipo meio separados, devido à pele entre eles estar esticada demais.

Quando Grandmère me apresentou — "Condessa, deixe-me apresentá-la a minha neta, princesa Amelia Mignonette Grimaldi Renaldo" (ela sempre deixa o Thermopolis de fora) —, achei que tudo ia dar certo. Bem, nem tudo, óbvio, já que diretamente depois do baile eu sabia que ia até a casa da minha melhor amiga e talvez-possivelmente-provavelmente seria dispensada pelo irmão dela. Mas você sabe, tudo no baile.

Mas aí Grandmère acrescentou: "E certamente você conhece o amado dela, o príncipe Pierre René Grimaldi Alberto."

Amado? AMADO??? René e eu trocamos olhares rápidos. Foi só então que notei que, de pé bem ao lado da condessa, estava uma garota que devia ser a neta dela, aquela que tinha sido expulsa da Escola para Moças. Ela parecia meio infeliz e com um olhar triste, embora seu vestido justo preto fosse exatamente o que eu teria gostado de usar para o baile de fim de ano da escola — se ao menos fosse convidada. Mesmo assim, ela não parecia muito confiante nele.

Então, enquanto eu ficava ali em pé, com o rosto todo vermelho e provavelmente não parecendo mais um floco de neve e sim uma daquelas bengalas doces, a condessa inclinou a cabeça para me avaliar e falou: "Então esse patife do René finalmente foi fisgado, e por *sua* neta, Clarisse. Como isso deve ser satisfatório para você."

Aí a condessa lançou para a própria neta — que me apresentou como Bella — um olhar de pura maldade que fez Bella se encolher.

E finalmente me dei conta do que estava acontecendo.

Aí Grandmère disse "Não é mesmo, Elena?", e para mim e René ela falou "Venham, crianças", e nós a seguimos, René parecendo se divertir, mas eu? Eu estava *furiosa*!

"Não consigo acreditar que você fez isso!", exclamei assim que nos afastamos da condessa.

"Fiz o quê, Amelia?", perguntou Grandmère, cumprimentando com a cabeça um cara num tradicional traje africano.

"Disse àquela mulher que René e eu estamos namorando", falei, "quando certamente nós não estamos. Eu sei que você só fez isso para me fazer parecer melhor do que a pobre Bella."

"René", chamou Grandmère, docemente. Ela pode ser muito doce quando quer. "Seja um anjo e veja se consegue algum champanhe para nós, você faria isso?"

René, ainda parecendo cinicamente divertido — da maneira que Enrique Iglesias sempre parece nos comerciais de Doritos —, se afastou em busca da bebida.

"Realmente, Amelia", censurou, quando ele saiu. "Você precisa ser tão rude com o pobre René? Só estou tentando fazer seu primo se sentir bem-vindo e em casa."

"Há uma diferença", reclamei, "entre fazer meu primo se sentir bem e querido e tentar fingir que ele é meu namorado!"

"Bem, o que há de tão errado com René, afinal?", perguntou Grandmère. Ao nosso redor, pessoas elegantes de fraque e trajes de noite estavam se dirigindo ao salão de dança, onde uma orquestra inteira estava tocando aquela música que Audrey Hepburn cantava naquele filme sobre a Tiffany's. Todo mundo estava vestido de branco ou preto ou ambos. O salão de baile da condessa guardava uma semelhança significativa com a área dos pinguins do zoológico do Central Park, onde eu uma vez tinha chorado depois de descobrir a verdade sobre meus ancestrais.

"Ele é extremamente charmoso", prosseguiu Grandmère, "e bastante cosmopolita. Sem mencionar essa beleza diabólica. Como é possível que você prefira um garoto da escola a um *príncipe*?"

"Porque, Grandmère", falei, "eu o amo".

"Amor", disse Grandmère, olhando para o teto de vidro alto sobre nossas cabeças. "*Pfuit!*"

"É, Grandmère", eu disse. "Eu amo. Da maneira que você amou Grandpère — e não tente negar isso, porque eu sei que você amou. Agora você tem que parar de manter no seu coração um desejo secreto de tornar o príncipe René o marido da sua neta, porque isso não vai acontecer."

Grandmère pareceu suavemente inocente. "Não sei o que você quer dizer", disse ela, fungando.

"Corta essa, Grandmère. Você quer que eu fique com o príncipe René, por nenhuma outra razão além de ele ser da realeza e de que isso vai fazer a condessa se sentir mal. Bem, isso não vai acontecer. Mesmo se Michael e eu terminarmos...", o que pode acontecer mais cedo do que ela pensa, "... não vou ficar com *René*!".

Grandmère finalmente começou a parecer que estava acreditando em mim. "Bem", bufou ela, de má vontade. "Vou parar de chamar René de seu amado. Mas você deve dançar com ele. Pelo menos uma vez."

"Grandmère." A última coisa no mundo que eu queria era dançar. "Por favor. Não hoje. Você não sabe..."

"Amelia", Grandmère disse, num tom de voz diferente do que ela usava quase sempre. "Uma dança. Isso é tudo o que estou pedindo. Acredito que você deva isso a mim."

"Eu devo isso a *você*?" Não pude evitar cair na gargalhada com essa. "Como assim?"

"Ah, só por uma coisinha", Grandmère disse, toda inocente, "que recentemente se descobriu ter sido tirada do museu do palácio."

Todo o meu espírito guerreiro dos Renaldo saiu correndo pelas portas francesas da condessa para o pátio dos fundos quando ouvi isso. Senti como se alguém tivesse dado um soco no meu estômago de floco de neve. Grandmère realmente tinha dito o que eu *achei* que ela tinha dito???

Engolindo em seco, eu falei: "O q-quê?"

"É." Grandmère me olhou significativamente. "Um objeto de valor inestimado — apenas um, retirado de um grupo de muitos itens, quase idênticos, e que foram dados a mim por meu amigo muito querido, o Sr. Richard Nixon, o falecido ex-presidente americano — foi dado como desaparecido. Eu percebo que a pessoa que o pegou achou que jamais sentiriam falta dele, porque não era o único item daqueles, e eles todos se pareciam muito. Acontece que aquilo tinha grande valor sentimental para mim. Dick era um amigo tão doce e querido para Genovia enquanto esteve trabalhando, até acontecerem todos aqueles problemas. *Mas você não saberia nada sobre qualquer uma dessas coisas, saberia, Amelia?*"

Ela me tinha nas mãos. Ela me tinha nas mãos e sabia disso. Não sei como ela soube — indubitavelmente através de magia das trevas, no que eu suspeito que Grandmère é bem versada —, mas obviamente ela sabia. Eu estava morta. Estava totalmente, totalmente morta. Não sei se, sendo um membro da família real e tudo, estaria acima da lei em Genovia, mas eu preferia não ter que descobrir no momento.

Eu devia, me dou conta agora, ter simplesmente fingido. Eu devia ter ficado toda "objeto inestimável? Que objeto inestimável?".

Mas eu sabia que não seria bom mentir. Minhas narinas iriam me entregar. Em vez disso falei, naquela voz estridente e elevada que mal reconheci como sendo minha. "Sabe, Grandmère? Eu ficarei feliz em dançar com René. Sem problemas!"

Grandmère pareceu extremamente satisfeita. Ela disse: "É, eu achei que você se sentiria assim." Aí suas sobrancelhas pintadas a lápis se ergueram.

"Ah, veja, aí está o príncipe René com nossas bebidas. Educado da parte dele, você não acha?"

Enfim, foi assim que fui forçada a dançar com o príncipe René — que é um bom dançarino, mas não importa, ele não é Michael. Quer dizer, ele nunca nem viu *Buffy, a Caça-Vampiros* e acha que o Windows é excelente.

Enquanto estávamos dançando, entretanto, aconteceu uma coisa incrível. René falou: "Dá pra acreditar nessa Bella Trevanni? Olha só pra ela. Parece uma planta que alguém esqueceu de regar."

Eu olhei em volta para ver do que ele estava falando, e sem dúvida, lá estava a pobre e triste Bella, dançando com algum cara mais velho que devia ser um amigo da avó dela. Ela parecia extremamente sofrida, como se o cara velho estivesse contando a ela sobre sua carteira de investimentos ou algo assim. Mas, pensando bem, tendo uma avó como a condessa, talvez sofrida fosse uma expressão que Bella usava o tempo todo. E meu coração se encheu de simpatia por ela, porque eu sei muito bem como é estar em algum lugar que você não quer estar, dançar com alguém de quem você não gosta...

Eu olhei para René e disse: "Quando essa música acabar, você convida ela para a próxima."

Foi a vez de René de parecer sofrido. "Eu?"

"Vamos lá, René", chamei, severamente. "Chama ela para dançar. Vai ser a emoção da vida dela ser convidada para dançar por um príncipe bonito."

"Mas não tão bonito para você, né?", disse René, ainda com aquele sorriso cínico.

"René", falei. "Sem ofensa. Mas eu já conheci meu príncipe, muito antes de sequer conhecer você. O único problema é que, se eu não sair daqui logo, eu não sei por quanto tempo ele vai ser meu príncipe, porque eu já perdi o filme que devíamos ver juntos e muito em breve vai ser tarde demais até para eu passar por lá..."

"Não tema, Sua Alteza", disse René, girando comigo. "Se escapar do baile é o seu desejo, eu vou cuidar para que ele seja atendido."

Eu olhei para ele meio em dúvida. Quer dizer, por que de repente René estava sendo tão legal comigo? Talvez pela mesma razão que eu queria que ele dançasse com Bella? Porque ele sentia pena de mim?

"Hm", murmurei. "Tudo bem."

E foi assim que eu acabei neste banheiro. René me disse para me esconder, que ele ia buscar Lars para arranjar um táxi e assim que ele tivesse conseguido um e o caminho estivesse livre, René ia bater três vezes, assinalando que Grandmère estava muito ocupada com outras coisas para notar minha deserção. René prometeu que então diria a ela que eu devia ter comido uma trufa estragada, já que parecia enjoada, e Lars tinha me levado para casa.

Não importa, claro. Nada disso, quero dizer. Porque eu simplesmente vou chegar na casa do Michael a tempo de ele me dispensar. Talvez ele se sinta mal com isso, sabe, depois de eu ter dado a ele seu presente de aniversário. Mas e daí, talvez ele simplesmente fique feliz em se ver livre de mim. Quem sabe? Eu já desisti de tentar entender os homens. Eles são uma espécie diferente.

Ops, aí está a batida de René. Tenho que ir.

Para encontrar meu destino.

Sexta, 23 de janeiro, 23h, no banheiro dos Moscovitz

Agora eu sei como Jane Eyre deve ter se sentido quando ela voltou a Thornfield Hall para encontrá-la toda queimada e destruída e todos dizendo a ela que todo mundo dentro da mansão foi morto pelo fogo.

Só que aí ela descobriu que o Sr. Rochester não morreu, e Jane ficou, tipo assim, superfeliz, porque, sabe, apesar do que ele tentou fazer com ela, ela o ama.

É assim que me sinto nesse exato momento. Superfeliz. Porque eu certamente não acho que Michael vai terminar comigo, afinal de contas!!!!

Não que eu jamais tenha pensado que ele ia... bem, não DE VERDADE. Porque ele NÃO É esse tipo de cara. Mas eu fiquei realmente, realmente assustada que ele pudesse terminar quando eu estava do lado de fora do apartamento dos Moscovitz, sabe, com o dedo na campainha. Eu fiquei lá pensando: *Por* que estou fazendo isso? Estou simplesmente entrando de cabeça num coração partido. Eu devia me virar e fazer Lars conseguir outro táxi e simplesmente voltar pra casa. Eu nem tinha me importado em trocar meu estúpido traje de baile, porque qual era o motivo? Eu ia simplesmente estar a caminho de casa em poucos minutos de qualquer forma, e eu podia trocar de roupa lá.

Então cá estou eu parada no saguão, com Lars atrás de mim falando sobre sua estúpida caça de javalis em Belize, porque isso é tudo sobre o que ele fala de qualquer maneira, e eu ouço Pavlov, o cachorro do Michael, latindo porque tem alguém à porta, enquanto eu estou, tipo: *Tudo bem, quando ele terminar comigo, eu NÃO vou chorar. Vou lembrar de Rosagunde e Agnes e vou ser forte como elas foram fortes...*

E aí Michael abriu a porta. Ele pareceu meio surpreso com a minha aparência, deu pra notar. Eu achei que talvez fosse porque ele não contasse com a possibilidade de ter que terminar com um floco de neve. Mas não havia nada que eu pudesse fazer a respeito, embora eu realmente tenha me lembrado no último minuto que eu ainda estava usando minha tiara, o que eu suponho que deva intimidar, sabe, alguns caras.

Então eu a tirei e falei "Bem, cheguei", o que é uma coisa muito boba para se dizer, porque, bem, dã, eu estava de pé ali, não estava?

Mas Michael meio que pareceu se recuperar. Ele cumprimentou "Ah, oi, entra, você está... você está muito bonita", o que é exatamente o tipo de coisa que um cara que está prestes a terminar com você diz, sabe, para meio que inflar seu ego antes que ele o esmague sob os calcanhares.

Mas eu finalmente entrei, e Lars também, e Michael falou "Lars, minha mãe e meu pai estão na sala assistindo a *Dateline*, se você quiser se juntar a eles", o que Lars totalmente fez, porque dava para ver que ele não queria ficar por perto e ouvir o Grande Término.

Aí Michael e eu ficamos sozinhos na entrada. Eu estava girando a tiara nas mãos, tentando pensar no que dizer. Estava tentando pensar no que dizer em todo o caminho até lá, mas eu não tinha conseguido pensar em muita coisa.

Então Michael falou: "Bem, você já comeu? Porque eu comprei alguns hambúrgueres vegetarianos..."

Eu levantei os olhos dos tacos de madeira do chão, que eu estava examinando muito atentamente, já que era mais fácil do que encarar os olhos de pântano do Michael, que sempre me suga até que eu sinta que não posso mais me mover. Eles costumavam punir criminosos nas antigas sociedades celtas fazendo-os andar num pântano. Se eles afundassem, sabe, eram culpados, e se não, eram inocentes. Só que você sempre afunda quando anda num pântano. Eles descobriram um monte de corpos numa ilha da Irlanda não muito tempo atrás e eles, tipo, ainda tinham todos os dentes e cabelos e essas coisas. Eles estavam totalmente conservados. Foi muito nojento.

Foi assim que me senti quando olhei nos olhos do Michael. Não conservada e nojenta, mas como se estivesse presa num pântano. Só que não me importo, porque é quentinho e bom e aconchegante lá dentro...

E agora ele estava me perguntando se eu queria um hambúrguer vegetariano. Os caras normalmente perguntam a suas namoradas se elas querem hambúrguer vegetariano antes de terminar com elas? Eu não era muito versada nesses assuntos, então a verdade era que eu não sabia.

Mas eu não achava isso.

"Hum", falei, inteligentemente. "Não sei." Achei que talvez fosse uma pergunta capciosa. "Se você for comer um, acho que sim."

Aí Michael falou "Beleza", e fez um gesto para eu segui-lo, e entramos na cozinha, onde Lilly estava sentada, usando o tampo de granito para colocar os rascunhos do episódio de *Lilly manda a real* que ela ia filmar no dia seguinte.

"Deus", ela disse, quando me viu. "O que aconteceu com você? Você parece que trocou de uniforme com a Fada Açucarada."

"Eu estava num baile", lembrei a ela.

"Ah, sim", se lembrou Lilly. "Bem, se você me perguntar, a Fada Açucarada ficou com o trabalho melhor. Mas eu não devia estar aqui. Então finjam que não estou aqui."

"É o que faremos", Michael assegurou a ela.

Aí então ele fez aquela coisa estranhíssima. Ele começou a cozinhar.

Sério. Ele estava *cozinhando*.

Bem, tudo bem, não cozinhando de verdade, mais, tipo, esquentando. Mesmo assim, ele totalmente tirou os dois hambúrgueres vegetarianos que ele tinha comprado no Balducci's e colocou-os em uns pães, e aí colocou os pães em dois pratos. E aí ele pegou algumas batatas fritas que estavam no forno, num tabuleiro, e depois nos pratos também. E aí ele pegou ketchup, maionese e mostarda da geladeira, com duas latas de Coca, e colocou todas essas coisas numa bandeja e aí saiu da cozinha, e antes que eu pudesse perguntar a Lilly o que em nome de Deus era aquilo, ele voltou, pegou os dois pratos e falou pra mim: "Vem."

O que eu podia fazer a não ser segui-lo?

Eu rastejei atrás dele até a sala de TV, onde Lilly e eu tínhamos visto tantas pérolas do cinema pela primeira vez, tipo *Valley Girl* e *Teenagers — As apimentadas* e *Quinze metros de mulher* e *Amor à segunda vista*.

E lá, na frente do sofá de couro preto dos Moscovitz, que fica em frente à TV de 32 polegadas Sony, estavam duas pequenas mesas dobráveis. Michael colocou os pratos de comida que ele tinha preparado em cima delas. Elas ficaram ali, à luz da imagem do título de *Guerra nas estrelas*, que estava congelada na TV, obviamente em pausa.

"Michael", hesitei, realmente confusa. "O que é *isso*?"

"Bem, você não podia ir ao Screening Room", disse ele mal conseguindo acreditar que eu ainda não tinha descoberto sozinha. "Então eu trouxe o Screening Room para você. Vamos lá, vamos comer. Estou faminto."

Ele podia estar faminto, mas eu estava chocada. Eu fiquei lá olhando para baixo, para os hambúrgueres vegetarianos — que cheiravam divinamente bem — e falando "Espera aí. Espera aí. Você não vai terminar comigo?".

Michael já tinha se sentado no sofá e enfiado um monte de batatas fritas na boca. Quando eu disse isso, sobre terminar, ele se virou para me olhar como se eu tivesse perdido a cabeça. "Terminar com você? Por que eu faria isso?"

"Bem", falei, começando a imaginar que talvez ele estivesse certo e eu realmente *tivesse* perdido a cabeça. "Quando eu disse que não podia ir hoje à noite com você... bem, você pareceu meio distante…"

"Eu não estava distante", se explicou Michael. "Eu estava tentando descobrir o que a gente podia fazer em vez de, sabe, ir ao cinema."

"Mas aí você não apareceu no almoço..."

"É", explicou Michael. "Eu tive que ligar e pedir os hambúrgueres vegetarianos e implorar a Maya para ir à loja e comprar o restante das coisas. E meu pai tinha emprestado nosso DVD de *Guerra nas estrelas* a um amigo dele, então eu tive de ligar para ele e fazê-lo devolver."

Eu ouvi aquilo tudo totalmente surpresa. Todo mundo, ao que parecia — Maya, a empregada dos Moscovitz; Lilly; até os pais do Michael —, tinha entrado no plano de Michael para recriar o Screening Room bem ali no apartamento dele.

Só eu desconhecia o plano dele. Bem como ele desconhecia minha certeza de que ele ia terminar comigo.

"Ah", murmurei, começando a me sentir como uma grande idiota. "Então... você não está a fim de terminar?"

"Não, eu não estou a fim de terminar", disse Michael, começando a parecer estar com raiva agora — provavelmente da maneira que o Sr. Rochester pareceu quando soube que Jane tinha saído com aquele cara, St. John. "Mia, eu amo você, lembra? Por que eu ia querer terminar? Agora senta e come antes que esfrie."

Aí eu não estava *começando* a parecer uma grande idiota. Eu era *totalmente* essa grande idiota.

Mas ao mesmo tempo eu me senti incrivelmente, abençoadamente feliz. Porque Michael tinha dito a palavra com A! Disse bem na minha cara! E de uma maneira bem autoritária, exatamente como o capitão Von Trapp ou a Fera ou Patrick Swayze!

Aí Michael deu play e os primeiros acordes do brilhante tema de John Williams para *Guerra nas estrelas* encheram o ambiente. E Michael falou: "Mia, vem. A não ser que você queira trocar esse vestido primeiro. Você trouxe alguma roupa normal?"

Ainda assim, algo não estava certo. Não completamente.

"Você me ama só como amigo?", perguntei a ele, tentando parecer cinicamente divertida, sabe, do jeito que René faria, a fim de manter a verdade longe dele — de que o meu coração estava batendo a mil por hora. "Ou você está *apaixonado* por mim?"

Michael estava olhando por cima das costas do sofá para mim. Ele parecia não acreditar no que ouvia. Eu também não conseguia acreditar. Eu realmente tinha perguntado aquilo a ele? Simplesmente ido lá e perguntado, esquecendo tudo o que Tina e eu tínhamos conversado?

Aparentemente — a julgar pela sua expressão incrédula, enfim — eu tinha. Eu podia me sentir corando mais e mais...

Jane Eyre jamais teria feito essa pergunta.

Mas talvez ela devesse ter feito. Porque a maneira como Michael respondeu fez toda a vergonha de ter perguntado valer a pena completa e totalmente. E a maneira como ele respondeu foi estender os braços, tirar a tiara de mim, deixá-la no sofá ao lado dele, pegar minhas mãos, me puxar para ele e me dar um beijão.

Na boca.

De língua.

Nós perdemos todo o prólogo com os créditos do filme por causa do beijo. Aí finalmente quando o som da nave da princesa Leia sendo bombardeada interrompeu nosso beijo apaixonado, Michael disse: "É claro que estou apaixonado por você. Agora venha se sentar e comer."

Aquilo foi, de verdade, o momento mais romântico de toda a minha vida. Se viver para ser tão velha quanto Grandmère, nunca serei tão feliz quanto fui naquele momento. Eu só fiquei ali em pé, totalmente emocionada, por mais ou menos um minuto. Quer dizer, eu mal conseguia acreditar naquilo. Ele me amava. Não apenas isso, ele estava *apaixonado* por mim! Michael Moscovitz apaixonado por mim, Mia Thermopolis!

"Seu hambúrguer está esfriando", ele disse.

Está vendo? Está vendo como nós somos perfeitos um para o outro? Ele é muito prático, enquanto eu tenho a cabeça nas nuvens. Será que já existiu um casal mais perfeito? Já existiu um encontro mais perfeito?

Nós ficamos sentados lá, comendo nossos hambúrgueres vegetarianos e assistindo a *Guerra nas estrelas*, ele de jeans e camiseta Boomtown Rats e eu em meu traje de baile Chanel. E quando Ben Kenobi disse "Obi-Wan? Este é um nome que não escuto há muito tempo", nós dois falamos, bem na hora, "Quanto tempo?". E Ben disse, como ele sempre faz: "Há muito tempo."

E quando, bem antes de Luke voar para atacar a Estrela da Morte, Michael deu pausa para ir buscar a sobremesa e eu o ajudei a lavar os pratos.

E aí, enquanto ele estava preparando os sundaes, eu me enfiei de novo na sala de TV e coloquei o presente dele na mesa, e esperei ele voltar e encontrá-lo, o que ele fez, alguns minutos depois.

"O que é isso?", perguntou, enquanto me entregava um sundae de baunilha nadando num mar de calda quente, creme de chantilly e pistaches.

"É seu presente de aniversário", respondi, mal conseguindo me conter, porque eu estava tão animada para ver o que ele ia achar. Era muito melhor que bombons ou suéter. Eu achei que seria o presente perfeito para Michael.

Eu senti que podia ficar animada, porque eu tinha pagado um preço muito alto por esse presente: semanas de preocupação de ser descoberta e, uma vez descoberta, ser forçada a dançar valsa com o príncipe René, que até era um bom dançarino, mas que meio que cheirava a cinzeiro, para falar a verdade.

Então prestei muita atenção enquanto Michael, com uma expressão confusa no rosto, se sentou e pegou a caixa.

"Eu disse que você não precisava me dar nada", repetiu.

"Eu sei." Eu estava dando pulinhos de tanta excitação. "Mas eu quis. E vi isso e achei que era *perfeito*."

"Bem", disse Michael. "Obrigado." Ele desamarrou o laço que segurava a minúscula caixa fechada e em seguida levantou a tampa...

E lá, bem no meio de um monte de algodão branco, estava ela. Uma pequena pedra suja, menor do que uma formiga. Bem menor do que uma formiga até. Do tamanho da cabeça de um alfinete.

"Ah", sussurrou Michael, olhando para o pequeno ponto. "É... é bem legal."

Eu ri, deliciada. "Você nem sabe o que é!"

"Bem", confessou. "Não sei mesmo."

"Você não consegue imaginar?"

"Bem", ele disse de novo. "Parece... quer dizer, parece muito com... uma pedra."

"*É* uma pedra", eu disse. "Adivinhe de onde ela vem."

Michael olhou a pedra. "Não sei. Genovia?"

"Não, seu bobo", ri. "Da Lua! É uma pedra da Lua! De quando Neil Armstrong estava lá em cima. Ele recolheu um monte delas, e aí as trouxe de volta e as deu à Casa Branca, e Richard Nixon deu a minha avó um monte delas quando ele estava na presidência. Bem, ele as deu a Genovia, tecnicamente falando. E eu as vi e pensei... bem, que você devia ganhar uma. Porque eu sei que você gosta de coisas espaciais. Quer dizer, como você colocou essa constelação de adesivos que brilham no escuro no teto acima da sua cama e tal..."

Michael tirou os olhos da pedra da Lua — que ele tinha ficado encarando como se não pudesse acreditar muito no que estava vendo — e falou: "Quando você esteve no meu quarto?"

"Ah", falei, me sentindo corar de novo. "Muito tempo atrás..." Bem, *tinha* sido há muito tempo. Tinha sido bem antes de eu saber que ele gostava de mim, quando eu estava mandando para ele aqueles poemas de amor anônimos, "... uma vez quando Maya estava limpando lá dentro".

Michael disse "Ah", e olhou de volta para a pedra da Lua.

"Mia", revelou, alguns segundos depois. "Não posso aceitar isso."

"Sim, você pode", afirmei. "Há um monte delas lá no museu do palácio, não se preocupe. Richard Nixon deve ter tido uma queda fortíssima por Grandmère, porque tenho certeza de que temos mais pedras da Lua do que Mônaco ou qualquer outra pessoa."

"Mia", repetiu Michael. "É uma pedra. Da *Lua*."

"Sim", confirmei, sem entender direito sobre o que ele estava falando. Será que ele não tinha gostado? Aquilo *era* meio estranho, acho, dar ao seu namorado uma pedra de aniversário. Mas não era qualquer pedra. E Michael não era qualquer namorado. Eu realmente achei que ele ia gostar.

"É uma pedra", disse ele novamente, "que veio de 370 mil quilômetros de distância da Terra."

"É", concordei, imaginando o que tinha feito de errado. Eu tinha acabado de reencontrar Michael depois de uma semana convencida de que ele ia terminar comigo por um motivo, apenas para descobrir que ia terminar comigo por outro diferente? Fala sério, não há justiça nesse mundo. "Michael, se você não gostou, posso devolver. Eu só pensei..."

"De jeito nenhum", ele disse, tirando a caixa de perto de mim. "Você não vai pegar isso de volta. Só que não sei o que vou dar a você de aniversário. Vai ser difícil superar esse presente."

O que diabos estava acontecendo? Senti meu rosto corar de novo.

"Ah, então", arrisquei. "Você pode simplesmente escrever outra música pra mim."

O que era algo meio malvado de se dizer, porque ele nunca tinha admitido que aquela música, a primeira que ele tinha tocado para mim, "Tall Drink of

Water", era sobre mim. Mas deu pra sacar pela maneira que ele sorria agora que eu estava certa. Era sobre mim. *Com certeza* era.

E então nós comemos nossos sundaes e assistimos ao restante do filme, e quando terminou e os créditos estavam rolando, eu me lembrei de outra coisa que tinha pensado em dar a ele, algo que tinha pensado no táxi de volta da casa da condessa, quando eu tentava pensar o que ia dizer a ele antes que terminasse comigo.

"Ah", exclamei. "Pensei num nome para sua banda."

"Não", negou com um gemido. "Não vai ser X-Wing Fighters. Eu imploro."

"Não", falei. "Skinner Box." Que é a coisa que aquele psicólogo usou em todos aqueles ratos e pombos para provar que existe algo chamado reflexo condicionado. Pavlov, o cara a quem Michael homenageou nomeando seu cachorro, tinha feito a mesma coisa, mas com cachorros e sinos.

"Skinner Box", disse Michael, cuidadosamente.

"É", falei. "Quer dizer, eu só achei, já que você chamou seu cachorro de Pavlov..."

"Acho que gosto", disse Michael. "Vou ver o que os caras acham."

Eu sorri. A noite estava se revelando muito melhor do que pensei que seria a princípio, eu não podia realmente fazer mais nada *a não ser* sorrir. De fato, foi por isso que me tranquei no banheiro. Para tentar me acalmar um pouco. Estou tão feliz que mal posso escrever. Eu...

Sábado, 24 de janeiro, em casa

Ops. Eu tive de interromper ali na noite passada, porque Lilly começou a esmurrar a porta do banheiro, querendo saber se eu estava passando mal, ou algo assim. Quando eu a abri (a porta, quero dizer) e ela me viu lá dentro com meu diário e minha caneta, ela falou, toda mal-humorada (Lilly é mais do dia do que da noite): "Quer dizer que você está trancada aí há meia hora *escrevendo em seu diário?*"

O que eu admito que é um pouco esquisito, mas não deu pra evitar. Eu estava tão feliz que PRECISAVA escrever, para que jamais esquecesse como era sentir aquilo.

"E você *ainda* não descobriu no que você é tão boa?", perguntou.

Quando sacudi a cabeça, ela simplesmente saiu batendo os pés, toda furiosa.

Mas eu não podia ficar aborrecida com ela, porque... bem, porque estou tão apaixonada pelo irmão dela.

Da mesma maneira que não posso ficar aborrecida com Grandmère, mesmo que ela tenha, em essência, tentado me jogar para cima daquele príncipe sem teto ontem. Mas não posso culpá-la por tentar. Ela estava apenas tentando parecer melhor na frente da amiga.

Além do mais, ela ligou pra cá um tempo atrás querendo saber se eu estava me sentindo bem depois da trufa estragada que havia comido. Minha mãe, representando, assegurou a ela que eu estava bem. Aí então Grandmère quis saber se eu poderia ir até lá e tomar um chá com a condessa... que estava simplesmente morrendo de vontade de me conhecer melhor. Eu disse que estava ocupada com os deveres de casa. O que deve impressionar a condessa. Você sabe, com meu diligente trabalho ético.

E eu não posso ficar chateada com René também, depois da maneira que havia me dado cobertura na noite passada. Imagino como ele e Bella se saíram. Seria muito engraçado se eles tivessem se dado bem... bem, engraçado para todo mundo, menos para Grandmère.

E eu não posso nem ficar com raiva da lavanderia da Thompson Street por ter perdido minhas calcinhas da rainha Amidala, porque esta manhã houve uma batida na porta e, quando abri, nossa vizinha, Ronnie, estava lá com uma grande sacola com nossa roupa limpa, incluindo as calças de veludo marrom do Sr. G e a camiseta Liberte Winona da mamãe. Ronnie diz que ela deve ter pegado acidentalmente a bolsa errada na portaria, e aí ela foi para Barbados com seu chefe no feriado e só agora notou que havia uma sacola de roupas que não eram dela.

Se bem que não estou tão feliz por conseguir de volta minhas calcinhas da rainha Amidala quanto você possa pensar. Porque, claramente, posso sobreviver sem elas. Eu estava pensando em pedir mais algumas de aniversário, mas agora não tenho que fazer isso, porque Michael, mesmo que ele ainda não saiba, já me deu o melhor presente que ganhei.

E não, não é o amor dele — embora esta seja provavelmente a segunda melhor coisa que ele poderia ter me dado. Não, é algo que ele disse depois que Lilly saiu do banheiro batendo o pé.

"O que foi isso?", perguntou.

"Ah", respondi, colocando meu diário de lado, "ela só está com raiva porque eu não descobri ainda qual é meu talento secreto."

"Seu o quê?" Michael repetiu.

"Meu talento secreto." E aí, porque ele tinha sido tão honesto comigo, com toda a história de estar apaixonado, eu decidi ser honesta com ele também. Então expliquei: "É só que você e Lilly, vocês dois são tão talentosos. Vocês são bons em tantas coisas, e eu não sou boa em nada, e às vezes eu me sinto como... bem, como se eu não pertencesse. Pelo menos não à classe de Superdotados & Talentosos."

"Mia", Michael disse. "Você é totalmente talentosa."

"É", murmurei, apontando para o meu vestido. "Em parecer um floco de neve."

"Não", Michael disse. "Embora, agora que você mencionou, você seja muito boa nisso também. Mas eu quis dizer em escrever."

Eu tenho que admitir, eu meio que olhei para ele e falei, de uma maneira bem pouco nobre, "O quê?"

"Bem, é muito óbvio", afirmou, "que você gosta de escrever. Quer dizer, sua cabeça está sempre enfiada nesse diário. E você sempre tira 10 em suas redações de inglês. Acho que é bem óbvio, Mia, que você é uma escritora".

E mesmo que eu jamais tivesse realmente pensado sobre isso antes, percebi que Michael estava certo. Quer dizer, eu *estou* sempre escrevendo neste diário. E eu realmente faço muitas poesias, e escrevo um monte de notas e e-mails e coisas assim. Quer dizer, parece que estou *sempre* escrevendo. Eu faço isso tanto que nem pensei que podia ser um *talento*. É só uma coisa que eu faço o tempo todo, tipo respirar.

Mas agora que eu sei qual é o meu talento, você pode apostar que vou começar a afiá-lo. E a primeira coisa que vou escrever é um projeto de lei para submeter ao Parlamento Genoviano a fim de conseguir alguns semáforos no centro da cidade. Os cruzamentos lá são *fatais*...

Assim que eu chegar em casa depois do boliche com Michael e Lilly e Boris. Porque até uma princesa tem que se divertir às vezes.

Este livro foi composto na tipografia Minion Pro,
em corpo 10,5/15, e impresso em
papel off-white na Gráfica Corprint.